「十三五」国家重点出版物出版规划项目

国家出版基金项目
NATIONAL PUBLICATION FOUNDATION

中国中药资源大典

中国中药资源大典

湖南卷

7

黄璐琦／总主编

张水寒　刘　浩／湖南卷主编

刘　浩　龚力民／主　编

北京科学技术出版社

图书在版编目（CIP）数据

中国中药资源大典. 湖南卷. 7 / 刘浩，龚力民主编.
北京：北京科学技术出版社，2024. 6. -- ISBN 978-7
-5714-3954-5

Ⅰ. R281.4

中国国家版本馆CIP数据核字第2024AU4905号

责任编辑：侍　伟　李兆弟　尤竞爽　王治华　吕　慧　庞璐璐　刘　雪
责任校对：贾　荣
图文制作：樊润琴
责任印制：李　茗
出 版 人：曾庆宇
出版发行：北京科学技术出版社
社　　　址：北京西直门南大街16号
邮政编码：100035
电　　　话：0086-10-66135495（总编室）　　0086-10-66113227（发行部）
网　　　址：www.bkydw.cn
印　　　刷：北京博海升彩色印刷有限公司
开　　　本：889 mm × 1 194 mm　　1/16
字　　　数：981千字
印　　　张：44.25
版　　　次：2024年6月第1版
印　　　次：2024年6月第1次印刷
审 图 号：GS京（2023）1758号
ISBN 978-7-5714-3954-5

定　　价：490.00元

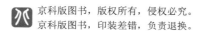

嘉禾县中医医院　　　　　　　　　江华瑶族自治县民族中医医院

江永县中医院　　　　　　　　　　津市市中医医院

靖州苗族侗族自治县中医医院　　　蓝山县中医医院

耒阳市中医医院　　　　　　　　　冷水江市中医医院

澧县中医医院　　　　　　　　　　醴陵市中医院

涟源市中医医院　　　　　　　　　临澧县中医医院

临武县中医医院　　　　　　　　　临湘市中医医院

零陵区中医医院　　　　　　　　　浏阳市中医医院

龙山县中医院　　　　　　　　　　隆回县中医医院

娄底市中医医院　　　　　　　　　泸溪县民族中医院

渌口区淦田镇中心卫生院　　　　　麻阳苗族自治县中医医院

汨罗市中医医院　　　　　　　　　南县中医医院

宁乡市中医医院　　　　　　　　　宁远县中医医院

平江县中医医院　　　　　　　　　祁东县中医医院

祁阳市中医医院　　　　　　　　　汝城县中医医院

桑植县民族中医院　　　　　　　　邵东市中医医院

邵阳市中西医结合医院　　　　　　邵阳市中医医院

邵阳县中医医院　　　　　　　　　韶山市人民医院

石门县中医医院　　　　　　　　　双峰县中医医院

双牌县中医医院　　　　　　　　　绥宁县中医医院

桃江县中医医院　　　　　　　　　桃源县中医医院

通道侗族自治县民族中医医院　　　望城区人民医院

武冈市中医医院　　　　　　　　　湘潭市中医医院

湘潭县中医医院　　　　　　　　　湘乡市中医医院

湘阴县中医医院　　　　　　　　　新化县中医医院

新晃侗族自治县中医医院　　　　　新宁县中医医院

新邵县中医医院　　　　　　　　　新田县中医医院

溆浦县中医医院 炎陵县中医医院

宜章县中医医院 益阳市中医医院

永顺县中医院 永兴县中医医院

永州市中医医院 攸县中医院

沅江市中医医院 沅陵县中医医院

岳阳市中医医院 岳阳县中医医院

云溪区中医医院 张家界市中医医院

芷江侗族自治县中医医院 资兴市中医医院

主编简介

>> 张水寒

二级研究员，博士研究生导师。享受国务院政府特殊津贴专家、享受湖南省政府特殊津贴专家、湖南省卫生健康高层次人才医学学科领军人才，入选国家"百千万人才工程"，并被授予"有突出贡献中青年专家"荣誉称号。主要从事中药资源、中药制剂及中药质量标准方面的研究。

近10年来，主持和参与"重大新药创制"、国家自然科学基金、"十二五"国家科技支撑计划等20余项课题。获得新药证书12项、药物临床批件22项、国家发明专利13项。发表学术论文200余篇，其中以第一作者和通讯作者发表SCI论文30余篇，编写专著7部。获得国家科学技术进步奖二等奖1项、省部级奖励5项。

2011年以来，担任湖南省第四次全国中药资源普查技术总负责人、湖南省中药资源动态监测省级中心主任，主持建立"技术分层、突出量化、严把质控"的中药资源普查组织管理与技术保障模式；开展重点品种研究示范，大力推动普查成果转化、应用。

主编简介

>> 刘　浩

副研究员。湖南省中医药研究院中药资源研究所中药资源与鉴定研究室主任。主要从事中药资源、中药鉴定与本草学研究。

历任湖南省中药资源普查工作领导小组办公室成员、专家委员会委员、专家委员会办公室副主任，负责湖南省第四次全国中药资源普查组织管理与技术保障工作的具体实施，采集、鉴定普查标本近 10 万号，参与建成湖南省中药资源数据库、药用植物标本馆，熟悉湖南省中药资源基本情况及道地药材传承与发展的情况，编制省级、县级中药材产业发展规划 10 余份。2014 年起任湖南省中药资源动态监测省级中心秘书，参与建成"一个中心，三个监测站，百个监测点"的湖南省中药资源动态监测与技术服务体系。

彭求贤（湖南中医药大学）

曾晓艳（湖南中医药大学）

褚思思（湖南中医药高等专科学校）

序 言

　　中药资源是中医药事业和产业发展的重要物质基础。随着中医药事业和产业蓬勃发展，社会各界对中药资源的需求量逐渐增加。为摸清中药资源家底，科学制定中药资源保护和产业发展政策措施，国家中医药管理局组织实施了第四次全国中药资源普查，对促进中药资源可持续利用、助力健康中国行动的实施和区域社会经济发展做出了重要贡献。

　　湖南地处云贵高原向江南丘陵、南岭山脉向江汉平原过渡的地带，属大陆性亚热带季风湿润气候区，独特的地理环境孕育了丰富的中药资源。锦绣潇湘，物华天宝，人杰地灵。湖南省作为首批6个中药资源普查试点省区之一，由湖南省中医药研究院作为技术牵头单位，组织全省技术人员队伍，出色地完成了湖南第四次中药资源普查工作任务。

　　张水寒和刘浩两位"伙计"基于湖南中药资源普查获得的第一手调查资料，系统整理分析、总结普查成果，牵头主编了《中国中药资源大典·湖南卷》。该书既有湖南自然社会概况、中药资源种类等总体情况介绍，又有湖南特色中药资源的历史源流与生产现状阐述，还对4196种中药资源的基本情况进行详细介绍。该书可作为认识和了解湖南中药资源的工具书，具有重要的学术价值和应用价值。希望该书的出版，能助力湖南中药产业高质量发展，为中药资源的可持续发展、优化中药产业布局、促进学术交流和科学研究起到积极推动作用。

付梓之际，欣然为序。

中国工程院院士

中国中医科学院院长

第四次全国中药资源普查技术指导专家组组长

黄璐琦

2024 年 4 月

前　言

　　湖南地处云贵高原向江南丘陵过渡、南岭山脉向江汉平原过渡的中亚热带，位于东经 108°47′～114°15′、北纬 24°38′～30°08′。东以幕阜、武功诸山系与江西交界，西以云贵高原东缘连贵州，西北以武陵山脉毗邻重庆，南枕南岭与广东、广西相邻，北以滨湖平原与湖北接壤，形成了东、南、西三面环山，中部丘岗起伏，北部湖盆平原展开的马蹄形地形。湖南有半高山、低山、丘陵、岗地和平原等多种地貌类型，其中山地面积占全省总面积的 51.22%。湖南位于长江以南的东亚季风区，加之离海洋较远，形成了气候温暖、四季分明、热量充足、雨水集中、春温多变、夏秋多旱、严寒期短、暑热期长、雨热同期的亚热带季风湿润气候。湖南为华东、华中、华南、滇黔桂 4 个植物区系的过渡地带，其境内植物具有较明显的东西、南北过渡性。地带性植被为常绿阔叶林，地带性土壤为红壤。湖南亚热带季风的大气候与复杂地势地貌的小环境，共同孕育了丰富的中药资源。

　　湖南历史文化悠久，是华夏文明的重要发祥地之一。道县玉蟾岩遗址出土了世界上现存最早的人工栽培稻标本，距今 1.2 万年。澧县城头山古文化遗址被称为"中国最早的城市"，距今约 6 000 年。宋代罗泌《路史》载炎帝"崩，葬长沙茶乡之尾……唐世尝奉祀焉"。《古今图书集成·衡州府古迹考》载："炎帝神农氏陵，在酃之康乐乡。""康乐乡"即今株洲市炎陵县鹿原镇。长沙马王堆汉墓出土的 16 部医书涉及方剂学、脉学、经络学等多门学科，代表了我国先秦时期的医药成就，其中《五十二病方》是我国现存最早的方书。

湖南中药资源的研究与应用历史悠久。马王堆汉墓出土的药材有桂皮、花椒、干姜、藁本、佩兰、辛夷、牡蛎、朱砂等，出土医书中的中药名共 406 个。《新唐书·地理志》载："岳州巴陵郡贡鳖甲，潭州长沙郡贡木瓜，永州零陵郡贡零陵香、石蜜、石燕，道州江华郡贡零陵香、犀角，辰州泸溪郡贡光明砂、犀角、水银、黄连、黄牙……锦州卢阳郡贡光明丹砂、犀角、水银。"唐代柳宗元《捕蛇者说》云："永州之野产异蛇，黑质而白章。"此即常用中药蕲蛇。宋代苏颂等编撰的《本草图经》，实际上是继《新修本草》后本草史上第二次全国药物普查的成果，集中反映了宋代实际的药物出产与使用情况，该书收载了当时湖南境内 8 州的 28 幅药图，包括辰州丹砂、道州石钟乳、道州滑石、道州石南、永州石燕、衡州菖蒲、衡州玄参、衡州栝楼、衡州地榆、衡州百部、衡州马鞭草、衡州五加皮、衡州乌药、澧州莎草、邵州苦参、邵州天麻、邵州乌头、鼎州茅根、鼎州连翘、鼎州地芙蓉、鼎州水麻、岳州假苏、岳州薄荷等。清代吴其濬所著《植物名实图考》收载的湖南药用植物达 267 种。明清之际，湖南各府县广泛修著地方志，并在"物产"中记载本地所产药材，如清道光《宝庆府志》（1849）与光绪《邵阳县志》（1876）均记载："百合，邵阳出者特大而肥美。"清末《邵阳县乡土志》（1907）载："玉竹参一名葳蕤，又名女萎，近谷皮洞多产此。"并载邵阳常见中药材尚有黄精、香附子、金樱子、栀子、金银花、桑白皮、厚朴、丹皮、天花粉、天南星、何首乌、前胡、桔梗、牛膝、五倍子、络石藤、吴茱萸、木通、车前草、香薷、木鳖子等。

中华人民共和国成立以来，党和政府高度重视中医药的传承与发展。湖南先后开展了 4 次全省范围的中药资源调查工作，掌握了全省中药资源的种类、分布、产量与民间药用情况的本底资料。20 世纪 50 年代末，湖南开展了"群众性的中医采风运动"，全省献方达数十万个，湖南中医药研究所（1957 年创办，1962 年更名为湖南省中医药研究所，1984 年更名为湖南省中医药研究院）组织专家对献方进行了研究，为各地挖掘使用中药资源奠定了坚实的基础。20 世纪 60—70 年代，湖南开始兴起中草药群众运动。为了更好地开展中草药群众运动，湖南省中医药研究所对基层医疗工作者、赤脚医生、老药农、老草医与地方卫生局、药品检验所、医药公司提供的大量标本和资料进行了整理与鉴定，系统地梳理了这一时期湖南中药资源的种类和应用情况。1962 年，湖南省中医药研究所出版了《湖南药物志（第一辑）》，该书收载药用植物 417 种。1972 年，《湖南药物志（第二辑）》出版，收载药用植物 406 种。1979 年，《湖南药物志（第三辑）》出版，收载药用植物 341 种。20 世纪 80 年代，湖南第三次中药资源普查正式开始，此次普查共采集植物、动物、矿物标本 298 785 份，拍摄照片 13 457 张，调查到全省中药资源种类 2 384 种，其中植物药 2 077 种，动物药 256 种，矿物药 51 种；全国重点调查的 363 种药材中，湖南产 241 种；测算全省植物药蕴藏量 107.8 万 t，动物药蕴藏量 1 306 t，矿物药蕴藏量 1 147 万 t；共收集单验方 25 355 个，经各地（州、市）筛选汇编的有 8 000 多个，经名老中医严格审查选用的有 2 400 余个，这 2 400 余个单验方编成了《湖南省中草药民间单验方选编》。

2011 年，第四次全国中药资源普查试点工作启动。湖南作为首批 6 个试点省区之一率先启动普查工作，历时 11 年，先后分 6 批，进行了全省 122 个县级行政区域的中药资源普查工作。湖南本次普查共调查代表区域 550 个，代表区域总面积 149 101.03 km^2；调查样地 4 598 个，样方套 22 904 个；采集腊叶标本 116 443 号、药材样品 10 204 份、种质资源 5 913 份；调查传统知识 1 252 份；拍摄照片 1 519 340 张；计算蕴藏量的种类 584 种；调查栽培品种 160 种、市场流通中药材 479 种；调查数据约 210 万条。本次普查全面掌握了湖南中药资源种类与分布、重点品种的资源量、中药材市场流通等信息，为湖南中医药事业、产业发展提供了科学依据。

湖南第四次中药资源普查为适应时代发展需求，创新应用了大量现代技术，提高了工作效率，保障了数据的完整性、一致性、准确性和实用性。通过引入空间信息技术与分层抽样方法设置的调查区域与样地更具代表性，从而使资源蕴藏量的估算更加科学。野外调查中应用 GPS、数码相机、信息采集软件等获取经度、纬度、海拔等信息化数据，搭建了信息化工作平台。湖南在约 210 万条数据的基础上建成了湖南省中药资源数据库，实现了全省中药资源数据的长久保存、可视查询、成果转化和共享服务。本书中的基原图片、资源分布等内容充分利用了数据库的查询、统计功能，湖南省最新中药资源区划也利用了普查数据，全省被划分为湘西北武陵山中药资源区、湘西南雪峰山中药资源区、湘南南岭北部中药资源区、湘中湘东丘陵中药资源区、洞庭湖及环湖丘岗中药资源区 5 个中药资源分区。

编著一套图文并茂、系统全面反映湖南中药资源家底的著作是普查工作的重要组成部分。2021 年，湖南第四次中药资源普查进入收尾阶段，我们组织专家对《中国中药资源大典·湖南卷》的编写体例、资源名录、图片整理及分工安排进行了多轮讨论，最后形成了编写工作方案。野外工作得到的一手数据，是我们编著本书的关键素材，书中的图片来源于野外拍摄，分布信息来源于凭证标本的采集地点，资源蕴藏量信息来源于实际调查，因此，本书充分体现了湖南第四次中药资源普查的全方位成果。

第四次全国中药资源普查技术指导专家组组长黄璐琦院士多次带领普查专家组莅临湖南指导普查工作。湖南省委、省政府高度重视中药资源普查工作；湖南省中医药管理局作为普查组织实施单位，构建了符合湖南实际情况的普查组织模式；湖南省中医药研究院作为技术牵头单位，组织成立了专家委员会，指导全省普查工作。在各方的共同努力下，湖南顺利完成了第四次中药资源普查工作。我们向支持普查工作的社会各界表示由衷的感谢，向奋战在普查一线的"伙计们"致以诚挚的敬意！

普查的大量数据是我们编著本书的优势，同时也为整理图片、撰写文稿带来了巨大的挑战，加之编者学术水平有限，书中难免存在资料取舍失当及错漏之处，敬请有关专家、学者批评指正。

编 者

2024 年 4 月

凡 例

（1）本书共 14 册，分为上、中、下篇。上篇综述了湖南自然社会概况、中药资源调查历史、第四次中药资源普查情况、中药资源分布；中篇论述了 34 种湖南道地、大宗中药资源；下篇共收录中药资源 4 196 种，其中药用菌类资源 36 种、药用植物资源 3 799 种、药用动物资源 315 种、药用矿物资源 46 种。另外，附录中收录药用资源 305 种。

（2）分类系统。菌类参考 Index Fungorum 最新的分类学研究成果。蕨类植物采用秦仁昌分类系统（1978）。裸子植物采用郑万钧分类系统（1978）。被子植物采用恩格勒系统（1964）。

（3）本书下篇主要介绍各中药资源，以中药资源名为条目名，下设药材名、形态特征、生境分布、资源情况、采收加工、药材性状、功能主治、用法用量及附注等，其中采收加工、药材性状、用法用量为非必要项，资料不详者项目从略。各项目编写原则简述如下。

1）条目名。该项记述中药资源物种及其科属的中文名、拉丁学名。其中蕨类植物、裸子植物、被子植物的名称主要参考《中国植物志》，藻类、动物、矿物的名称主要参考《中华本草》。

2）药材名。该项记述中药资源的药材名、药用部位与药材别名。凡《中华人民共和国药典》等法定标准收载者，原则上采用法定药材名；法定标准未收载者，主要参考《中华本草》《全国中草药名鉴》《中国中药资源志要》。药材别名记载湖南各地乡村中医、草医及民间习惯用名。

3）形态特征。该项简要描述中药资源的形态特征，突出鉴别特征。主要参考《中国植物志》，并结合普查实际所获取的信息进行描述。

4）生境分布。该项记述中药资源在湖南的生存环境与分布区域。生存环境主要源于凭证标本的生境，并参考相关志书的描述。分布区域源于凭证标本的采集地，以"地市级行政区划（县级行政区划）"的形式进行描述。在湖南五大中药资源分区中皆有分布且凭证标本超过20号者，记述为"湖南各地均有分布"。

5）资源情况。该项记述中药资源的蕴藏量情况，用丰富、较丰富、一般、较少、稀少来表示；并用"野生"或"栽培"记述药材的主要来源。

6）采收加工。该项记述药材的采收时间与加工方法。

7）药材性状。该项主要记述药材的性状特征、品质评价等内容。

8）功能主治。该项记述药材的性味、毒性、归经、功能和主治。

9）附注。该项记述中药资源最新的分类学地位与接受名的变动情况；记述《中华人民共和国药典》与地方标准收载的物种学名；描述物种的濒危等级、其他医药相关用途，以及本草、地方志书中的资源方面的记载情况等。

（4）附录。以名录形式收载中篇、下篇没有收载的湖南分布的中药资源。

目录

被子植物

豆科 Leguminosae 酢浆草属 Oxalis

酢浆草
Oxalis corniculata L.

| 药 材 名 |　酢浆草（药用部位：全草）。

| 形态特征 |　多年生草本。根茎细长，茎细弱，常呈褐色，匍匐或斜生，多分枝，被柔毛。总叶柄长 2 ~ 6.5 cm；托叶明显；小叶 3，倒心形，长 4 ~ 10 mm，先端凹，基部宽楔形，上面无毛，叶背疏生平伏毛，脉上毛较密，边缘具贴伏缘毛，无柄。花单生或数朵组成腋生伞形花序；花梗与叶柄等长；花黄色；萼片长卵状披针形，长约 4 mm，先端钝；花瓣倒卵形，长约 9 mm，先端圆，基部微合生；雄蕊的花丝基部合生成筒；花柱 5。蒴果近圆柱形，长 1 ~ 1.5 cm，略具 5 棱，有喙，成熟时弹裂；种子深褐色，近卵形而扁，有纵槽纹。花期 5 ~ 8 月，果期 6 ~ 9 月。

| **生境分布** | 生于山坡草地、河谷沿岸、路边、田边、荒地或林下阴湿处等。湖南各地均有分布。

| **资源情况** | 野生资源一般。栽培资源较丰富。药材来源于野生和栽培。

| **采收加工** | 全年均可采收，尤以夏、秋季采收为宜，洗净，鲜用或晒干。

| **药材性状** | 本品茎、枝被稀疏长毛。叶纸质，皱缩或破碎，棕绿色。花黄色，萼片、花瓣均5。蒴果近圆柱形，具5棱，被柔毛；种子小，扁卵形，褐色。具酸气，味咸而酸、涩。

| **功能主治** | 酸，寒。归肝、肺、膀胱经。清热利湿，凉血散瘀，消肿解毒。用于泄泻，痢疾，黄疸，淋病，赤白带下，麻疹，吐血，衄血，咽喉肿痛，疔疮，痈肿，疥癣，痔疾，脱肛，跌打损伤，烫火伤，蛇虫咬伤。

| **用法用量** | 内服煎汤，9 ~ 15 g。外用适量，捣汁敷；或煎汤漱口。

豆科 Leguminosae 酢浆草属 Oxalis

红花酢浆草
Oxalis maritima Zucc.

| 药 材 名 | 红花酢浆草（药用部位：全草）。

| 形态特征 | 多年生草本，高约 35 cm。有多数小鳞茎聚生在一起，鳞片褐色，有 3 纵棱。叶基生，掌状三出叶；总叶柄长 15 ~ 24 cm，被毛；小叶阔倒心形，长 3.5 ~ 5 cm，宽 3.5 ~ 5.3 cm，先端凹缺，叶缘及叶背被毛。伞形花序有花 6 ~ 10；萼片 5，绿色，椭圆状披针形，长约 6 mm，宽约 2.5 mm，先端有褐色斑纹 2，外面被白色毛；花瓣 5，淡紫色，基部绿黄色，有深色条纹，倒披针形，长 1.2 cm，宽 0.5 cm，先端钝或截形；雄蕊 10，5 长 5 短，长者长约 6 mm，短者长约 3 mm，花丝基部合生，被白色短柔毛；子房由 5 心皮组成，具 5 棱，柱头头状，深绿色。蒴果角果状，具毛。花期 5 月，果期 6 ~ 7 月。

| **生境分布** | 生于低海拔的山地、路旁、荒地或水田中。湖南各地均有分布。

| **资源情况** | 野生资源丰富。栽培资源一般。药材来源于野生。

| **采收加工** | 3～6月采收，洗净，鲜用或晒干。

| **药材性状** | 本品叶柄呈扁圆柱形，直径约1 mm；表面黄绿色至棕黄色，有纵棱及柔毛，质轻脆。叶为三出复叶；小叶片阔倒卵形，先端凹缺，被有柔毛，黄绿色或浅棕色，多皱缩、破碎。有的可见多数小鳞茎，鳞片褐色。气微，味酸。

| **功能主治** | 酸，寒。归肾、大肠经。散瘀消肿，清热利湿，解毒。用于跌打损伤，月经不调，咽喉肿痛，水泻，痢疾，水肿，带下，淋浊，痔疮，痈肿，疮疖，烫火伤。

| **用法用量** | 内服煎汤，9～15 g，鲜品30～60 g；或研末；或鲜品绞汁饮。外用适量，煎汤洗；或捣敷；或捣汁涂；或煎汤漱口。

豆科 Leguminosae 酢浆草属 Oxalis

山酢浆草 Oxalis acetosella L. subsp. griffithii (Edgew. et Hook. f.) Hara

| 药 材 名 |

深山酢浆草（药用部位：全草）。

| 形态特征 |

多年生草本，高 8 ～ 10 cm。根纤细，根茎横生，节间具 1 ～ 2 mm 长的褐色或白色小鳞片和细弱的不定根。茎短缩不明显，基部围以残存的呈覆瓦状排列的鳞片状叶柄基。叶基生；托叶阔卵形，被柔毛或无毛，与叶柄茎部合生；叶柄长 3 ～ 15 cm，近基部具关节；小叶 3，倒三角形或宽倒三角形，先端凹陷，两侧角钝圆，基部楔形，两面被毛或背面无毛，有时两面均无毛。总花梗基生，单花，与叶柄近等长或比叶柄长；花梗被柔毛；花瓣 5，白色或稀粉红色，倒心形，长为萼片的 1 ～ 2 倍，先端凹陷，基部狭楔形，具白色，带紫红色脉纹；雄蕊 10，长短互间，花丝纤细，基部合生。蒴果椭圆形或近球形，长 3 ～ 4 mm；种子卵形，褐色或红棕色，具纵肋。花期 7 ～ 8 月，果期 8 ～ 9 月。

| 生境分布 |

生于海拔 800 ～ 2 000 m 的密林、灌丛和沟谷等阴湿处。湖南各地均有分布。

| **资源情况** | 野生资源丰富。药材来源于野生

| **采收加工** | 夏、秋季采集，鲜用或晒干。

| **功能主治** | 酸、微辛，平。活血化瘀，清热解毒，利尿通淋。用于劳伤疼痛，跌打损伤，麻风，无名肿毒，疥癣，小儿口疮，烫火伤，淋浊带下，癃闭。

| **用法用量** | 内服煎汤，3 ~ 9 g。外用研末，兑茶油擦；或煎汤洗；或捣敷。

牻牛儿苗科 Geraniaceae 老鹳草属 Geranium

野老鹳草 Geranium carolinianum L.

| **药 材 名** | 野老鹳草（药用部位：地上部分）。

| **形态特征** | 一年生草本，高 20 ~ 60 cm。根纤细。茎直立或仰卧，具棱角，密被倒向短柔毛。茎下部叶具长柄，柄长为叶片长的 2 ~ 3 倍，上部叶柄渐短；叶片圆肾形，基部心形，近基部掌状 5 ~ 7 裂，裂片楔状倒卵形或菱形，下部楔形、全缘，上部羽状深裂，小裂片条状矩圆形，先端急尖，表面被短伏毛。花序腋生和顶生，伞形，长于叶，每总花梗具 2 花，顶生总花梗常数个集生；花梗与总花梗相似，与花等长或稍短于花；苞片钻状，被短柔毛；萼片长卵形或近椭圆形，先端急尖，具尖头，外被短柔毛或沿脉被开展的糙柔毛和腺毛；花瓣淡紫红色，倒卵形，稍长于萼，先端圆形，基部宽楔形。蒴果长约 2 cm，被短糙毛，果瓣由喙上部先裂并向下卷曲。花期 4 ~ 7 月，

果期 5 ~ 9 月。

| **生境分布** | 生于平原和低山荒坡杂草丛中。湖南各地均有分布。

| **资源情况** | 野生资源丰富。栽培资源一般。药材来源于野生。

| **采收加工** | 夏、秋季果实近成熟时采割，捆成把，晒干。

| **药材性状** | 本品茎较细，略短。叶片掌状 5 ~ 7 深裂，裂片条形，每裂片又 3 ~ 5 深裂。果实球形，长 0.3 ~ 0.5 cm；宿存花柱长 1 ~ 1.5 cm，有的 5 裂，向上卷曲，呈伞形。

| **功能主治** | 辛、苦，平。归肝、肾、脾经。祛风湿，通经络，止泻痢。用于风湿痹痛，麻木拘挛，筋骨酸痛，泄泻，痢疾。

| **用法用量** | 内服煎汤，9 ~ 15 g。

牻牛儿苗科 Geraniaceae 老鹳草属 *Geranium*

灰岩紫地榆
Geranium franchetii R. Knuth

| 药 材 名 | 灰岩紫地榆（药用部位：地上部分）。

| 形态特征 | 多年生草本，高 40 ～ 60 cm。根茎斜生，粗壮，直径约 2 cm，周围有残存的基生托叶，具长的纤维状细根。茎直立、单一，具棱角或沟槽，下部近无毛，上部被倒生短柔毛，从基部或上部假二叉分枝。基生叶早枯，茎生叶对生；托叶三角形或三角状披针形，长 6 ～ 10 mm，宽 3 ～ 5 mm，先端长渐尖，无毛；茎下部叶具长柄，柄长为叶片的 2 ～ 3 倍，被倒向疏短柔毛或下部几无毛，近叶片处被较密毛；叶片五角形或五角状肾圆形，基部深心形，长 4 ～ 5 cm，宽 5 ～ 9 cm，掌状 5 深裂达叶片的 2/3 处，裂片宽菱形或倒卵状菱形，下部楔形、全缘，上部圆齿状羽状浅裂，小裂片先端急尖、钝圆或平截状，具短尖头，表面被疏伏毛，背面一般仅被疏短柔毛。总花

梗腋生和顶生，长于叶，被倒向短柔毛，具 2 花；花梗与总花梗相似，长约为花的 2 倍；苞片狭披针形，长 7 ~ 10 mm，先端长渐尖，无毛；萼片卵状矩圆形，长 7 ~ 8 mm，宽约 3 mm，先端具短尖头，外面沿脉被糙柔毛；花瓣紫红色，长为萼片的 1.5 倍，倒长卵形，先端圆形或微凹，基部具短柄，被缘毛；雄蕊与萼片近等长，花丝下部扩展，被长柔毛，花药棕褐色；子房稍长于雄蕊，密被白色长柔毛。蒴果长约 2 cm，被柔毛；种子肾圆形，黄褐色，长约 2 mm，宽约 1 mm，具网纹。花期 6 ~ 8 月，果期 9 ~ 10 月。

| **生境分布** | 生于海拔 700 ~ 2 000 m 的山地林下、灌丛和草地。分布于湖南张家界（桑植）等。

| **资源情况** | 野生资源稀少。药材来源于野生。

| **功能主治** | 祛风湿，活络，清热止泻，调经。

牻牛儿苗科 Geraniaceae 老鹳草属 *Geranium*

尼泊尔老鹳草 *Geranium nepalense* Sweet

| 药 材 名 | 尼泊尔老鹳草（药用部位：全草）。

| 形态特征 | 多年生草本，高 30 ~ 50 cm 或更高，有时矮小。根细长，斜生。茎细弱，蔓延于地面，斜上升，近方形，常有倒生疏柔毛。叶对生；下部茎生叶的叶柄长于叶片；托叶狭披针形至披针形，长 0.4 ~ 1 cm，先端渐尖；叶片肾状五角形，长 2 ~ 5 cm，宽 3 ~ 5 cm，3 ~ 5 深裂不达基部，裂片宽卵形，边缘具齿状缺刻或浅裂，上面有疏伏毛，下面有疏柔毛。聚伞花序数个，腋生，有 2 花或 1 花；花序梗长 2 ~ 8 cm；无苞片，有倒生柔毛，柔毛在果期侧弯；萼片披针形，长约 0.6 cm，先端具芒尖，边缘膜质，背面有 3 脉，沿脉具白色长毛；花瓣小，紫红色，稍长于萼片；花丝下部卵形，花药近圆形，紫红色；子房绿色，柱头紫红色，均被白毛。蒴果长约 1.7 cm，有

柔毛。花期 6 ~ 7 月，果期 7 ~ 8 月。

| 生境分布 | 生于山地阔叶林林缘、灌丛、荒山草坡。湖南各地均有分布。

| 资源情况 | 野生资源丰富。栽培资源一般。药材来源于野生。

| 采收加工 | 夏、秋季果实近成熟时将全株拔起，去净杂质，晒干。

| 药材性状 | 本品茎直径 1 ~ 3 mm，表面灰绿色或紫红色，有纵沟及稀疏毛。叶肾状五角形，掌状 3 ~ 5 深裂，边缘有缺刻，被毛。蒴果长约 1.7 cm；宿存花柱成熟时 5 裂，向上反转。

| 功能主治 | 辛、苦，微温。归肝、膀胱、脾经。祛风湿，通经络，止泻痢。用于风湿痹痛，肢体麻木拘挛，筋骨酸痛，泄泻，痢疾。

| 用法用量 | 内服煎汤，6 ~ 15 g。

牻牛儿苗科 Geraniaceae 老鹳草属 *Geranium*

湖北老鹳草
Geranium rosthornii R. Kunth

| 药 材 名 | 湖北老鹳草（药用部位：全草）。

| 形态特征 | 多年生草本，高 30 ~ 60 cm。根茎粗壮，具多数纤维状根和纺锤形块根。茎直立或仰卧，具明显棱槽，假二叉状分枝，被疏散倒向短柔毛。茎生叶对生，具长柄，柄长为叶片长的 5 ~ 6 倍，被短柔毛；托叶三角形，被星散柔毛；叶片五角状圆形，掌状 5 深裂近茎部，裂片菱形，基部浅心形，下部全缘，上部羽状深裂，小裂片条形，先端急尖，下部小裂片常具 2 ~ 3 齿，表面被短伏毛，背面仅沿脉被短柔毛。花序腋生和顶生，被短柔毛，总花梗具 2 花；苞片狭披针形，萼片卵形或椭圆状卵形，外被短柔毛，先端具 1 ~ 2 mm 长的尖头；花瓣倒卵形，紫红色，先端圆形，基部楔形，下部边缘具长糙毛；花柱分枝长 2 ~ 3 mm，深紫色。蒴果长约 2 cm，被短柔毛。

花期 6 ~ 7 月，果期 8 ~ 9 月。

| 生境分布 | 生于海拔 1 600 ~ 2 000 m 的山地林下和山坡草丛。分布于湖南邵阳（隆回）、湘西州（凤凰）等。

| 资源情况 | 野生资源丰富。药材来源于野生。

| 采收加工 | 夏、秋季果实近成熟时采收，捆成把，晒干。

| 药材性状 | 本品茎较细。叶片掌状 5 深裂，裂片菱形，基部浅心形，下部全缘，上部羽状深裂，小裂片条形。花序腋生或顶生，总花梗具 2 花；苞片狭披针形；花瓣倒卵形。果实长约 2 cm。

| 功能主治 | 辛、苦，平。归肝、肾、脾经。祛风湿，通经络，止泻痢。用于风湿痹痛，肢体麻木拘挛，筋骨酸痛，泄泻，痢疾。

| 用法用量 | 内服煎汤，9 ~ 15 g。

牻牛儿苗科 Geraniaceae 老鹳草属 Geranium

鼠掌老鹳草 Geranium sibiricum L.

| 药 材 名 | 鼠掌老鹳草（药用部位：全草。别名：老鹳草）。

| 形态特征 | 一年生或多年生草本，高 30 ～ 70 cm。直根，有时具少数分枝。茎纤细，多分枝，具棱槽。叶对生；基生叶和茎下部叶具长柄；下部叶片肾状五角形，基部宽心形，掌状 5 深裂，裂片倒卵形、菱形或长椭圆形，中部以上齿状羽裂或齿状深缺刻，下部楔形，两面被疏伏毛，背面沿脉被毛较密，上部叶片具短柄，3 ～ 5 裂。总花梗丝状，单生于叶腋，被倒向柔毛或伏毛；苞片对生，棕褐色，膜质；萼片卵状椭圆形或卵状披针形，长约 5 mm，先端急尖，具短尖头，背面沿脉被疏柔毛；花瓣倒卵形，淡紫色或白色，等于或稍长于萼片，先端微凹或缺刻状，基部具短爪；花丝扩大成披针形，具缘毛；花柱不明显，分枝长约 1 mm。蒴果长 15 ～ 18 mm；种子肾

状椭圆形，黑色。花期 6 ~ 7 月，果期 8 ~ 9 月。

| **生境分布** | 生于林缘、疏灌丛、河谷草甸。湖南各地均有分布。

| **资源情况** | 野生资源丰富。药材来源于野生。

| **采收加工** | 夏、秋季果实近成熟时将全株拔起，去净杂质，晒干。

| **药材性状** | 本品茎多分枝，略有侧生毛。叶肾状五角形，掌状 5 深裂，裂片卵状披针形，羽状深裂或齿状深缺刻，有毛。蒴果长 1.5 ~ 1.8 cm；宿存花柱成熟时 5 裂，向上卷曲，呈伞形。

| **功能主治** | 辛、苦，平。归肝、肾、脾经。祛风湿，通经络，止泻痢。用于风湿痹痛，肢体麻木拘挛，筋骨酸痛，泄泻，痢疾。

| **用法用量** | 内服煎汤，9 ~ 15 g。

牻牛儿苗科 Geraniaceae 老鹳草属 *Geranium*

老鹳草 *Geranium wilfordii* Maxim.

| **药 材 名** | 老鹳草（药用部位：地上部分）。

| **形态特征** | 多年生草本。根茎直生，粗壮，具簇生纤维状细长须根。茎直立，单生，具棱槽，假二叉状分枝。叶基生或茎生，茎生叶对生；托叶卵状三角形或上部呈狭披针形；基生叶和茎下部叶具长柄，茎上部叶柄渐短或近无柄；基生叶圆肾形，5 深裂达 2/3 处，裂片倒卵状楔形，下部全缘，上部不规则状齿裂，茎生叶 3 裂至 3/5 处，裂片长卵形或宽楔形，上部齿状浅裂，先端长渐尖，表面被短伏毛。花序腋生和顶生；花梗与总花梗相似，长为花的 2 ~ 4 倍；萼片长卵形或卵状椭圆形，先端具细尖头；花瓣白色或淡红色，倒卵形；雄蕊稍短于萼片，花丝淡棕色，下部扩展，被缘毛；雌蕊被短糙伏毛，花柱分枝紫红色。蒴果长约 2 cm，被短柔毛和长糙毛。花期 6 ~

8 月，果期 8 ～ 9 月。

| **生境分布** | 生于海拔 1 800 m 以下的低山林下、草甸。湖南各地均有分布。

| **资源情况** | 野生资源丰富。栽培资源较少。药材来源于野生。

| **采收加工** | 夏、秋季果实近成熟时采割，捆成把，晒干。

| **药材性状** | 本品茎较细，略短。叶圆形，3 或 5 深裂，裂片较宽，边缘具缺刻。果实球形，长 0.3 ～ 0.5 cm；宿存花柱长 1 ～ 1.5 cm，有的 5 裂，向上卷曲，呈伞形。

| **功能主治** | 辛、苦，平。归肝、肾、脾经。祛风湿，通经络，止泻痢。用于风湿痹痛，肢体麻木拘挛，筋骨酸痛，泄泻，痢疾。

| **用法用量** | 内服煎汤，9 ～ 15 g。

牻牛儿苗科 Geraniaceae 天竺葵属 Pelargonium

天竺葵
Pelargonium hortorum Bailey

| 药 材 名 | 石蜡红（药用部位：花。别名：洋绣球）。

| 形态特征 | 多年生草本，高 30 ～ 60 cm。茎直立，基部木质化，上部肉质，多分枝或不分枝，具明显的节，密被短柔毛，具浓烈鱼腥味。叶互生；托叶宽三角形或卵形，长 7 ～ 15 mm，被柔毛和腺毛；叶柄长 3 ～ 10 cm，被细柔毛和腺毛；叶片圆形或肾形，茎部心形，直径 3 ～ 7 cm，边缘波状浅裂，具圆形齿，两面被透明短柔毛，表面叶缘以内有暗红色马蹄形环纹。伞形花序腋生，具多花，总花梗长于叶，被短柔毛；总苞片数枚，宽卵形；花梗长 3 ～ 4 cm，被柔毛和腺毛；萼片狭披针形，长 8 ～ 10 mm，外面密被腺毛和长柔毛；花瓣红色、橙红色、粉红色或白色，宽倒卵形，长 12 ～ 15 mm，宽 6 ～ 8 mm，先端圆形，基部具短爪，下面 3 花瓣通常较大；子房密被短柔毛。

蓇葖果长约 3 cm，被柔毛。花期 5 ~ 7 月，果期 6 ~ 9 月。

| **生境分布** | 湖南各地均有分布。

| **资源情况** | 野生资源较丰富。栽培资源较丰富。

| **采收加工** | 春、夏季采摘，鲜用。

| **功能主治** | 苦、涩，凉。清热解毒。用于中耳炎。

| **用法用量** | 外用适量，榨汁滴耳。

牻牛儿苗科 Geraniaceae 天竺葵属 Pelargonium

香叶天竺葵
Pelargonium graveolens L'Herit.

| 药 材 名 |

香叶（药用部位：茎、叶）。

| 形 态 特 征 |

多年生直立草本，高达 90 cm，全株密被淡黄色长毛，具浓烈香味。茎基部木质。叶对生或互生；叶柄与叶片近等长；叶片宽心形至近圆形，近掌状 5 ～ 7 深裂，裂片分裂为小裂片，边缘具不规则齿裂。伞形花序与叶对生，梗短，直立；花小，几无梗；萼片披针形，密被长毛，基部稍合生；花瓣玫瑰红色或粉红色，有紫色的脉，上面 2 花瓣较大，长为萼片的 2 倍，达 1.2 cm；雄蕊 10；雌蕊 1，子房 5 室，花柱 5。蒴果成熟时裂开，果瓣向上卷曲。花果期 3 ～ 6 月。

| 生 境 分 布 |

生于丘陵岗地。分布于湖南郴州（嘉禾）、怀化（新晃）等。

| 资 源 情 况 |

野生资源一般。栽培资源较丰富。药材来源于栽培。

| **采收加工** | 4月中下旬开始采收，每隔3周采收1次，一般上半年采收3～4次，下半年采收2～3次，可连续采收2～3年。

| **药材性状** | 本品茎表面黄绿色，切面类白色。叶对生或互生；叶柄长超过叶片；叶片宽心形至近圆形，近掌状5～7深裂，裂片分裂为小裂片，边缘具不规则的齿裂，近革质，质较韧。气浓香，味微苦。

| **功能主治** | 辛，温。归肺、肝经。祛风除湿，行气止痛，杀虫。用于风湿痹痛，疝气，阴囊湿疹，疥癣。

| **用法用量** | 内服煎汤，9～15g，鲜品30～45g；或浸酒。外用适量，煎汤洗；或捣敷。

蒺藜科　Zygophyllaceae　蒺藜属　*Tribulus*

蒺藜 *Tribulus terrestris* L.

| 药 材 名 | 蒺藜（药用部位：果实。别名：刺蒺藜、白蒺藜、硬蒺藜）。

| 形态特征 | 一年生草本。茎平卧，无毛，被长柔毛或长硬毛，枝长 20 ～ 60 cm。偶数羽状复叶长 1.5 ～ 5 cm；小叶对生，3 ～ 8 对，矩圆形或斜短圆形，长 5 ～ 10 mm，宽 2 ～ 5 mm，先端锐尖或钝，基部稍偏斜，被柔毛，全缘。花腋生，黄色；花梗短于叶；萼片 5，宿存；花瓣 5；雄蕊 10，生于花盘基部，基部有鳞片状腺体；子房 5 棱，柱头 5 裂，每室具 3 ～ 4 胚珠。果实有分果瓣 5，硬，长 4 ～ 6 mm，无毛或被毛，中部边缘有锐刺 2，下部常有小锐刺 2，其余部位常有小瘤体。花期 5 ～ 8 月，果期 6 ～ 9 月。

| 生境分布 | 生于田野、路旁及河边草丛。分布于湖南岳阳（湘阴）、湘西州（凤凰）等。

| **资源情况** | 野生资源稀少。药材来源于野生。

| **采收加工** | 秋季果实成熟时割取全株，晒干，打下果实，除去杂质。

| **药材性状** | 本品由 5 分果瓣组成，呈放射状排列，直径 7 ~ 12 mm，常裂为单一的分果瓣，分果瓣呈斧状，长 3 ~ 6 mm。背部黄绿色，隆起，有纵棱及多数小刺，并有对称的长刺和短刺各 1 对，两侧面粗糙，有网纹，灰白色。质坚硬。无臭，味苦、辛。

| **功能主治** | 辛、苦，微温；有小毒。归肝经。平肝解郁，活血祛风，明目，止痒。用于头痛，眩晕，胸胁胀痛，乳闭，乳痈，目赤翳障，风疹瘙痒。

| **用法用量** | 内服煎汤，6 ~ 10 g。

亚麻科 Linaceae 亚麻属 Linum

宿根亚麻 *Linum perenne* L.

| 药 材 名 | 宿根亚麻（药用部位：花、果。别名：豆麻、多年生亚麻）。

| 形态特征 | 多年生草本，高 50 ~ 70 cm。根较粗壮。茎直立，分枝较多，基部木质，光滑。单叶互生，无柄；叶片线形或线状披针形，长 0.5 ~ 1.6 cm，宽 1 ~ 3 mm，先端锐尖，基部平截，全缘。聚伞花序生于茎的上部或枝端；花较大，直径 2.3 ~ 2.6 cm；萼片 5，匙状，卵圆形，先端尖，具白色膜质边缘，背部具凸起的 3 脉，宿存；花瓣 5，淡蓝色，基部呈黄棕色，具明显的蓝色脉纹，倒卵圆形，长 1 ~ 1.5 cm，宽 1 cm，先端钝圆或微具细齿；腺体 5，着生在花丝基部；雄蕊 5，退化雄蕊线形；雌蕊 1，子房圆形，5 室，被假隔膜分成假 10 室，花柱 5，比花丝长，柱头头状。蒴果球形，纵裂，每室具种子 2。种子扁平，长圆形，褐黑色，具光泽，腹面具不明显的

白色边缘。花果期 6 ~ 8 月。

| **生境分布** | 生于山坡、河滩和沙荒地。分布于湖南株洲（石峰）等。

| **资源情况** | 野生资源稀少。药材来源于野生。

| **采收加工** | 6 ~ 7 月采摘花，7 ~ 8 月采摘果实，以纸遮蔽，晒干。

| **药材性状** | 本品花萼片呈卵形，有白色镶边，长 2 ~ 7 mm；花瓣 5，蓝紫色，倒卵形，长 4 ~ 15 mm，边缘波状；雄蕊 5，基部有黄色蜜腺，花丝下部扩张，结合为盘。蒴果球形，直径约 5 mm；种子扁平，狭卵形，长 3 ~ 4 mm。

| **功能主治** | 淡，平。归肝经。通络活血。用于血瘀经闭。

| **用法用量** | 内服研末，3 ~ 9 g。

亚麻科 Linaceae 亚麻属 Linum

亚麻
Linum usitatissimum L.

| 药 材 名 |

亚麻子（药用部位：种子。别名：鸦麻、胡麻饭、山西胡麻）。

| 形态特征 |

一年生草本，高 25 ～ 90 cm 或更高。茎直立，基部稍木质化，分枝少。叶互生；无柄或近无柄；叶片线形或线状披针形，长 1.8 ～ 3.2 cm，宽 2 ～ 5 mm，全缘，叶脉通常 3 出。花多数，生于分枝先端及上部叶腋间；每叶腋生 1 花，花直径约 1.5 cm；花梗长 1.8 ～ 3 cm；萼片 5，绿色，卵形或卵状椭圆形，长约为花冠的 3/4；花瓣 5，蓝白色或白色，倒卵形或广倒卵形，长 7 ～ 10 mm，先端近圆形，微凹，边缘稍有波状缺刻；雄蕊 5，花药线形，退化雄蕊 5；雌蕊 1，子房椭圆状卵形，5 室，花柱 5，线形，分离，柱头头状。蒴果球形或稍扁，长约 8 mm，先端尖，成熟时先端开裂；种子卵形或椭圆状卵形，扁平，长约 6 mm。花期 6 ～ 7 月，果期 7 ～ 9 月。

| 生境分布 |

生于岗地、丘陵岗地。分布于湖南株洲（醴陵）、衡阳（衡阳、衡南）、邵阳（邵东）、怀化（辰溪）、郴州（安仁）等。

| 资源情况 | 野生资源较少。药材来源于野生。

| 采收加工 | 秋季果实成熟时采收全草，晒干，打下种子，除去杂质，再晒干。

| 药材性状 | 本品扁平，呈卵圆形，一端钝圆，另一端尖而略偏斜，长 4 ~ 6 mm，宽 2 ~ 3 mm。表面红棕色或灰褐色，平滑，有光泽。种脐位于尖端凹入处；种脊浅棕色，位于一侧边缘。种皮薄，胚乳棕色，薄膜状，子叶 2，黄白色，富油性。无臭，嚼之有豆腥味。

| 功能主治 | 甘、辛，平。润燥，祛风。用于肠燥便秘，皮肤干燥、瘙痒，毛发枯萎、脱落。

| 用法用量 | 内服煎汤，9 ~ 15 g；或入散剂。外用捣敷；或煎汤洗。

亚麻科 Linaceae 青篱柴属 Tirpitzia

青篱柴 *Tirpitzia sinensis* (Hemsl.) H. Hall.

| 药 材 名 | 青篱柴（药用部位：茎叶）。

| 形态特征 | 灌木或小乔木，高 1 ~ 5 m。叶纸质或厚纸质，椭圆形、倒卵状椭圆形或卵形，长 3 ~ 8.5 cm，宽 2.8 ~ 4.5 cm，先端钝圆或急尖，全缘，表面绿色，背面淡绿色，表面中脉平坦，背面凸起。聚伞花序腋生，长约 4 cm；苞片小，宽卵形；萼片 5，披针形，长 5 ~ 9 mm，宽 2 ~ 3.5 mm，先端钝圆，有多条纵棱，外面 2 纵棱尤明显，宿存；花瓣 5，白色，长 2 ~ 3.8 cm，旋转排列成管状；雄蕊 5，花丝基部合生成筒状，筒长 2 ~ 4.8 mm；退化雄蕊 5，锥尖状，与雄蕊互生；子房 4 室，每室有胚珠 2；花柱 4。蒴果长椭圆形或卵形，长 1 ~ 1.9 cm，室间开裂成 4 瓣，每室有种子 2 或 1，褐色；种子具膜质翅，翅倒披针形，稍短于蒴果。花期 5 ~ 8 月，果期 8 至 12

月或翌年 3 月。

| **生境分布** | 生于海拔 340 ～ 2 000 m 的路旁、山坡等。分布于湖南永州（江永）等。

| **资源情况** | 野生资源稀少。药材来源于野生。

| **采收加工** | 春、夏季茎叶茂盛时采收。

| **药材性状** | 本品呈纸质或厚纸质，椭圆形、倒卵状椭圆形或卵形，长 3 ～ 8.5 cm，宽 2.8 ～ 4.5 cm，先端钝圆或急尖，有小突尖或微凹，基部宽楔形或近圆形，全缘，表面灰绿色或暗绿色，背面灰绿色或墨绿色，表面中脉平坦，背面中脉凸起，两面侧脉微凸；叶柄长 7 ～ 16 mm。

| **功能主治** | 消肿止痛，接骨。

| **用法用量** | 外用鲜品适量，捣敷。

古柯科 Erythroxylaceae 古柯属 *Erythroxylum*

东方古柯 *Erythroxylum sinense* C. Y. Wu (Wall.) Kurz

| **药 材 名** | 滇缅古柯（药用部位：叶。别名：东方古柯、古柯、细叶接骨丹）。

| **形态特征** | 灌木至小乔木，高 1 ~ 6 m。小枝无毛，黑褐色。叶互生；叶柄长 2 ~ 8 mm；托叶长 1 ~ 2 mm；叶片长圆状椭圆形或披针形，长 4 ~ 10 cm，宽 1.5 ~ 3 cm，先端急尖或短渐尖，基部阔楔形，干时背面稍有白粉而微呈褐色，侧脉不很明显。1 ~ 3 花簇生于叶腋内；花梗长 5 ~ 9 mm；萼深裂达 3/4，裂片披针形或半卵形，长 1 ~ 1.5 mm；花瓣卵状长圆形，长 3 ~ 4 mm，里面有舌状附属体 2；雄蕊管在长花柱花中者约与花萼等长或稍短于花萼，在短花柱花中者长于花萼；子房长圆形，在长花柱花中者长约为雄蕊管的 2 倍，花柱合生。核果锐三棱状长圆形，稍弯，长 10 ~ 14 mm，宽 3.5 ~ 5 mm，先端钝形。花期 5 ~ 6 月，果期 5 ~ 11 月。

| **生境分布** | 生于山地林中。分布于湖南株洲（攸县）、郴州（宜章、临武、汝城、桂东）、永州（双牌、道县、蓝山）等。 |

| **资源情况** | 野生资源较少。药材来源于野生。 |

| **采收加工** | 全年均可采收，洗净，鲜用或晒干。 |

| **药材性状** | 本品呈长圆状椭圆形或披针形，长 4 ~ 10 cm，宽 1.5 ~ 3 cm，先端急尖或短渐尖，基部阔楔形，背面稍有白粉而微呈褐色，侧脉不明显。 |

| **功能主治** | 涩、微苦，温。定喘，止痛，健脾。用于哮喘，骨折疼痛，疟疾，神疲乏力。 |

| **用法用量** | 内服咀嚼，5 g。外用适量，捣敷。 |

大戟科 Euphorbiaceae 铁苋菜属 Acalypha

铁苋菜 *Acalypha australis* L.

| 药 材 名 | 铁苋（药用部位：全草。别名：人苋、海蚌含珠、撮斗撮金珠）。

| 形态特征 | 一年生草本，高 30 ~ 50 cm。叶互生，卵状菱形至椭圆形，长 2.5 ~ 8 cm，宽 1.5 ~ 3.5 cm，先端渐尖，基部楔形，边缘有钝齿，两面有毛或近无毛。花单性，雌雄同株，穗状花序腋生；雄花序极短，长 2 ~ 10 mm，生于极小的苞片内；雌花序生于叶状苞片内；苞片开展时呈肾形，长 1 ~ 2 cm，合时如蚌，边缘有钝锯齿，基部心形；花萼 4 裂；无花瓣；雄蕊 8；子房 3 室。蒴果小，三角状半圆形，被粗毛；种子卵形，长约 2 mm，灰褐色。花期 5 ~ 7 月，果期 7 ~ 10 月。

| 生境分布 | 生于旷野、路边较湿润的地方。湖南各地均有分布。

| **资源情况** | 野生资源丰富。药材来源于野生。

| **采收加工** | 5 ~ 7 月采收，除去泥土，晒干。

| **药材性状** | 本品根自根茎处须状分出，茎表面灰紫色或灰棕色，长约 30 cm，密被白色毛；质坚，易折断，断面裂片状，黄白色，中心有疏松的白色髓部或已成空洞。茎上部残留叶片，叶片多破碎皱缩。气微芳香，味淡。

| **功能主治** | 苦、涩，平。清热，利水，杀虫，止血。用于痢疾，腹泻，咳嗽，吐血，便血，子宫出血，疳积，腹胀，皮炎，湿疹，创伤出血。

| **用法用量** | 内服煎汤，15 ~ 25 g，鲜品 50 ~ 100 g。外用捣敷。

大戟科 Euphorbiaceae 铁苋菜属 Acalypha

裂苞铁苋菜 *Acalypha brachystachya* Horn.

| 药 材 名 | 铁苋（药用部位：全草）。

| 形态特征 | 一年生草本。叶膜质，卵形、阔卵形或菱状卵形，长 2 ~ 5.5 cm，宽 1.5 ~ 3.5 cm，先端急尖或短渐尖，基部浅心形，有时呈楔形，上半部边缘具圆锯齿，基出脉 3 ~ 5；叶柄细，长 2.5 ~ 6 cm，具短柔毛；托叶披针形，长约 5 mm。雌、雄花同序；雌花苞片 3 ~ 5，长约 5 mm，掌状深裂，裂片长圆形，宽 1 ~ 2 mm，最外侧裂片通常长不及 1 mm，苞腋具 1 雌花；雄花密生于花序上部，呈头状或短穗状；子房陀螺状，1 室，长约 1 mm，被柔毛，顶部具环齿裂 1，膜质，花柱 1，位于子房基部，撕裂。蒴果直径 2 mm，具分果爿 3，果皮具稀疏柔毛和毛基变厚的小瘤体；种子卵状，长约 1.2 mm，种皮稍粗糙，假种阜细小。花期 5 ~ 12 月。

| 生境分布 | 生于海拔 100 ～ 1 900 m 的山坡、路旁湿润草地或溪畔、林间草地。分布于湖南岳阳（君山）、怀化（麻阳）、湘西州（花垣、古丈）、益阳（安化）等。

| 资源情况 | 野生资源较少。药材来源于野生。

| 采收加工 | 全年均可采收，洗净，鲜用或晒干。

| 药材性状 | 本品叶片呈卵形、阔卵形或菱状卵形，长 2 ～ 5.5 cm，宽 1.5 ～ 3 cm，先端急尖或短渐尖，基部浅心形，有时呈楔形；叶柄细长，具短柔毛；托叶披针形。

| 功能主治 | 苦、涩，平。定喘，止痛，健脾。用于哮喘，骨折疼痛，疟疾，神疲乏力。

| 用法用量 | 内服咀嚼，5 g。外用适量，捣敷。

大戟科 Euphorbiaceae 山麻杆属 Alchornea

山麻杆
Alchornea davidii Franch.

| 药 材 名 | 山麻杆（药用部位：茎皮、叶。别名：野火麻）。

| 形态特征 | 灌木，高 1 ~ 2 m。幼枝密被茸毛。叶互生，宽卵形或圆形，长 7 ~ 13 cm，宽 9 ~ 17 cm，先端短尖，基部心形，边缘有牙齿，上面绿色，疏生短毛，下面紫色，密被茸毛，基出脉 3；叶柄长 3 ~ 9 cm；具线形托叶 2。花单性，雌雄同株，无花瓣；雄花密生成短筒状穗状花序，萼球形，4 裂，镊合状，雄蕊 8；雌花疏生成穗状花序，位于雄花序下面，子房 3 室，花柱 3，线形。蒴果球形，3 裂；花柱宿存。

| 生境分布 | 生于向阳山坡、路旁灌丛中。湖南各地均有分布。

| 资源情况 | 野生资源较丰富。药材来源于野生。

| 采收加工 | 春、夏季采收。

| 药材性状 | 本品叶互生；叶柄长 3 ~ 9 cm，被柔毛，与叶片结合处有刺毛状腺体；托叶狭披针形或线形，早落；叶片阔卵形至扁圆形，长 7 ~ 13 cm，宽 9 ~ 17 cm，先端渐尖或钝，基部圆形或略呈心形，边缘有牙齿，基出脉 3，脉间有腺点 1 对，上面绿色，有稀疏短毛，下面紫色，被密毛，网脉明显。

| 功能主治 | 淡、平。归大肠经。解毒，杀虫，止痛。用于疯犬咬伤，蛇咬伤，蛔虫病，腰痛。

| 用法用量 | 内服煎汤，3 ~ 6 g。外用适量，鲜品捣敷。

大戟科 Euphorbiaceae 山麻杆属 *Alchornea*

红背山麻杆

Alchornea trewioides (Benth.) Muell. Arg.

| 药 材 名 | 红背叶（药用部位：根、叶。别名：红帽顶树、红背娘）。

| 形态特征 | 灌木或小乔木。嫩枝有毛。单叶互生，阔心形或卵圆形，长 8 ～ 15 cm，宽 7 ～ 13 cm，先端长渐尖，基部浅心形或近截平，基出脉 3，基部有红色腺体和线状附属体 2，上面绿色，近无毛，下面浅绿色而带红色，被柔毛，嫩叶紫红色，边缘有不规则的小锯齿；叶柄长达 7 cm，越至上部叶柄越短，老时叶柄变为红紫色。雄花序腋生，总状，长 7 ～ 10 cm，苞片披针形，腋内有 4 ～ 8 花聚生，萼片 2 ～ 3，雄蕊 8；雌花序较短，顶生，花密集，萼片 6 ～ 8，披针形，子房卵形，花柱 3。蒴果球形，被灰白色毛，直径 8 ～ 10 mm。花期 3 ～ 6 月。

| 生境分布 | 生于山坡、荒地灌丛中。湖南各地均有分布。

| **资源情况** | 野生资源较丰富。药材来源于野生。

| **采收加工** | 叶，5 ~ 7 月采收，鲜用或晒干。根，7 ~ 10 月采挖，晒干。

| **药材性状** | 本品叶皱缩，边缘多内卷，完整叶片展平后呈阔卵形，长 8 ~ 15 cm，宽 7 ~ 13 cm，先端长渐尖，基部浅心形或近平截，边缘有不规则的细锯齿，上面近无毛，下面被柔毛，基出脉 3，叶脉于下表面隆起。叶基具斑状腺体 4 及线状附属体 2。叶柄长 7 ~ 13 cm。质脆。气微香，味甘。

| **功能主治** | 甘，凉。归肾、大肠经。清热利湿，散瘀止血。用于痢疾，小便不利，尿血，尿路结石，崩漏，带下，腰腿痛，跌打肿痛；外用于外伤出血，荨麻疹，湿疹。

| **用法用量** | 内服煎汤，根 25 ~ 50 g，叶 15 ~ 25 g。外用适量，鲜叶捣敷；或煎汤洗。

大戟科 Euphorbiaceae 五月茶属 Antidesma

五月茶
Antidesma bunius (L.) Spreng.

| 药 材 名 | 五月茶（药用部位：根、叶、果实。别名：五味叶、酸味树）。

| 形态特征 | 灌木或小乔木，高达 10 m。树皮灰褐色。幼枝有明显皮孔。叶革质，有光泽，倒卵状长圆形，长 7 ~ 14 cm，两面均无毛，侧脉 7 ~ 11 对；叶柄长 6 ~ 8 mm，略被柔毛。花小，单生，无花瓣，雌雄异株；雄花序为顶生或侧生的穗状花序，具少数分枝，长 6 ~ 12 cm，花萼 4 浅裂，雄蕊 3；雌花序总状，长 5 ~ 12 cm，生于分枝顶部，花萼绿色，浅杯状，子房 1 室，花柱 3。核果近球形，直径约 8 mm，红色，干后略扁，具皱纹。花果期夏、秋季。

| 生境分布 | 生于疏林或密林中。分布于湖南株洲（醴陵）、怀化（通道）等。

| 资源情况 | 野生资源稀少。药材来源于野生。

| **采收加工** | 全年均可采收根、叶，夏、秋季采收果实，晒干。

| **药材性状** | 本品叶呈矩圆形至倒披针状矩圆形，长 6 ～ 16 cm，宽 2 ～ 6 cm，革质，淡棕绿色，两面无毛，有光泽，侧脉 7 ～ 11 对；气微，味涩。核果近球形，深红色，干后呈棕红色或紫红色，长 5 ～ 6 mm，直径约 7 mm；气微，味苦、涩。

| **功能主治** | 酸，温。健脾，生津，活血，解毒。用于食少泄泻，津伤口渴，跌打损伤，痈肿疮毒。

| **用法用量** | 内服煎汤，15 ～ 30 g。外用适量，煎汤洗。

大戟科 Euphorbiaceae 五月茶属 Antidesma

小叶五月茶 *Antidesma venosum* E. Mey. ex Tul.

| 药 材 名 |　小叶五月茶（药用部位：全株）。

| 形态特征 |　灌木，高 2 ~ 4 m。小枝圆柱形，着叶较密集；幼枝、叶背、中脉、叶柄、托叶、花序及苞片被疏短柔毛或微毛外，其余无毛。叶片近革质，狭披针形或狭长圆状椭圆形，长 3 ~ 10 cm，宽 4 ~ 25 mm，先端钝或渐尖，基部宽楔形或钝，叶缘干后反卷；中脉和侧脉在叶面扁平，在叶背凸起，侧脉每边 6 ~ 9，弯拱斜升，至叶缘前联结；叶柄长 3 ~ 5 mm；托叶线状披针形，长 5 ~ 10 mm。总状花序单个或 2 ~ 3 聚生于枝顶或叶腋内；苞片卵形，长 1 mm；雄花：花梗极短；萼片 4 ~ 5，宽卵形或圆形，长、宽均 2 ~ 3 mm，先端常有腺体；花盘环状；雄蕊 4 ~ 5，着生于花盘的凹缺处，花药宽 0.5 mm；退化雌蕊棍棒状，与花盘等高。雌花：花梗长 1 ~ 1.5 mm；

萼片和花盘与雄花的相同；子房卵圆形，花柱 3 ~ 4，顶生。核果卵圆状，长约 5 mm，直径 3 mm，红色，成熟时紫黑色，先端常宿存有花柱；果柄长 1.5 ~ 2 mm。花期 5 ~ 6 月，果期 6 ~ 11 月。

| 生境分布 | 生于海拔 160 ~ 1 200 m 的山坡或谷地疏林中。分布于湖南郴州（汝城）等。

| 资源情况 | 野生资源稀少。药材来源于野生。

| 功能主治 | 祛风寒，止吐血。

大戟科 Euphorbiaceae 秋枫属 Bischofia

重阳木 *Bischofia polycarpa* (Lévl.) Airy Shaw

| 药 材 名 |

重阳木（药用部位：根、树皮、叶）。

| 形态特征 |

常绿乔木，高达 20 m。三出复叶，互生；小叶卵形至椭圆状卵形，纸质，长 8 ~ 15 cm，宽 4 ~ 8 mm，先端渐尖，基部楔形，边缘有锯齿；总叶柄长 7 ~ 10 cm。花小，单性，雌雄异株；圆锥花序腋生；花淡绿色，无花瓣；萼片 5，覆瓦状排列；雄蕊 5，退化子房盾状；子房 8 或 4 室，花柱 3，不分裂。果实浆果状，球形，大如豌豆，褐色或淡红色；种子长圆形，胚乳肉质。花期 4 ~ 5 月，果期 8 ~ 10 月。

| 生境分布 |

生于低海拔的旷地、河边堤岸。分布于湖南长沙（开福）、衡阳（雁峰、衡南）、邵阳（邵阳、隆回）、张家界（武陵源、慈利）、益阳（安化）、郴州（桂阳）、永州（江永）、怀化（中方、辰溪、沅陵）、湘西州（吉首、泸溪、花垣、永顺）、株洲（渌口）等。

| 资源情况 |

野生资源较丰富。药材来源于野生。

| 采收加工 | 全年均可采收，鲜用或晒干。

| 药材性状 | 本品为三出复叶，互生；小叶卵形至椭圆状卵形，纸质，长 8 ~ 15 cm，宽 4 ~ 8 mm，先端渐尖，基部楔形，边缘有锯齿；总叶柄长 7 ~ 10 cm。

| 功能主治 | 辛、涩，凉。行气活血，消肿解毒。根、树皮，用于风湿痹痛。叶，用于食管癌，胃癌，病毒性肝炎，疳积，肺炎，咽喉炎；外用于痈疽，疮疡。

| 用法用量 | 根、树皮，内服煎汤，15 ~ 25 g。叶，内服煎汤，100 ~ 150 g。外用适量，捣敷。

大戟科 Euphorbiaceae 巴豆属 Croton

毛果巴豆 *Croton lachnocarpus* Benth.

| 药 材 名 | 小叶双眼龙（药用部位：根、叶）。

| 形态特征 | 常绿灌木，高 1 ~ 2 m，分枝少，被灰黄色星状毛。单叶互生，具长柄；叶片矩圆形或卵状矩圆形，长 5 ~ 10 cm，宽 1.5 ~ 2.5 cm，先端短尖、锐尖或稍钝，基部圆形，边缘小锯齿上有腺体，叶片基部两侧各有杯状腺体 1，长而明显，两面被星状毛，老时上面无毛。夏季开黄白色或淡绿色花，总状花序着生于枝顶，花序上被星状毛；花单性，雌雄同株；雄花花瓣矩圆形，有雄蕊 10 ~ 12；雌花花瓣小，钻形，子房被曲柔毛，花柱 3，2 裂。蒴果扁球形，密被星状柔毛，成熟后裂成 3 瓣。

| 生境分布 | 生于山坡、路旁或灌木林中。分布于湖南衡阳（雁峰、蒸湘、衡山、

祁东）、益阳（桃江）、郴州（桂阳、嘉禾、临武）、永州（零陵、冷水滩、双牌、道县、江永、蓝山、新田、江华）等。

| **资源情况** | 野生资源较丰富。药材来源于野生。

| **采收加工** | 全年均可采收，鲜用或晒干。

| **药材性状** | 本品叶纸质，矩圆形或卵状矩圆形，叶面秃净，暗红色，背面被星状毛，黄绿色，边缘锯齿上有腺体，基出脉 3，侧脉羽状，每边 3 ~ 4，近叶柄处有腺体。

| **功能主治** | 辛、苦，温；有小毒。祛风除湿，散瘀消肿。用于风湿关节痛，跌打肿痛，毒蛇咬伤。

| **用法用量** | 内服煎汤，15 ~ 25 g；或浸酒服。外用适量，鲜叶捣敷。

大戟科 Euphorbiaceae 巴豆属 Croton

巴豆 *Croton tiglium* L.

| **药 材 名** | 巴豆（药用部位：种子。别名：双眼龙、大叶双眼龙、江子）。

| **形态特征** | 常绿乔木，高 6 ~ 10 m。幼枝绿色，被稀疏星状柔毛或几无毛；二年生枝灰绿色，有不明显的黄色细纵裂纹。叶互生；叶柄长 2 ~ 6 cm；叶片卵形或长圆状卵形，长 5 ~ 13 cm，宽 2.5 ~ 6 cm，先端渐尖，基部圆形或阔楔形，叶缘有疏浅锯齿，两面均有稀疏星状毛，主脉 3 出；托叶早落。花单性，雌雄同株；总状花序顶生，上部着生雄花，下部着生雌花，亦有全为雄花者；花梗细而短，有星状毛；雄花绿色，较小，花萼 5 裂，疏生细微的星状毛，萼片卵形，花瓣 5，反卷，内面密生细绵毛；子房圆形，3 室，密被短粗的星状毛，花柱 3，细长，每花柱再 2 深裂。蒴果长圆形至倒卵形，有 3 钝角；种子 3，长卵形，淡黄褐色。花期 3 ~ 5 月，果期 6 ~ 7 月。

| **生境分布** | 生于山谷、溪边、旷野或密林中。分布于湖南永州（江华、江永）、郴州（宜章）等。

| **资源情况** | 野生资源较少。药材来源于野生。

| **采收加工** | 8～9月果实成熟时采收，晒干后除去果壳，收集种子，再晒干。

| **药材性状** | 本品呈略扁的椭圆形，长1.2～1.5 cm，直径0.7～0.9 cm，表面棕色或灰棕色，一端有小点状的种脐及种阜的疤痕，另一端有微凹的合点，其间有隆起的种脊；外种皮薄而脆，内种皮为白色薄膜；种仁黄白色，油质。无臭，味辛辣。

| **功能主治** | 辛，热；有毒。泻寒积，通关窍，逐痰，行水，杀虫。用于冷积凝滞，胸腹胀满急痛，血瘕，痰癖，泻痢，水肿；外用于喉风，喉痹，恶疮疥癣。

| **用法用量** | 内服入丸、散剂，0.1～0.3 g。外用适量，捣膏涂，或以纱包擦。

大戟科 Euphorbiaceae 大戟属 Euphorbia

猩猩草
Euphorbia cyathophora Murr.

| 药 材 名 | 一品红（药用部位：全草）。

| 形态特征 | 一年生或多年生草本。根圆柱状，长 30 ~ 50 cm，直径 2 ~ 7 mm，基部有时木质化。茎直立，上部多分枝，高可达 1 m，直径 3 ~ 8 mm，光滑无毛。叶互生，卵形、椭圆形或卵状椭圆形，先端尖或圆，基部渐狭，长 3 ~ 10 cm，宽 1 ~ 5 cm，边缘波状分裂或具波状齿或全缘，无毛；叶柄长 1 ~ 3 cm；总苞叶与茎生叶同形，较小，长 2 ~ 5 cm，宽 1 ~ 2 cm，淡红色或仅基部红色。花序单生，数枚聚伞状花序排列于分枝先端，总苞钟状，绿色，高 5 ~ 6 mm，直径 3 ~ 5 mm，边缘 5 裂，裂片三角形，常呈齿状分裂；腺体常 1，偶 2，扁杯状，近二唇形，黄色。雄花多枚，常伸出总苞之外；雌花 1，子房柄明显伸出总苞处；子房三棱状球形，光滑无毛；花柱 3，分

离；柱头 2 浅裂。蒴果，三棱状球形，长 4.5 ～ 5 mm，直径 3.5 ～ 4 mm，无毛；成熟时分裂为 3 分果瓣；种子卵状椭圆形，长 2.5 ～ 3 mm，直径 2 ～ 2.5 mm，褐色至黑色，具不规则的小突起；无种阜。花果期 5 ～ 11 月。

| **生境分布** | 栽培于花坛等地。湖南各地均有分布。

| **资源情况** | 栽培资源一般。药材来源于栽培。

| **功能主治** | 有毒。调经止血，止咳，接骨消肿。

大戟科 Euphorbiaceae 大戟属 Euphorbia

乳浆大戟 Euphorbia esula L.

| 药材名 |

乳浆大戟（药用部位：根。别名：奶浆草、烂疤眼）。

| 形态特征 |

多年生草本，高 20 ~ 40 cm，全株含乳汁。茎直立，多分枝。叶密生；通常无柄；叶片线形、披针状线形、线状倒披针形至披针形，长 1 ~ 6 cm，宽 1 ~ 4 mm，先端钝，基部渐狭，全缘；营养枝上的叶丛生于上方，条形，长 1.5 ~ 3 cm。杯状聚伞花序顶生，排列成伞形；叶状苞片 5，轮生，披针形或长圆状卵形；苞叶绿黄色，心状卵形或肾形；花单性，无花被；多数雄花和 1 雌花同生于杯状总苞内，总苞具肾形腺体；雄花仅有雄蕊 1；雌花位于花序中央，仅有雌蕊 1。蒴果卵圆形，平滑无毛；种子卵圆形，长约 1.5 mm。花期 5 ~ 6 月，果期 6 ~ 7 月。

| 生境分布 |

生于山坡、山沟、草地。湖南各地均有分布。

| 资源情况 |

野生资源一般。药材来源于野生。

| **采收加工** | 夏、秋季采挖，晒干。

| **药材性状** | 本品呈圆锥状或纺锤形，直径 1 ～ 5 cm，长约 25 cm，有的具分枝。外皮呈褐色至黑褐色。粉质，断面较平坦，黄白色。气微。

| **功能主治** | 苦、辛，微寒；有毒。归肺、脾、肾经。舒筋活血，止痛，通便。用于风湿关节痛，胃痛，痛经，大便秘结。

| **用法用量** | 内服煎汤，1 ～ 2 g。外用鲜品适量，捣敷。

大戟科 Euphorbiaceae 大戟属 Euphorbia

泽漆
Euphorbia helioscopia L.

| 药 材 名 | 泽漆（药用部位：全草。别名：五朵云、猫眼草、五凤草）。

| 形态特征 | 二年生草本，高 10 ~ 30 cm，全株含乳汁。茎无毛或仅小枝略具疏毛，基部紫红色，分枝多。单叶互生，倒卵形或匙形，长 1 ~ 3 mm，宽 5 ~ 18 mm，先端钝圆或微凹，基部阔楔形，边缘在中部以上有细锯齿；无柄或突狭成短柄。杯状聚伞花序顶生，排列成复伞形；伞梗 5 枝，基部轮生叶状苞片 5，形同茎叶而较大，每枝再 1 ~ 2回分枝，分枝处轮生倒卵形苞叶 3；花单性，无花被；多数雄花和 1雌花同生于萼状总苞内，总苞先端 4 裂，上有肾形腺体；雄花仅有 1 雄蕊；雌花在花序中央，子房有长柄，3 室，柱头 3 裂。蒴果表面平滑；种子卵圆形，直径 1.5 mm，表面有网纹，成熟时呈褐色。花期 4 ~ 5 月。

| **生境分布** | 生于山沟、路边、荒野、湿地。湖南各地均有分布。

| **资源情况** | 野生资源较丰富。药材来源于野生。

| **采收加工** | 4 ~ 5 月开花时采收，除去根及泥沙，晒干。

| **药材性状** | 本品呈段状，有时具黄色的肉质主根。根顶部具紧密的环纹，外表面具不规则纵纹，断面白色，木质部呈放射状。茎圆柱形，鲜黄色至黄褐色，表面光滑或具不明显的纵纹，有明显的互生、褐色条形叶痕。叶暗绿色，常皱缩、破碎或脱落。茎先端具多数小花及灰色蒴果；总苞片绿色，常破碎。气酸而特异，味淡。

| **功能主治** | 辛、苦，凉；有毒。归肺、小肠、大肠经。行水，消痰，杀虫，解毒。用于水气肿满，痰饮咳喘，疟疾，细菌性痢疾，瘰疬，癣疮，结核性瘘管，骨髓炎。

| **用法用量** | 内服煎汤，5 ~ 15 g；或熬膏；或入丸、散剂。外用适量，煎汤洗；或熬膏涂；或研末调敷。

大戟科 Euphorbiaceae 大戟属 Euphorbia

白苞猩猩草

Euphorbia heterophylla L.

| 药 材 名 | 一品红（药用部位：全草。别名：叶象花）。

| 形态特征 | 多年生草本。茎直立，高达 1 m，被柔毛。叶互生，卵形至披针形，长 3 ～ 12 cm，宽 1 ～ 6 cm，先端尖或渐尖，基部钝至圆形，边缘具锯齿或全缘，两面被柔毛；叶柄长 4 ～ 12 mm；苞叶与茎生叶同形，较小，长 2 ～ 5 cm，宽 5 ～ 15 mm，绿色或基部呈白色。花序单生，基部具柄，无毛；总苞钟状，高 2 ～ 3 mm，直径 1.5 ～ 5 mm，边缘 5 裂，裂片卵形至锯齿状，边缘具毛；腺体常 1，偶 2，杯状，直径 0.5 ～ 1 mm。雄花多数，苞片线形至倒披针形；雌花 1，子房柄不伸出总苞外，子房被疏柔毛，花柱 3，中部以下合生，柱头 2 裂。蒴果卵球状，长 5 ～ 5.5 mm，直径 3.5 ～ 4 mm，被柔毛；种子棱状卵形，长 2.5 ～ 3.0 mm，直径约 2.2 mm，被瘤状突起，灰色至褐

色；无种阜。花果期 2 ～ 11 月。

| **生境分布** | 生于岗地、丘陵岗地。分布于湖南长沙（岳麓）、永州（道县）等。

| **资源情况** | 野生资源稀少。药材来源于野生。

| **采收加工** | 全年均可采收，洗净，鲜用或晒干。

| **药材性状** | 本品长达 80 cm。叶互生；叶形多变化，呈卵形、椭圆形、披针形或条形，中部及下部叶长 4 ～ 10 cm，宽 2.5 ～ 5 cm，提琴状分裂或不分裂；叶柄长 4 ～ 12 mm；花序下部的叶基部或全部呈紫红色。杯状花序多数在茎及分枝先端排列成密集的伞房状；总苞钟形，宽 3 ～ 4 mm，先端 5 裂；腺体 1 ～ 2，杯状，无花瓣状附属物。蒴果近球形，直径 3.5 ～ 4 mm，无毛；种子卵形，有疣状突起。

| **功能主治** | 苦、涩，寒；有毒。归肝经。调经止血，止咳，接骨，消肿。用于月经过多，风寒咳嗽，跌打损伤，外伤出血，骨折。

| **用法用量** | 内服煎汤，干品 5 ～ 15 g。外用鲜品适量，捣敷。

大戟科 Euphorbiaceae 大戟属 Euphorbia

飞扬草

Euphorbia hirta L.

| 药 材 名 | 飞扬草（药用部位：全草。别名：大飞扬、大乳汁草、节节花）。

| 形态特征 | 一年生草本，高 20 ~ 50 cm，全体有乳汁。茎基部膝曲状向上斜升，单一或基部丛生，被粗毛，上部毛更密，不分枝或下部稍有分枝。单叶对生，具短柄；叶片披针状长圆形或长椭圆状卵形，长 1 ~ 3 cm，宽 0.5 ~ 1.3 cm，先端急尖或钝，基部偏斜，不对称，边缘有锯齿，稀全缘，两面被毛，下面及沿脉上的毛较密；托叶膜质，披针形或条状披针形，边缘刚毛状撕裂早落。夏季开淡绿色或紫色小花，杯状聚伞花序多数排成紧密的腋生头状花序；总苞宽钟形，外面密被短柔毛，先端 4 裂；腺体 4，漏斗状，有短柄及花瓣状附属物。蒴果卵状三棱形，被贴伏的短柔毛。

| 生境分布 | 生于向阳山坡、山谷、路旁或丛林下。湖南各地均有分布。

| 资源情况 | 野生资源较丰富。药材来源于野生。

| 采收加工 | 夏、秋季采集，洗净，晒干。

| 药材性状 | 本品长 15 ~ 30 cm。根细长弯曲，茎圆柱形，直径 1 ~ 3 mm，稍屈曲，红棕色，有不规则的浅纵纹及小疣点，节明显，被黄绿色粗毛；质坚脆易断，断面木质白色，中空。叶多卷缩，纸质，易碎，叶腋有花序；花细小，极多，干缩，或带蒴果。气弱而特异。

| 功能主治 | 苦、微酸，凉。归肺、肝经。清热解毒，利湿止痒，通乳。用于肺痈，乳痈，痢疾，泄泻，热淋，血尿，湿疹，足癣，皮肤瘙痒，疔疮肿毒，牙疳，产后乳少。

| 用法用量 | 内服煎汤，6 ~ 9 g，鲜品 30 ~ 60 g。外用适量，捣敷；或煎汤洗。

大戟科 Euphorbiaceae 大戟属 Euphorbia

地锦

Euphorbia humifusa Willd.

| 药 材 名 | 地锦草（药用部位：全草。别名：奶浆草、铺地锦、铺地红）。

| 形态特征 | 一年生草本，含白色乳汁。茎通常从根际 2 歧分生为数枝，平卧地面，呈红色，通常无毛。叶 2 列对生，椭圆形，长 5 ~ 10 mm，宽 4 ~ 6 mm，先端圆，基部偏斜，边缘有细锯齿，上面绿色，下面绿白色；叶柄极短；托叶线形，通常 3 深裂。杯状聚伞花序，单生于枝腋或叶腋；总苞倒圆锥形，淡红色，边缘 4 裂；腺体 4，椭圆形；数雄花和 1 雌花同生于总苞内；雄花仅具 1 雄蕊；雌花位于花序中央，子房有长柄，3 室，花柱 3，2 裂。蒴果扁卵形而小，3 棱，无毛；种子卵形。花期 7 ~ 8 月。

| 生境分布 | 生于田野路旁及庭院。湖南各地均有分布。

| **资源情况** | 野生资源较丰富。药材来源于野生。

| **采收加工** | 夏、秋季采收，除去杂质，鲜用或晒干。

| **药材性状** | 本品常皱缩卷曲，根细小。茎细，具叉状分枝，表面紫红色，光滑无毛或疏生白色细柔毛；质脆，易折断，断面黄白色，中空。单叶对生，具淡红色短柄或几无柄；叶片多皱缩或已脱落，展平后呈长椭圆形，长 5 ~ 10 mm，宽 4 ~ 6 mm，绿色或带紫红色，通常无毛或疏生细柔毛，先端钝圆，基部偏斜，边缘具小锯齿或呈微波状。杯状聚伞花序腋生，细小。蒴果三棱状球形，表面光滑；种子细小，卵形，褐色。无臭，味微涩。

| **功能主治** | 辛，平。归肝、大肠经。清热解毒，凉血止血。用于痢疾，泄泻，咯血，尿血，便血，崩漏，疮疖痈肿。

| **用法用量** | 内服煎汤，9 ~ 20 g，鲜品 30 ~ 60 g。

大戟科 Euphorbiaceae 大戟属 Euphorbia

湖北大戟
Euphorbia hylonoma Hand.-Mazz.

| 药 材 名 |

九牛造（药用部位：根。别名：震天雷、九牛七、翻天印）。

| 形态特征 |

多年生草本，高 25 ～ 100 cm。根圆锥状，直径达 15 mm。茎直立，无毛或上部有柔毛。叶互生；叶柄极短；叶片倒披针形至狭卵形，长 5.5 ～ 10 cm，宽 1 ～ 2 cm，先端钝圆或微尖，基部楔形，全缘，下面淡绿色，有时被稀毛。杯状聚伞花序顶生或腋生，顶生者有细长伞梗 2 ～ 5，下部有轮生苞叶 3 ～ 5，苞叶倒披针形，腋生者伞梗细长，单生，苞叶 2 ～ 3，菱形或三角状卵形，长 1 ～ 3 cm，宽 0.5 ～ 2 cm；总苞长约 2 mm，4 裂；腺体肾状，长圆形，长约 1 mm；雄花 10 ～ 12，每朵具雄蕊 1；雌花 1，生于雄花中央，子房有短柄，花柱 2 裂。蒴果扁球形，长约 3 mm；种子长 2 mm，平滑，靠近顶部有偏向一侧的种阜。花期 5 ～ 7 月，果期 7 ～ 9 月。

| 生境分布 |

生于山坡、山沟或灌丛、草地。分布于湖南长沙（浏阳）、邵阳（大祥）、张家界（武陵源）、郴州（宜章）、怀化（辰溪）、湘西州（古丈、永顺）等。

| 资源情况 | 野生资源一般。药材来源于野生。

| 采收加工 | 秋季采挖，洗净，晒干。

| 药材性状 | 本品呈圆锥形，中段以下略有分枝，直径 1.5 ～ 2 cm，表面黄褐色。断面黄色，有白色乳汁外流。气微，味苦。

| 功能主治 | 甘、苦，凉；有毒。归肝、脾经。消积除胀，泻下逐水，破瘀定痛。用于食积膨胀，二便不通，跌打损伤。

| 用法用量 | 内服煎汤，1.5 ～ 3 g。外用适量，捣敷。

| 附　注 | 本品反乌头、甘草。

大戟科 Euphorbiaceae 大戟属 Euphorbia

通奶草

Euphorbia hypericifolia L.

| 药 材 名 | 大地锦（药用部位：全草。别名：奶草、大地戟、光叶小飞扬）。

| 形态特征 | 一年生草本。根纤细，长 10 ~ 15 cm，直径 2 ~ 3.5 mm，常不分枝，少数由末端分枝。茎直立，自基部分枝或不分枝，高 15 ~ 30 cm，直径 1 ~ 3 mm，无毛或被少许短柔毛。叶对生，狭长圆形或倒卵形，长 1 ~ 2.5 cm，宽 4 ~ 8 mm，先端钝或圆，基部圆形，通常偏斜，不对称，全缘或基部以上具细锯齿，上面深绿色，下面淡绿色，有时略带紫红色，两面被稀疏的柔毛，或上面的毛早落；叶柄极短，长 1 ~ 2 mm；托叶三角形，分离或合生。苞叶 2，与茎生叶同形。花序数个簇生于叶腋或枝顶，每个花序基部具纤细的梗；花序梗长 3 ~ 5 mm；总苞陀螺状，高与直径均为约 1 mm，边缘 5 裂，裂片

卵状三角形；腺体 4，边缘具白色或淡粉色附属物；雄花数枚，微伸出总苞外；雌花 1，子房柄长于总苞，子房三棱状，无毛，花柱 3，分离，柱头 2 浅裂。蒴果三棱状，长约 1.5 mm，直径约 2 mm，无毛，成熟时分裂为 3 分果爿；种子卵棱状，长约 1.2 mm，直径约 0.8 mm，每个棱面具数个皱纹，无种阜。花果期 8 ～ 12 月。

| **生境分布** | 生于旷野荒地、路旁、灌丛及田间。湖南各地均有分布。

| **资源情况** | 野生资源一般。药材来源于野生。

| **采收加工** | 春、夏季采收，鲜用或晒干。

| **功能主治** | 辛、苦，平。通乳，利尿，清热解毒。用于乳汁不通，水肿，泄泻，痢疾，皮炎，湿疹，烫火伤。

| **用法用量** | 内服煎汤，15 ～ 30 g。外用适量，捣敷。

大戟科 Euphorbiaceae 大戟属 Euphorbia

续随子 *Euphorbia lathyris* L.

| 药 材 名 |　续随子（药用部位：种子）。

| 形态特征 |　二年生草本，高可达 1 m，全株含白汁。茎粗壮，分枝多。单叶交
互对生，无柄；茎下部叶较密，由下而上叶渐增大，线状披针形至
阔披针形，长 5 ~ 12 cm，宽 0.8 ~ 2.5 cm，先端锐尖，基部呈 "V"
形而多少抱茎，全缘。杯状聚伞花序顶生，伞梗 2 ~ 4，基部轮生
叶状苞片 2 ~ 4，每伞梗再叉状分枝；苞叶 2，三角状卵形；花单性，
无花被；多数雄花和 1 雌花同生于萼状总苞内，总苞先端 4 ~ 5 裂，
腺体新月形，两端具短而钝的角；雄花仅具雄蕊 1；雌花生于花序
中央，雌蕊 1，子房三室，花柱 3，先端 2 裂，近扩展而扁平。蒴果
近球形；种子长圆状球形，表面有黑褐色相间的斑点。花期 4 ~ 7
月，果期 6 ~ 9 月。

| **生境分布** | 生于向阳山坡。湖南各地均有分布。

| **资源情况** | 野生资源较丰富。药材来源于野生。

| **采收加工** | 夏、秋季果实成熟时采收，除去杂质，干燥。

| **药材性状** | 本品呈椭圆形或倒卵形，长约 5 mm，直径约 4 mm。表面灰棕色或灰褐色，具不规则网状皱纹，网孔凹陷处灰黑色，形成细斑点，一侧有纵沟状种脊，先端为凸起的合点，下端为线形种脊，基部有凸起的类白色种阜或脱落后的疤痕。种皮薄脆，种仁白色或黄白色，富油质。气微，味辛。

| **功能主治** | 辛，温；有毒。归肺、胃、膀胱经。逐水消肿，破癥杀虫。用于水肿胀满，痰饮，宿滞，癥瘕积聚，妇女经闭，疥癣疮毒，蛇咬伤，赘疣。

| **用法用量** | 内服入丸、散剂，25 ~ 50 g。外用适量，研末敷。

大戟科 Euphorbiaceae 大戟属 Euphorbia

斑地锦
Euphorbia maculata L.

| 药 材 名 | 地锦草（药用部位：全草。别名：血筋草）。

| 形态特征 | 一年生匍匐小草本，高 15 ~ 25 cm，含白色乳汁。根纤细，分枝较密，枝柔细，淡紫色，表面有白色细柔毛。叶小，对生，2 列，长椭圆形，长 5 ~ 8 mm，宽 2 ~ 3 mm，先端具短尖头，基部偏斜，边缘中部以上疏生细齿，上面暗绿色，中央具暗紫色斑纹，下面被白色短柔毛；具仅 1 mm 长叶柄或几无柄；托叶线形，通常 3 深裂。杯状聚伞花序单生于枝腋和叶腋，呈暗红色；总苞钟状，4 裂；具腺体 4，腺体横椭圆形，并有花瓣状附属物；总苞中包含由 1 雄蕊所组成的雄花数朵，中间有雌花 1，具小苞片，花柱 3，子房有柄，悬垂于总苞外。蒴果三棱状卵球形，直径约 2 mm，表面被白色短柔毛，先端残存花柱；种子卵形，具角棱，光滑。花期 5 ~ 6 月，

果期 8 ～ 9 月。

| **生境分布** | 生于山野、路边和园圃内。湖南各地均有分布。

| **资源情况** | 野生资源较丰富。药材来源于野生。

| **采收加工** | 6 ～ 9 月采收，晒干。

| **功能主治** | 辛，平。归肝、大肠经。止血，清湿热，通乳。用于黄疸，泄泻，疳积，血痢，尿血，血崩，外伤出血，乳少，痈肿疮毒。

| **用法用量** | 内服煎汤，15 ～ 50 g，大剂量可用 100 g；或同鸡肝煮。外用适量，捣敷。

大戟科 Euphorbiaceae 大戟属 *Euphorbia*

铁海棠

Euphorbia milii Ch. des Moulins

| 药 材 名 | 铁海棠（药用部位：根、茎。别名：万年刺、千脚刺、鸟不宿）。

| 形态特征 | 多年生肉质灌木。茎直立或攀缘状，长可达 1 m；刺硬而尖，长 1 ~ 2.5 cm，或 5 行排列于茎的纵棱上。叶互生，通常生于嫩枝上，倒卵形或矩圆状匙形，长 2.5 ~ 5 cm，先端浑圆而具小凸尖，基部狭楔形而尖，全缘。杯状聚伞花序 2 ~ 4，排成具长柄的 2 歧聚伞状；苞叶鲜红色，阔卵形或肾形，长约 8 mm，直径 10 ~ 12 mm；花单性，无花被，雌、雄花同生于萼状总苞内；雄花多数，具雄蕊 1；雌花单生于花序中央，子房上位，花柱 3，柱头 2 裂。蒴果，3 室。花期 5 ~ 9 月，果期 6 ~ 10 月。

| 生境分布 | 多栽培于庭院和园圃。分布于湖南岳阳（湘阴）、永州（冷水滩）、怀化（靖州）等。

| 资源情况 | 野生资源较少。药材来源于野生。

| 采收加工 | 全年均可采收，晒干或鲜用。

| 药材性状 | 本品茎肉质，长可达 20 ~ 80 cm，绿色，有纵棱，棱上有锥状硬刺，刺长 1 ~ 2.5 cm。叶片倒卵形至矩圆状匙形，长 2.5 ~ 5 cm，先端圆或具凸尖，基部渐狭，呈楔形，黄绿色。气微，味苦、涩。

| 功能主治 | 苦、涩，凉；有小毒。归心经。解毒，排脓，活血，逐水。用于痈疮肿毒，烫火伤，跌打损伤，瘰疬，肝炎，水臌。

| 用法用量 | 内服煎汤，9 ~ 15 g；或捣汁。外用适量，捣敷。

大戟科 Euphorbiaceae 大戟属 *Euphorbia*

大戟

Euphorbia pekinensis Rupr.

| 药 材 名 | 京大戟（药用部位：根。别名：大戟、龙虎草、天平一枝香）。

| 形态特征 | 多年生草本，全株含乳汁。茎直立，被白色短柔毛，上部分枝。叶互生，长圆状披针形至披针形，长 3 ~ 8 cm，宽 5 ~ 13 mm，全缘。伞形聚伞花序顶生，通常有 5 伞梗，腋生者多只有 1 伞梗，伞梗顶生 1 杯状聚伞花序，其基部轮生卵形或卵状披针形苞片 5，杯状聚伞花序总苞坛形，先端 4 裂，腺体椭圆形；雄花多数，雄蕊 1；雌花 1，子房球形，3 室，花柱 3，先端 2 浅裂。蒴果三棱状球形，表面有疣状突起。花期 4 ~ 5 月，果期 6 ~ 7 月。

| 生境分布 | 生于山坡林下或路旁。湖南各地均有分布。

| 资源情况 | 野生资源较丰富。药材来源于野生。

| **采收加工** | 秋、冬季采挖，洗净，晒干。 |

| **药材性状** | 本品呈不整齐的长圆锥形，略弯曲，常有分枝，长 10 ~ 20 cm，直径 1.5 ~ 4 cm，先端略膨大，有多数茎基及芽痕。表面灰棕色或棕褐色，粗糙，有纵皱纹、横向皮孔及支根痕。质坚硬，不易折断，断面类白色或淡黄色，纤维性。气微，味微苦、涩。 |

| **功能主治** | 苦，寒；有毒。归肺、脾、肾经。泻水逐饮，消肿散结。用于水肿胀满，胸腹积水，痰饮积聚，气逆喘咳，二便不利。 |

| **用法用量** | 内服煎汤，1.5 ~ 3 g。 |

| **附　　注** | 本品不宜与甘草同用。 |

大戟科 Euphorbiaceae 大戟属 Euphorbia

匍匐大戟

Euphorbia prostrata Ait.

| 药 材 名 | 铺地草（药用部位：全草）。

| 形态特征 | 一年生草本。根纤细，长 7 ～ 9 cm。茎匍匐状，自基部多分枝，长 15 ～ 19 cm，通常呈淡红色或红色，少绿色或淡黄绿色，无毛或被少许柔毛。叶对生，椭圆形至倒卵形，长 3 ～ 8 mm，宽 2 ～ 5 mm，先端圆，基部偏斜，不对称，全缘或具不规则的细锯齿；叶面绿色，叶背有时略呈淡红色或红色；叶柄极短或近无；托叶长三角形，易脱落。花序常单生于叶腋，少数簇生于小枝先端，具长 2 ～ 3 mm 的梗；总苞陀螺状，高约 1 mm，直径近 1 mm，常无毛，少被稀疏的柔毛，边缘 5 裂，裂片三角形或半圆形；腺体 4，具极窄的白色附属物；雄花数个，常不伸出总苞外；雌花 1，子房柄较长，常伸出总苞之外，子房于脊上被稀疏的白色柔毛，花柱 3，近基部合生，

柱头 2 裂。蒴果三棱状，长约 1.5 mm，直径约 1.4 mm，除果棱上被白色疏柔毛外，其他无毛；种子卵状四棱形，长约 0.9 mm，直径约 0.5 mm，黄色，每个棱面上有 6 ~ 7 横沟；无种阜。花果期 4 ~ 10 月。

| 生境分布 | 生于路旁及旷野。湖南各地均有分布。

| 资源情况 | 野生资源常见。药材来源于野生。

| 功能主治 | 清热解毒，凉血，消肿。

大戟科 Euphorbiaceae 大戟属 *Euphorbia*

钩腺大戟 *Euphorbia sieboldiana* Morr. et Decne.

| 药 材 名 | 牛奶浆草（药用部位：块根。别名：黄土大戟、长角大戟、甘泽）。

| 形态特征 | 多年生草本，含乳汁，高 15 ~ 40 cm。块根肉质，肥大，直径 1 ~ 2.5 cm。茎单生，具棱槽，紫红色，幼时被白色细长柔毛，老时毛渐脱落。茎基部叶鳞片状，淡褐色或紫红色；茎中上部叶互生，无柄，长圆形或披针状长圆形，长 1.5 ~ 7 cm，宽 0.5 ~ 1.5 cm，具白色缘毛，表面绿色，背面淡绿色。花序伞形，具花序梗 5；苞片卵状三角形，先端急尖；花单性，均无花被，生于杯状总苞中；总苞先端 4 裂，向内弯卷，有 4 腺体，与裂片互生；腺体半月形，两端有弯曲的尖角；雄花多数，每花具 1 雄蕊；雌花 1，仅具 1 雌蕊，子房扁球形，具长柄，伸出总苞，3 室。蒴果三角状扁球形，光滑。

| **生境分布** | 生于河谷阶地、山坡和林下。湖南各地均有分布。

| **资源情况** | 野生资源一般。药材来源于野生。

| **采收加工** | 秋季采挖，洗净，晒干。

| **药材性状** | 本品略呈圆锥状，先端根茎残基明显，直径 1 ～ 2.5 cm。表面黑褐色，具不规则的浅沟状皱纹及侧根痕。质地坚硬，断面粉质，皮部黄白色，木部淡黄色，具稀疏的放射状纹理。气微，味微辛，嚼之有砂粒感。

| **功能主治** | 甘，平；有毒。消肿。用于臌胀，水肿，水结胸证。

| **用法用量** | 内服煎汤，2 ～ 3 g。

大戟科 Euphorbiaceae 大戟属 Euphorbia

千根草
Euphorbia thymifolia L.

| 药 材 名 | 小飞扬草（药用部位：全草）。

| 形态特征 | 一年生草本，高 20 ～ 50 cm，全体有乳汁。茎基部膝曲状向上斜升，单一或基部丛生，被粗毛，上部的毛更密，不分枝或下部稍有分枝。单叶对生，具短柄；叶片椭圆形、长圆形或倒卵形，长 4 ～ 8 mm，宽 2 ～ 5 mm，先端急尖或钝，基部偏斜，不对称，边缘有细锯齿，稀全缘，两面被毛，下面及沿脉上的毛较密；托叶膜质，披针形或条状披针形，边缘刚毛状撕裂早落。夏季开淡绿色或紫色小花，多数杯状聚伞花序排成紧密的腋生头状花序；总苞宽钟形，外面密生短柔毛，先端 4 裂；腺体 4，漏斗状，有短柄及花瓣状附属物。蒴果卵状三棱形，被贴伏的短柔毛。

| 生境分布 | 生于向阳山坡、山谷、路旁及灌丛下。湖南各地均有分布。

| **资源情况** | 野生资源较丰富。栽培资源一般。药材来源于野生和栽培。

| **采收加工** | 夏、秋季采收，洗净，晒干。

| **药材性状** | 本品长 15 ~ 50 cm，被粗毛。根细长而弯曲，表面土黄色至浅棕红色或褐色。老茎近圆柱形，嫩茎稍扁或具棱，直径 1 ~ 3 mm，质脆，易折断，断而中空。叶对生，皱缩，展平后呈椭圆形、长圆形或倒卵形，或破碎不完整；完整叶长 4 ~ 8 mm，宽 2 ~ 5 mm，灰绿色至褐绿色，先端急尖，基部偏斜，边缘有细锯齿，有较明显的叶脉 3。杯状聚伞花序密集，呈头状，腋生。蒴果卵状三棱形。无臭，味淡、微涩。

| **功能主治** | 酸、涩，微凉；有小毒。清热解毒，通乳，渗湿，止痒。用于急性肠炎，细菌性痢疾，淋病，尿血，肺痈，乳痈，疔疮，肿毒，湿疹，足癣，皮肤瘙痒。

| **用法用量** | 内服煎汤，15 ~ 30 g。外用适量，鲜品捣敷；或煎汤洗。

大戟科 Euphorbiaceae 白饭树属 *Flueggea*

一叶萩

Flueggea suffruticosa (Pall.) Baill.

| 药 材 名 |

一叶萩（药用部位：枝、叶、根）。

| 形态特征 |

灌木，高 1 ~ 3 m。茎丛生，多分枝；小枝绿色，纤细，有棱线，上半部多下垂，老枝呈灰褐色，平滑无毛。单叶互生，具短柄；叶片椭圆形或卵状椭圆形，全缘或具不整齐的波状齿或微被锯齿。3 ~ 12 花簇生于叶腋；花小，淡黄色，无花瓣；单性，雌雄同株；萼片 5，卵形；雄花花盘腺体 5，分离，2 裂，5 萼片互生，退化子房小，圆柱形，长 1 mm，2 裂；雌花花盘不分裂，子房 3 室，花柱 3 裂。蒴果三棱状扁球形，直径约 5 mm，成熟时呈红褐色，无毛，裂成 3 瓣。花期 5 ~ 7 月，果期 7 ~ 9 月。

| 生境分布 |

生于山坡或路边。分布于湖南长沙（岳麓）、衡阳（衡南）、常德（澧县、桃源、石门）、益阳（安化）、永州（新田）、怀化（洪江、沅陵）、湘西州（泸溪）等。

| 资源情况 |

野生资源较丰富。栽培资源一般。药材来源

于野生和栽培。

| **采收加工** | 枝、叶，春末至秋末采收，割取连叶的绿色嫩枝，扎成小把，阴干。根，全年均可采收，除去泥沙，洗净，切片，晒干。

| **药材性状** | 本品枝呈圆柱形，略具棱角，长 25 ~ 40 cm，粗端直径约 2 mm，表面绿黄色，具纵向细纹理，叶多皱缩、破碎；质脆，断面中央白色，四周纤维状；气微，味微辛、苦。根不规则分枝，圆柱形，表面红棕色，有细纵纹，疏生凸起的小点或横向皮孔；质脆，断面不整齐，木质部淡黄白色；气微，味先淡后涩。

| **功能主治** | 辛、苦，微温；有小毒。归肝、肾、脾经。祛风活血，强筋骨。用于风湿腰痛，四肢麻木，阳痿，疳积，面神经麻痹，脊髓灰质炎后遗症。

| **用法用量** | 内服煎汤，6 ~ 9 g。

大戟科 Euphorbiaceae 白饭树属 Flueggea

白饭树 *Flueggea virosa* (Roxb. ex Willd.) Voigt

| 药 材 名 | 白饭树（药用部位：叶）。

| 形态特征 | 落叶灌木，高 1 ～ 4 m，全株无毛。茎嫩时呈绿色，老时呈红褐色；小枝具纵棱。单叶互生；叶柄长 2 ～ 5 mm；托叶 2，近三角形，长约 2 mm；叶长圆状倒卵形至椭圆形，长 1 ～ 7 cm，宽 1 ～ 3.5 cm，先端钝而有小尖头，基部宽楔形，上面绿色，下面苍白色，侧脉 5 ～ 7 对，稍明显。花单性异株，极少同株；雄花多数，直径 2 ～ 2.5 mm，淡黄色，组成稠密、腋生的花簇，花梗纤细，长 2 ～ 4 mm，花萼 5，近卵形，基部连合，长 2 ～ 3 mm，无花瓣，雄蕊 5，与花盘腺体互生，伸出花萼之上，花丝淡黄色，花药圆形，退化雌蕊 3，线形，基部连合，先端弯曲或 2 ～ 3 裂，分离部分长约 1 mm；雌花单生或少数簇生于叶腋，花梗长 2 ～ 4 mm，花萼 5，形似雄花花萼，宿

存，花盘杯状，边缘具齿缺，子房卵形，3 室，着生于花盘上，花柱 3，稍扁，反曲，先端各 2 裂，基部合生，宿存。蒴果浆果状，近球形，顶稍压扁，状似鱼眼，直径 3 ~ 4 mm，有 2 裂的分果爿 3，未成熟时果皮甚薄，绿色，成熟时果皮乳白色，肉质；果柄长约 3 mm；种子 3 ~ 6，具 3 棱和细小网纹，腹侧凹陷，胚弯曲，红褐色。花期 3 ~ 8 月，果期 7 ~ 12 月。

| **生境分布** | 生于海拔 100 ~ 1 200 m 的疏林或灌丛中。分布于湖南永州（零陵）、湘西州（泸溪）

| **资源情况** | 野生资源较丰富。栽培资源一般。药材来源于野生和栽培。

| **采收加工** | 全年均可采收，多鲜用。

| **药材性状** | 本品为单叶；叶柄长 3 ~ 6 mm；叶片近革质，长圆状倒卵形至椭圆形，长 1 ~ 5 cm，宽 1 ~ 3.5 cm，先端钝圆而有极小的凸尖，基部楔形，全缘，上面绿色，下面苍白色。气微，味苦、微涩。

| **功能主治** | 凉；有小毒。祛风除湿，清热解毒，杀虫止痒。用于风湿痹痛，疮疖脓肿，湿疹瘙痒。

| **用法用量** | 外用适量，鲜品捣敷；或煎汤洗。

大戟科 Euphorbiaceae 算盘子属 *Glochidion*

革叶算盘子 *Glochidion daltonii* (Muell. Arg.) Kurz.

药材名

蚂蚁上树（药用部位：果实）。

形态特征

灌木或小乔木，高 3 ~ 10 m。枝条有棱，无毛。单叶互生；叶柄长 2 ~ 4 mm，被微毛或无毛；托叶三角形，长约 1 mm；叶片纸质或近革质，披针形或椭圆形，有时呈镰状，长 3 ~ 12 cm，宽 1.5 ~ 3 cm，先端渐尖或短渐尖，基部宽楔形，两面无毛，上面灰绿色，下面灰白色，侧脉 5 ~ 7 对，在上面凸起。雌雄同株；花簇生于叶腋，基部有 2 苞片，雌、雄花分别着生于小枝的上部和下部；雄花花梗长 5 ~ 8 mm，萼片 6，长 2.5 ~ 3 mm，先端钝，雄蕊 3；雌花几无梗，萼片 6，与雄花同，子房扁球形，4 ~ 6 室，花柱合生，呈细棒状，先端 3 ~ 4 裂。蒴果扁球形，直径 1 ~ 1.5 cm，干后呈褐色，无毛，具多数沟槽，萼片宿存；果柄长约 2 mm。花期 5 ~ 6 月，果期 6 ~ 9 月。

生境分布

生于海拔 200 ~ 1 700 m 的山坡路旁向阳处和灌丛中。分布于湖南长沙（雨花）等。

| **资源情况** | 野生资源丰富。药材来源于野生。

| **采收加工** | 夏、秋季果实成熟时采摘，除尽杂质，晒干。

| **功能主治** | 止咳。用于咳嗽。

| **用法用量** | 内服煎汤，6～9g。

毛果算盘子

Glochidion eriocarpum Champ. ex Benth.

| 药 材 名 | 漆大姑（药用部位：枝叶）、漆大姑根（药用部位：根）。

| 形态特征 | 常绿灌木，高 0.5 ~ 2 m。枝密被扩展的淡黄色长柔毛。叶互生；叶柄长 1 ~ 2 mm，被密毛；托叶钻形，长 3 ~ 4 mm，被毛；叶卵形或狭卵形，长 3 ~ 9 cm，宽 1.5 ~ 4 cm，先端渐尖，基部钝、截平或圆形，全缘，上面榄绿色，下面稍带灰白色，两面均被长柔毛，下面尤密，侧脉 4 ~ 6 对，下面网脉稍明显。花淡绿色，单性同株；通常 2 ~ 4 雄花簇生于叶腋；花梗长 4 ~ 10 mm，被毛；萼片 6，长圆形，先端锐尖，外被疏柔毛；雄蕊 3；雌花几无梗，通常单生于小枝上部叶腋，萼片 6，长圆形，长 2.5 ~ 3 mm，其中 3 萼片较狭，两面均被长柔毛，子房扁球形，密被柔毛，通常 5 室，稀 4 室，花柱短，合生成圆柱状，直立，长约为子房的 3 倍，均密被长柔毛，

先端 5 裂。蒴果扁球形，顶部压入，具 5 纵沟，直径 8 ～ 10 mm，密被长柔毛，先端具稍伸长的圆柱状宿存花柱；种子橘红色。花期 6 ～ 10 月，果期 7 ～ 11 月。

| 生境分布 |　生于海拔 1 300 ～ 1 600 m 的山坡、山谷阳处灌丛中。分布于湖南株洲（攸县、茶陵、醴陵）、湘潭（湘潭）、衡阳（珠晖、雁峰、石鼓、蒸湘、衡阳、衡南、衡山）、邵阳（洞口、武冈）、永州（江华）、怀化（靖州）等。

| 资源情况 |　野生资源丰富。药材来源于野生。

| 采收加工 |　漆大姑：夏、秋季采收，鲜用或晒干。
　　　　　　漆大姑根：全年均可采挖，洗净，晒干。

| 药材性状 |　漆大姑：本品单叶互生，具短柄；叶片长 4 ～ 8 cm，宽 1.4 ～ 3.5 cm，卵形或窄卵形，先端渐尖，基部钝或圆形，全缘，两面均被长柔毛，下面的毛较密；托叶锥尖形。纸质。气特异，味苦、涩。

| 功能主治 |　漆大姑：苦、甘、涩，平。清热解毒，祛湿止痒。用于生漆过敏，稻田性皮炎，荨麻疹，湿疹，烧伤，乳腺炎，急性胃肠炎，痢疾。
　　　　　　漆大姑根：苦、涩，平。归大肠经。清热解毒，祛湿止痒。用于肠炎，痢疾，牙痛，咽喉痛，乳腺炎，湿疹，烧伤，带下。

| 用法用量 |　漆大姑：内服煎汤，5 ～ 15 g。外用适量，煎汤洗；或捣敷；或研末敷。
　　　　　　漆大姑根：内服煎汤，15 ～ 60 g。外用适量，煎汤洗；或研末敷。

大戟科 Euphorbiaceae 算盘子属 Glochidion

算盘子 *Glochidion puberum* (L.) Hutch.

药 材 名

算盘子（药用部位：果实。别名：算盘珠、野南瓜、果盒仔）。

形态特征

灌木，高 1 ~ 2 m。小枝有灰色或棕色短柔毛。叶互生，长椭圆形或椭圆形，长 3 ~ 5 cm，宽达 2 cm，尖头或钝头，基部宽楔形，上面橄绿色或粉绿色，下面稍带灰白色，叶脉密生毛；叶柄长 1 ~ 2 mm。花小，单性，雌雄同株或异株，无花瓣，1 至数花簇生于叶腋，常下垂，下部叶腋生雄花，近顶部叶腋生雌花和雄花，或仅生雌花；萼片 6，分内、外 2 轮排列；雄蕊 3；子房通常 5 室，花柱合生。蒴果扁球形，直径 12 ~ 16 mm，顶上凹陷，外有纵沟；种子黄赤色。花期 6 ~ 9 月，果期 7 ~ 10 月。

生境分布

生于山坡灌丛中。湖南各地均有分布。

资源情况

野生资源丰富。药材来源于野生。

| 采收加工 | 秋季采摘，除净杂质，晒干。

| 药材性状 | 本品呈扁球形，形如算盘珠，常具 8 ~ 10 纵沟，红色或红棕色，被短绒毛，先端具稍伸长的环状宿存花柱，内有数颗种子；种子近肾形，具纵棱，表面红褐色。气微，味苦、涩。

| 功能主治 | 苦，凉；有小毒。归肾经。清热除湿，解毒利咽，行气活血。用于痢疾，泄泻，黄疸，疟疾，淋浊，带下，咽喉肿痛，牙痛，疝痛，产后腹痛。

| 用法用量 | 内服煎汤，9 ~ 15 g。

大戟科 Euphorbiaceae 算盘子属 *Glochidion*

湖北算盘子

Glochidion wilsonii Hutch.

| 药 材 名 | 馒头果（药用部位：叶。别名：白背叶算盘子）。

| 形态特征 | 灌木。高 1 ~ 4 m。枝条具棱，灰褐色，小枝直而开展。除叶柄外，全株均无毛。叶片纸质，披针形或斜披针形，长 3 ~ 10 cm，宽 1.5 ~ 4 cm，先端短渐尖或急尖，基部钝或宽楔形，上面绿色，下面带灰白色，中脉在两面凸起，侧脉每边 5 ~ 6，在下面凸起；叶柄长 3 ~ 5 mm，被极细柔毛或几无毛；托叶卵状披针形，长 2 ~ 2.5 mm。花绿色，雌雄同株，簇生于叶腋内，雌花生于小枝上部，雄花生于小枝下部。雄花花梗长约 8 mm；萼片 6，长圆形或倒卵形，长 2.5 ~ 3 mm，宽约 1 mm，先端钝，边缘薄膜质；雄蕊 3，合生。雌花花梗短；萼片与雄花的相同；子房圆球状，有 6 ~ 8 室，

花柱合生成圆柱状，先端多裂。蒴果扁球状，直径约 1.5 cm，边缘有 6 ～ 8 纵沟，基部常有宿存的萼片；种子近三棱形，红色，有光泽。花期 4 ～ 7 月，果期 6 ～ 9 月。

| **生境分布** | 生于海拔 600 ～ 1 600 m 的山地灌丛中。湖南各地均有分布。

| **资源情况** | 野生资源丰富。药材来源于野生。

| **采收加工** | 夏、秋季采摘，除去叶柄，拣净杂质，鲜用或晒干。

| **药材性状** | 本品呈披针形，长 3 ～ 8 cm，宽 1.5 ～ 3 cm，先端锐尖或短渐尖，基部钝或钝楔形，无毛，下面带灰白色，侧脉 5 ～ 6 对。质稍厚，纸质。

| **功能主治** | 微苦，平。清热利湿，消滞散瘀，解毒消肿。用于湿热泻痢，咽喉肿痛，疮疖肿痛，蛇虫咬伤，跌打损伤。

| **用法用量** | 内服煎汤，15 ～ 30 g。外用适量，鲜品捣敷。

大戟科 Euphorbiaceae 雀舌木属 Leptopus

雀儿舌头

Leptopus chinensis (Bunge) Pojark.

| 药 材 名 | 黑钩叶（药用部位：叶）。

| 形态特征 | 直立灌木。高达 3 m。茎上部和小枝条具棱。除枝条、叶片、叶柄和萼片在幼时被疏短柔毛外，其余无毛。叶片膜质至薄纸质，卵形、近圆形、椭圆形或披针形，长 1 ~ 5 cm，宽 0.4 ~ 2.5 cm，先端钝或急尖，基部圆形或宽楔形，叶面深绿色，叶背浅绿色，侧脉每边 4 ~ 6，在叶面扁平，在叶背微凸起；叶柄长 2 ~ 8 mm；托叶小，卵状三角形，边缘被睫毛。花小，雌雄同株，单生或 2 ~ 4 簇生于叶腋，萼片、花瓣和雄蕊均为 5。雄花花梗丝状，长 6 ~ 10 mm；萼片卵形或宽卵形，长 2 ~ 4 mm，宽 1 ~ 3 mm，浅绿色，膜质，具脉纹；花瓣白色，匙形，长 1 ~ 1.5 mm，膜质；花盘腺体 5，分离，

先端 2 深裂；雄蕊离生，花丝丝状，花药卵圆形。雌花花梗长 1.5 ～ 2.5 cm；花瓣倒卵形，长 1.5 mm，宽 0.7 mm；萼片与雄花的相同；花盘环状，10 裂至中部，裂片长圆形；子房近球形，有 3 室，每室有胚珠 2，花柱 3，2 深裂。蒴果圆球形或扁球形，直径 6 ～ 8 mm，基部有宿存的萼片，果柄长 2 ～ 3 cm。花期 2 ～ 8 月，果期 6 ～ 10 月。

| 生境分布 | 生于海拔 500 ～ 1 000 m 的山地灌丛、林缘、路旁、岩崖或石缝中。分布于湖南常德（石门）、张家界（慈利、桑植）、怀化（沅陵）等。

| 资源情况 | 野生资源稀少。药材来源于野生。

| 功能主治 | 辛，温。理气止痛。用于脾胃气滞疼痛，脘腹胀痛，食欲不振，寒疝腹痛，下痢腹痛，虫积腹痛。

| 用法用量 | 内服煎汤，6 ～ 12 g。

大戟科 Euphorbiaceae 野桐属 Mallotus

白背叶

Mallotus apelta (Lour.) Müll. Arg.

| 药 材 名 | 白背叶（药用部位：叶）。

| 形态特征 | 灌木或小乔木。小枝密被星状毛。叶互生，宽卵形，不分裂或 3 浅裂，长 7 ～ 17 cm，宽 4 ～ 14 cm，两面被星状毛及棕色腺体，下面的毛更厚密，基出脉 5，最下 1 对常不明显，具 2 腺体；叶柄长 4 ～ 20 cm。花单性，雌雄异株，无花瓣；雄穗状花序顶生，长 15 ～ 30 cm；雌穗状花序顶生或侧生，长约 15 cm；花萼 3 ～ 6 裂，外面密被茸毛；雄蕊 50 ～ 65，花药 2 室；子房 3 ～ 4 室，被软刺并密生星状毛，花柱 2 ～ 3，短。蒴果近球形，长 5 mm，直径 7 mm，密生软刺及星状毛；种子近球形，直径 3 mm，黑色，光亮。

| 生境分布 | 生于海拔 100 ～ 1 000 m 的山坡或山谷灌丛中。湖南各地均有分布。

资源情况	野生资源丰富。药材来源于野生。
采收加工	全年均可采收，除去杂质，晒干。
药材性状	本品皱缩，边缘多内卷，完整叶片展平后呈阔卵形，长 7 ~ 17 cm，宽 5 ~ 14 cm，上表面绿色或黄绿色，下表面灰白色或白色，先端渐尖，基部近平截或略呈心形，全缘或顶部 3 浅裂，有钝齿，上表面近无毛，下表面被星状毛，基出脉 5，叶脉于下表面隆起。叶柄长 4 ~ 20 cm。质脆。气微香，味微苦、辛。
功能主治	苦，寒。清热解毒，消肿止痛，祛湿止血。用于痈疖疮疡，鹅口疮，皮肤湿痒，跌打损伤，外伤出血。
用法用量	内服煎汤，1.5 ~ 9 g。外用适量，研末撒；或煎汤洗。

大戟科 Euphorbiaceae 野桐属 Mallotus

毛桐
Mallotus barbatus (Wall.) Muell. Arg.

| 药 材 名 | 毛桐（药用部位：根。别名：紫糠木、圆鞋、黄花叶）。

| 形态特征 | 落叶灌木或小乔木，高 1 ~ 4 m。幼枝密被棕黄色星状绵毛。叶互生；叶柄长 5 ~ 22 cm，密被灰棕色星状绵毛；叶片纸质，卵形或卵圆形，长 13 ~ 30 cm，宽 12 ~ 26 cm，先端渐尖，基部圆形，盾状着生，边缘具疏细齿，不分裂或 3 浅裂，有时呈不规则波浪形，上面幼时密被星状绒毛，后渐无毛，绿色，下面密被灰棕色星状绒毛及棕黄色腺点，叶脉 7 ~ 11，放射状。总状花序腋生或顶生，长可达 30 cm，花序梗被毛；花单性异株，偶有同株者；无花瓣；雄花序通常分枝，长 11 ~ 35 cm，5 ~ 8 雄花簇生，萼片 4 ~ 5，稀 3 裂，披针形，长 3 ~ 4 mm，外面密被绒毛，内面有腺点，雄蕊多数；雌花单生于苞腋内，苞片长约 4 mm，萼通常 4 裂，稀 3 或 5 裂，外面

被绒毛，子房圆形，有乳头状突起，被毛，通常4室，稀3或5室，花柱3～5，基部合生，长3～4 mm。蒴果扁球形，长1.2～1.6 cm，直径1.6～2 cm，被厚达5 mm的1层软刺和星状绒毛，基部具苞片3，合生；果柄长5～8 mm；种子卵形，黑色，光亮。花期4～6月，果期7～10月。

| 生境分布 | 生于海拔400～1 000 m的山地、坡地的疏林或灌丛中。分布于湖南邵阳（新邵、绥宁）、永州（祁阳）、怀化（中方、辰溪、会同、麻阳、芷江、靖州、洪江、沅陵）、湘西州（吉首、泸溪、花垣、古丈、永顺）等。

| 资源情况 | 野生资源较少。药材来源于野生。

| 采收加工 | 全年均可采挖，洗净，切片，晒干。

| 功能主治 | 微苦、甘，平。归肺、脾、胃经。清热利湿。用于肺热吐血，湿热泄泻，小便涩痛，带下。

| 用法用量 | 内服煎汤，15～30 g。

大戟科 Euphorbiaceae 野桐属 Mallotus

野梧桐

Mallotus japonicus (Thunb.) Muell. Arg.

| 药 材 名 | 野梧桐（药用部位：树皮。别名：野桐、楸、白肉白）。

| 形态特征 | 小乔木。茎直径 30 cm 左右。树皮平滑。叶互生，丛集于枝端；叶片卵形或菱形，先端尾状锐尖，基部圆形或阔楔形，多为全缘，浅3 裂，膜质，长 15 ~ 18 cm，宽几相等，下面散生黄色小腺点，老时两面平滑，中肋及侧脉两面凸起，叶基具 2 蜜腺；叶柄长，被褐色茸毛。雌雄异株，为顶生的圆锥形穗状花序，花轴密生细毛，雄花序较雌花序细且长；雄花疏生，萼片 3 ~ 5 裂，无花冠，雄蕊多数；雌花密生，萼片 3 ~ 5 裂，子房 2 ~ 4 室，每室有 1 胚珠，花柱 2 ~ 4分歧。蒴果球形，有细软刺。花期 6 月，果期 9 月。

| 生境分布 | 生于山坡、路边。分布于湖南株洲（渌口、攸县、茶陵、醴陵）、

衡阳（珠晖、雁峰、石鼓、蒸湘、衡阳、衡南、衡山）、邵阳（洞口、武冈）、郴州（嘉禾）、永州（东安、双牌、江华）、怀化（会同、新晃）、娄底（新化）等。

| **资源情况** | 野生资源较少。药材来源于野生。

| **采收加工** | 全年均可采收，鲜用或晒干。

| **功能主治** | 微苦、涩，平。归胃经。清热解毒，收敛止血。用于复合性胃和十二指肠溃疡，肝炎，尿血，带下，疮疡，外伤出血。

| **用法用量** | 内服煎汤，9 ~ 15 g；或研末。外用适量，捣敷；或熬膏涂；或煎汤洗。

大戟科 Euphorbiaceae 野桐属 Mallotus

野桐
Mallotus japonicus (Thunb.) Muell. Arg. var. *floccosus* (Muell. Arg.) S. M. Hwang

| 药 材 名 | 山桐子（药用部位：根、皮。别名：毛桐、臭樟木、大马桑叶）。

| 形态特征 | 落叶乔木，高 8 ~ 21 m。树皮淡灰色，不裂。小枝圆柱形，细而脆，黄棕色，有明显的皮孔，冬日呈侧枝长于顶枝状态，枝条平展，近轮生，当年生枝条紫绿色，有淡黄色的长毛；冬芽有淡褐色毛，有锥状鳞片 4 ~ 6。叶薄革质或厚纸质，卵形、心状卵形或宽心形，长 13 ~ 16 cm，稀长达 20 cm，宽 12 ~ 15 cm，先端渐尖或尾状渐尖，基部通常呈心形，边缘有粗齿，齿尖有腺体，上面深绿色，光滑无毛，下面有白粉，沿脉有疏柔毛，脉腋有丛毛，基部脉腋更多，通常具 5 基出脉，第 2 对脉斜升到叶片的 3/5 处；叶柄长 6 ~ 12 cm，或更长，圆柱状，无毛，下部有紫色、扁平腺体 2 ~ 4，基部稍膨大。花单性，雌雄异株或杂性，黄绿色，芳香，花瓣缺，排列成下

垂的顶生圆锥花序，花序梗有疏柔毛，长 10 ~ 20 cm；雄花比雌花稍大，直径约 1.2 cm，萼片 3 ~ 6，覆瓦状排列，长卵形，长约 6 mm，宽约 3 mm，有密毛，花丝丝状，被软毛，花药椭圆形，基部着生，侧裂，有退化子房；雌花比雄花稍小，直径约 9 mm，萼片 3 ~ 6，卵形，长约 4 mm，宽约 2.5 mm，外面有密毛，内面有疏毛，子房上位，圆球形，无毛，花柱 5 或 6，向外平展，柱头倒卵圆形，退化雄蕊多数，花丝短或缺。浆果成熟时呈紫红色，扁圆形，长 3 ~ 5 mm，直径 5 ~ 7 mm；果柄细小，长 0.6 ~ 2 cm；种子红棕色，圆形。花期 4 ~ 5 月，果期 10 ~ 11 月。

| 生境分布 | 生于海拔 300 ~ 1 700 m 的山坡、丘陵、路旁灌丛和山坡疏林中。分布于湖南郴州（桂阳、临武）、永州（江永）、怀化（芷江）等。

| 资源情况 | 野生资源稀少。药材来源于野生。

| 采收加工 | 全年均可采收，洗净，鲜用或晒干。

| 功能主治 | 微苦、涩，平。清热祛湿，收敛固涩，消瘀止痛。用于泄泻，赤白痢，脱肛，子宫脱垂，慢性肝炎，肝脾肿大，跌打损伤，产后腰腹疼痛，外伤出血。

| 用法用量 | 内服煎汤，9 ~ 30 g。外用适量，捣敷；或研末撒；或煎汤洗。

大戟科 Euphorbiaceae 野桐属 Mallotus

粗糠柴
Mallotus philippensis (Lam.) Müll. Arg. var. *philippensis*

| 药 材 名 | 粗糠柴（药用部位：果实表面的粉状茸毛、根。别名：香桂树、香檀、痢灵树）。

| 形态特征 | 小乔木或灌木，高 2 ~ 18 m。小枝、嫩叶和花序均密被黄褐色星状短柔毛。叶近革质，卵形、长圆形或卵状披针形，近全缘，上面无毛，下面被灰黄色星状短绒毛，叶脉上具长柔毛，散生红色颗粒状腺体，近基部有褐色斑状腺体 2 ~ 4；叶柄被星状毛。花雌雄异株，花序总状；雄花序长 5 ~ 10 cm，1 ~ 5 雄花簇生于苞腋，花梗长 1 ~ 2 mm，花萼裂片 3 ~ 4，密被星状毛，具红色颗粒状腺体，雄蕊 15 ~ 30；雌花花萼裂片 3 ~ 5，卵状披针形，外面密被星状毛，子房被毛，花柱 2 ~ 3，柱头密生羽毛状突起。蒴果扁球形，直径 6 ~ 8 mm，具 2（~ 3）分果，密被红色颗粒状腺体和粉末状毛；种子

卵形或球形，黑色，具光泽。花期 4 ~ 5 月，果期 5 ~ 8 月。

| **生境分布** | 生于海拔 300 ~ 1 600 m 山地林中或林缘。湖南各地均有分布。

| **资源情况** | 野生资源丰富。药材来源于野生。

| **采收加工** | 随时可采挖根，秋季采收果实表面的粉状茸毛，晒干。

| **功能主治** | 根，清热利湿。用于急、慢性痢疾，咽喉肿痛。果实表面的粉状茸毛，驱虫。

| **用法用量** | 内服煎汤，根 25 ~ 50 g；或入胶囊、丸剂、锭剂，果实表面的粉状茸毛 10 ~ 15 g。

| **附　　注** | 本种果实表面的粉状茸毛有毒，过量服用可引起恶心、呕吐、泻下等中毒症状，解毒方法包括以下几种：①洗胃；②内服蛋清、面糊、活性炭或鞣酸蛋白；③大量饮用淡盐水或静脉滴注 5% 葡萄糖盐水。

大戟科 Euphorbiaceae 野桐属 Mallotus

石岩枫 *Mallotus repandus* (Rottler) Müll. Arg.

| 药 材 名 | 山龙眼（药用部位：根、茎、叶。别名：黄豆树、大力王）。

| 形态特征 | 攀缘灌木。叶互生，纸质或膜质，卵形或椭圆状卵形，全缘或呈波状，嫩叶两面均被星状柔毛，成长叶仅下面叶脉腋被毛并散生黄色颗粒状腺体，基出脉 3，有时稍离基，侧脉 4 ~ 5 对。花雌雄异株，总状花序或下部有分枝；雄花序顶生，稀腋生，苞片钻状，密生星状毛，苞腋有花 2 ~ 5，花萼裂片 3 ~ 4，卵状长圆形，外面被绒毛，雄蕊 40 ~ 75，花药长圆形，药隔狭；雌花序顶生，苞片长三角形，花萼裂片 5，卵状披针形，外面被绒毛，具颗粒状腺体，花柱 2（~ 3），柱头被星状毛，密生羽毛状突起。蒴果具 2（~ 3）分果爿，密生黄色粉末状毛并具颗粒状腺体；种子卵形，黑色，有光泽。花期 3 ~ 5 月，果期 8 ~ 9 月。

| **生境分布** | 生于山地疏林中或林缘。湖南各地均有分布。

| **资源情况** | 野生资源丰富。药材来源于野生。

| **采收加工** | 全年均可采收，晒干。

| **功能主治** | 微辛，温。祛风活络，舒筋止痛。用于风湿性关节炎，腰腿痛，产后风瘫；外用于跌打损伤。

| **用法用量** | 内服煎汤，50 ~ 100 g。外用适量，捣敷。

大戟科 Euphorbiaceae 野桐属 Mallotus

杠香藤

Mallotus repandus (Willd.) Muell. Arg. var. *chrysocarpus* (Pamp.) S. M. Hwang

| 药 材 名 | 山龙眼（药用部位：根、茎、叶。别名：倒挂金钩、木贼枫藤、万刺藤）。

| 形态特征 | 灌木或乔木，有时呈藤本状，高 4 ～ 10 m。单叶互生；叶柄长 2 ～ 4 cm，密被黄色星状绒毛；叶片膜质，卵形、长圆形或菱状卵形，长 3.5 ～ 9 cm，宽 2 ～ 7 cm，先端渐尖或急尖，基部圆形、截平或稍呈心形，全缘或边缘呈波状，幼时两面均被黄色星状毛，老时上面无毛而有微点及腺体，下面被毛并具透明的黄色小腺点，基出脉 3。花单性异株；雄花序为总状或圆锥状，单一或分枝，腋生或顶生，长 5 ～ 15 cm，密被锈色星状毛，花梗长 4 mm，每 1 苞片内有花 1 ～ 5，萼片 3 ～ 4 裂，卵状长圆形，密被锈色绒毛，雄蕊 40 ～ 75；雌花序长 5 ～ 10 cm，花序梗粗壮，不分枝。蒴果

具（2 ~）3 分果爿，花柱（2 ~）3。花期 4 ~ 6 月，果期 8 ~ 11 月。

| **生境分布** | 生于海拔 300 ~ 600 m 山地疏林中或林缘。湖南各地均有分布。

| **资源情况** | 野生资源一般。药材来源于野生。

| **采收加工** | 根、茎，全年均可采收，洗净，切片，晒干。叶，夏、秋季采收，鲜用或晒干。

| **药材性状** | 本品叶互生；叶柄长 2.5 ~ 4 cm；叶片三角状卵形或卵形，长 3.5 ~ 9 cm，宽 2 ~ 5 cm，先端渐尖，基部圆形、截平或稍呈心形，全缘，两面被毛，多少有变异。气微，味辛。

| **功能主治** | 苦、辛，温。祛风除湿，活血通络，解毒消肿，驱虫止痒。用于风湿痹痛，腰腿疼痛，口眼歪斜，跌打损伤，痈肿疮疡，绦虫病，湿疹，顽癣，蛇犬咬伤。

| **用法用量** | 内服煎汤，9 ~ 30 g。外用适量，干叶研末敷；或鲜叶捣敷。

大戟科 Euphorbiaceae **叶下珠属** *Phyllanthus*

落萼叶下珠
Phyllanthus flexuosus (Sieb. et Zucc.) Muell. Arg

| 药 材 名 | 落萼叶下珠（药用部位：全草。别名：红五眼、弯曲叶下珠、曲枝叶下珠）。

| 形态特征 | 落叶灌木，高 2 ~ 4 m。枝光滑无毛，小枝柔细。叶互生；叶柄长 1 ~ 3 mm；托叶卵状三角形，早落；叶片椭圆形至长圆形，长 2 ~ 4.5 cm，宽 1 ~ 2.5 cm，先端有小尖头，基部宽楔形或圆形，下面灰绿色，侧脉 5 ~ 7 对。花单性同株；雄花数朵至 10 朵簇生于叶腋，萼片 5，暗紫红色，花盘腺体 5，雄蕊 4 ~ 5；雌花常 1 朵生于雄花群中，子房 3 室，花柱 3，先端 2 裂，果期脱落。果实球形，果皮肉质呈浆果状，紫黑色，直径约 6 mm。花期 4 ~ 5 月，果期 6 ~ 9 月。

| **生境分布** | 生于海拔 700 ～ 1 500 m 的山地疏林下、沟边、路旁或灌丛中。湖南各地均有分布。

| **资源情况** | 野生资源较丰富。栽培资源一般。药材来源于野生和栽培。

| **采收加工** | 全年均可采收，鲜用或晒干。

| **功能主治** | 苦、辛，凉。清热解毒，祛风除湿。用于过敏性皮炎，小儿夜啼，蛇咬伤，风湿病。

| **用法用量** | 内服煎汤，5 ～ 15 g。外用适量，捣敷。

大戟科 Euphorbiaceae 叶下珠属 Phyllanthus

青灰叶下珠

Phyllanthus glaucus Wall. ex Muell. Arg.

| 药 材 名 | 青灰叶下珠（药用部位：根。别名：彩叶槐、鼻血树、黑籽棵）。

| 形态特征 | 落叶灌木，高 2 ~ 4 m，全株无毛。叶膜质，椭圆形或长圆形，长 2.5 ~ 5 cm，先端尖，有小尖头，基部钝或圆，下面苍白色，侧脉 8 ~ 10 对；叶柄长 2 ~ 4 mm；托叶卵状披针形，膜质。花直径 约 3 mm，数朵簇生于叶腋；雄花花梗长约 8 mm，萼片 6，卵形， 花盘腺体 6，雄蕊 5，花丝分离；1 雌花与数雄花腋生，花梗长约 9 mm，萼片 6，卵形，花盘环状，子房 3 室，每室 2 胚珠，花柱 3， 基部合生。蒴果浆果状，直径约 1 cm，紫黑色，萼片宿存；种子黄 褐色。花期 4 ~ 7 月，果期 7 ~ 10 月。

| 生境分布 | 生于海拔 200 ~ 800 m 的山坡疏林内或林缘。湖南各地均有分布。

| **资源情况** | 野生资源较丰富。栽培资源一般。药材来源于野生和栽培。 |

| **采收加工** | 秋季采挖，切片，晒干。 |

| **功能主治** | 辛、甘，温。归肝、脾经。祛风除湿，健胃。用于风湿关节痛，饮食停滞，疳积。 |

| **用法用量** | 内服煎汤，9 ~ 15 g。 |

大戟科 Euphorbiaceae 叶下珠属 *Phyllanthus*

小果叶下珠

Phyllanthus reticulatus Poir.

| **药 材 名** | 山兵豆（药用部位：全草。别名：烂头钵、龙眼睛、白仔）。 |

| **形态特征** | 灌木，高达 4 m。枝条淡褐色。幼枝、叶和花梗均被淡黄色短柔毛或微毛。叶片膜质至纸质，长 1 ~ 5 cm，宽 0.7 ~ 3 cm，叶脉通常两面明显，侧脉每边 5 ~ 7；叶柄长 2 ~ 5 mm。雄花直径约 2 mm，花梗纤细，长 5 ~ 10 mm，萼片 5 ~ 6，2 轮，卵形或倒卵形，不等大，长 0.7 ~ 1.5 mm，宽 0.5 ~ 1.2 mm，全缘，雄蕊 5，直立，花盘腺体 5，鳞片状，宽 0.5 mm；雌花花梗长 4 ~ 8 mm，纤细，萼片 5 ~ 6，2 轮，花盘腺体 5 ~ 6，长圆形或倒卵形，子房圆球形，4 ~ 12 室，花柱分离，先端 2 裂。蒴果呈浆果状，4 ~ 12 室，每室有 2 种子；种子三棱形，长 1.6 ~ 2 mm，褐色。花期 3 ~ 6 月，果期 6 ~ 10 月。 |

| **生境分布** | 生于海拔 200 ～ 400 m 的山谷、路旁林中。湖南各地均有分布。

| **资源情况** | 野生资源较丰富。栽培资源稀少。药材主要来源于野生。

| **采收加工** | 夏、秋季采收，鲜用或晒干。

| **药材性状** | 枝条淡褐色；幼枝、叶和花梗均被淡黄色短柔毛或微毛。叶片膜质至纸质，椭圆形、卵形至圆形；雌花簇生于叶腋，聚伞花序；蒴果呈浆果状，球形或近球形，种子三棱形，褐色。

| **功能主治** | 辛、甘，平。归肝、肾、大肠经。祛风，利湿，活血。用于风湿关节痛，肝炎，肾炎，肠炎，痢疾，跌打损伤。

| **用法用量** | 内服煎汤，6 ～ 15 g；或浸酒。外用适量，捣敷。

大戟科 Euphorbiaceae 叶下珠属 *Phyllanthus*

叶下珠 *Phyllanthus urinaria* L.

药材名

叶下珠（药用部位：全草。别名：关门草、夜合草、叶后珠）。

形态特征

一年生草本，高 10 ~ 60 cm，基部多分枝。叶纸质，长圆形或倒卵形，长 0.4 ~ 1 cm，下面灰绿色，近边缘处有 1 ~ 3 列短粗毛，侧脉 4 ~ 5 对；叶柄极短；托叶卵状披针形，长约 1.5 mm。花雌雄同株；2 ~ 4 雄花簇生于叶腋，常仅上面 1 朵开花；花梗长约 0.5 mm，基部具苞片 1 ~ 2；萼片 6，倒卵形；雄蕊 3，花丝合生成柱；花盘腺体 6，分离。蒴果球形，直径 1 ~ 2 mm，红色，具小凸刺，花柱和萼片宿存；种子长 1.2 mm，橙黄色。花期 4 ~ 6 月，果期 7 ~ 11 月。

生境分布

生于海拔 200 ~ 1 000 m 的山地灌丛中或疏林下。湖南各地均有分布。

资源情况

野生资源较丰富。栽培资源一般。药材主要来源于野生。

| **采收加工** | 夏、秋季采收，除去杂质，鲜用或晒干。

| **药材性状** | 本品长短不一，根茎外表面浅棕色，主根不发达，须根多数，呈浅灰棕色。茎直径 2 ~ 3 mm，老茎基部灰褐色；茎枝有纵皱纹，灰棕色、灰褐色或棕红色，质脆易断，断面中空，分枝有纵皱纹及不甚明显的膜翅状脊线。叶片薄而小，长椭圆形，尖端有短突尖，基部圆形或偏斜，边缘有白色短毛，灰绿色，皱缩，易脱落。花细小，腋生于叶背之下，多已干缩。有的带有三棱状扁球形黄棕色果实，其表面有鳞状突起，常 6 纵裂。气微香，味微苦。

| **功能主治** | 微苦，凉。归肝、脾、肾经。清热解毒，利水消肿，明目，消积。用于痢疾，泄泻，黄疸，水肿，热淋，石淋，目赤，夜盲症，疳积，痈肿，毒蛇咬伤。

| **用法用量** | 内服煎汤，15 ~ 3 g。外用适量，捣敷。

大戟科 Euphorbiaceae 叶下珠属 Phyllanthus

蜜柑草 *Phyllanthus ussuriensis* Rupr. et Maxim.

药材名

蜜柑草（药用部位：全草。别名：夜关门、地莲子、鱼鳞草）。

形态特征

一年生草本，高 15 ~ 60 cm，全株光滑无毛。茎直立，分枝细长。叶互生，具短柄；托叶 2，小；叶片条形或披针形，长 8 ~ 20 mm，宽 2 ~ 5 mm，先端尖，基部近圆形。花簇生或单生于叶腋；花小，单性，雌雄同株，无花瓣；雄花萼片 4，花盘腺体 4，分离，与萼片互生，无退化子房；雌花萼片 6，花盘腺体 6，子房 6 室，柱头 6。蒴果有细柄，下垂，圆形，直径约 2 mm，褐色，表面平滑；种子三角形，灰褐色，具细瘤点。花期 7 ~ 8 月，果期 9 ~ 10 月。

生境分布

生于山坡、路旁。分布于湖南长沙（望城）、株洲（攸县、茶陵、醴陵）、湘潭（岳塘、湘潭）、衡阳（珠晖、雁峰、石鼓、蒸湘、衡阳、衡南、衡山、常宁）、邵阳（武冈）、常德（汉寿）、益阳（赫山）、永州（祁阳、江华）、怀化（麻阳）、湘西州（泸溪、古丈）、郴州（桂东）等。

| 资源情况 | 野生资源较丰富。栽培资源稀少。药材来源于野生。

| 采收加工 | 夏、秋季采收，鲜用或晒干。

| 药材性状 | 本品长 15 ~ 60 cm。茎无毛，分枝细长。叶 2 列，互生，条形或披针形，长 8 ~ 20 mm，宽 2 ~ 5 mm，先端尖，基部近圆形，具短柄；托叶小。花小，单性，雌雄同株，无花瓣，腋生。蒴果圆形，具下垂细柄，直径约 2 mm，表面平滑。气微，味苦、涩。

| 功能主治 | 苦，寒。归肝、胃经。清热利湿，清肝明目。用于黄疸，痢疾，泄泻，水肿，淋病，疳积，目赤肿痛，痔疮，毒蛇咬伤。

| 用法用量 | 内服煎汤，15 ~ 30 g。外用适量，煎汤洗；或鲜品捣敷。

大戟科 Euphorbiaceae 叶下珠属 Phyllanthus

黄珠子草

Phyllanthus virgatus Forst. f.

| 药 材 名 |

黄珠子草（药用部位：全草。别名：珍珠草、鱼骨草、日开夜闭）。

| 形态特征 |

一年生草本，高达 60 cm，全株无毛。枝条常自基部发出。叶近革质，线状披针形、长圆形或窄椭圆形，长 0.5 ~ 2.5 cm，先端有小尖头，基部圆，稍偏斜；几无叶柄；托叶膜质，卵状角形。常 2 ~ 4 雄花和 1 雌花簇生于叶腋；雄花花梗长约 2 mm，萼片 6，宽卵形或近圆形，雄蕊 3，花丝分离，花盘腺体 6。蒴果扁球形，直径 2 ~ 3 mm，紫红色，有鳞片状突起，具宿萼；种子褐棕色。花期 9 ~ 10 月，果期 10 ~ 11 月。

| 生境分布 |

生于海拔 1 350 m 以下的山坡、草地。分布于湖南长沙（长沙）、株洲（荷塘、渌口）、邵阳（邵东、邵阳）、常德（安乡、澧县）、郴州（北湖、临武）、永州（零陵、东安、双牌、新田）、怀化（鹤城、中方、辰溪、麻阳、芷江、洪江）、娄底（新化）、衡阳（衡东、常宁）、湘西州（吉首、凤凰）等。

| **资源情况** | 野生资源较丰富。栽培资源稀少。药材来源于野生。

| **采收加工** | 夏、秋季采收，晒干或鲜用。

| **功能主治** | 甘、苦，平。归脾、胃经。健脾消积，利尿通淋，清热解毒。用于疳积，痢疾，淋病，乳痈，牙疳，毒蛇咬伤。

| **用法用量** | 内服煎汤，9 ~ 15 g。外用适量，捣敷；煎汤洗或含漱。

大戟科 Euphorbiaceae 蓖麻属 Ricinus

蓖麻 *Ricinus communis* L.

| 药 材 名 | 蓖麻根（药用部位：根。别名：草麻根）、蓖麻叶（药用部位：叶。别名：草麻叶、大麻叶）、蓖麻子（药用部位：种子。别名：草麻子、大麻子）、蓖麻油（药材来源：由种子榨取的油。别名：麻油）。

| 形态特征 | 一年生粗壮草本或草质灌木，高达 5 m。叶互生，近圆形，直径 15 ~ 60 cm，掌状 7 ~ 11 裂，裂片卵状披针形或长圆形，具锯齿；叶柄粗，长达 40 cm，中空，盾状着生，先端具 2 盘状腺体，基部具腺体；托叶长三角形，合生，长 2 ~ 3 cm，早落。花雌雄同株，无花瓣，无花盘；总状或圆锥花序，长 15 ~ 30 cm，初顶生，后与叶对生，雄花生于花序下部，雌花生于花序上部，均多花簇生于苞腋；花梗细长；雄花花萼裂片 3 ~ 5，镊合状排列，雄蕊达 1 000，花丝合成多数雄蕊束，花药 2 室，药室近球形，分离；雌花萼片 5，

子房密生软刺或无刺，3 室，每室 1 胚珠，花柱 3，顶部 2 裂，密生乳头状突起。蒴果卵球形或近球形，长 1.5 ～ 2.5 cm，具软刺或平滑；种子椭圆形，长 1 ～ 1.8 cm，光滑，具淡褐色或灰白色斑纹，胚乳肉质，种阜大。花期 5 ～ 8 月，果期 7 ～ 10 月。

| 生境分布 | 生于海拔 20 ～ 500 m 的村旁疏林或河流两岸冲积地。湖南各地均有分布。

| 资源情况 | 野生资源较丰富。栽培资源较丰富。药材来源于野生和栽培。

| 采收加工 | 蓖麻根：春、秋季采挖，晒干或鲜用。

蓖麻叶：夏、秋季采摘，鲜用或晒干。

蓖麻子：8 ～ 11 月当蒴果呈棕色而未开裂时，选晴天分批剪下果序，摊晒，脱粒，扬净。

蓖麻油：获得蓖麻子后，榨取油。

| 药材性状 | 蓖麻叶：本品皱缩、破碎，完整叶展平后呈盾状圆形，掌状分裂，深达叶片的一半以上，裂片一般 7 ～ 9，先端长尖，边缘有不规则的锯齿，齿端具腺体，下面被白粉。气微，味甘、辛。

蓖麻子：本品椭圆形或卵形，稍扁，长 0.9 ～ 1.8 cm，宽 0.5 ～ 1 cm。表面光滑，有灰白色与黑褐色相间或黄棕色与红棕色相间的花斑纹，一面较平，一面较隆起，

较平的一面有 1 隆起的种脊，一端有凸起的灰白色或浅棕色种阜，种皮薄而脆，胚乳肥厚，白色，富油性。子叶 2，菲薄。无臭，味微苦、辛。

蓖麻油：本品为几乎无色或微带黄色的澄清黏稠液体。气微，味先淡而后微辛。

| **功能主治** | **蓖麻根：**辛，平；有小毒。归心、肝经。祛风解痉，活血消肿。用于破伤风，癫痫，风湿痹痛，痈肿，瘰疬，跌打损伤，脱肛，子宫脱垂。

蓖麻叶：苦、辛，平；有小毒。祛风除湿，拔毒消肿。用于脚气，风湿痹痛，痈疮肿毒，疥癣瘙痒，子宫脱垂，脱肛，咳嗽痰喘。

蓖麻子：甘、辛，平；有毒。归大肠、肺经。消肿拔毒，泻下通滞。用于大便燥结，痈疽肿毒，喉痹，瘰疬。

蓖麻油：甘、辛，平；有毒。归肺、大肠经。滑肠，润肤。用于肠内积滞，腹胀，便秘，疥癣，烫伤。

| **用法用量** | **蓖麻根：**内服煎汤，15 ~ 30 g。外用适量，捣敷。

蓖麻叶：内服煎汤，5 ～ 10 g；或入丸、散剂。外用适量，捣敷；或煎汤洗；或热熨。

蓖麻子：内服 1 ～ 5 g，入丸剂；或研末；或炒食。外用适量，捣敷；或调敷。本品内服、外用均可引起中毒，甚者可危及生命。

蓖麻油：内服煎汤，10 ～ 20 ml。外用适量，涂敷。

大戟科 Euphorbiaceae 白木乌桕属 Sapium

山乌桕

Sapium discolor (Champ. ex Benth.) Muell. Arg.

| 药 材 名 | 山乌桕根（药用部位：根或根皮。别名：山柳、山柳乌桕）、山乌
柏叶（药用部位：叶）。

| 形态特征 | 乔木或灌木，高 3 ~ 12 m，各部位均无毛。小枝灰褐色，有皮孔。
叶互生，纸质，叶片椭圆形或长卵形，长 4 ~ 10 cm，宽 2.5 ~ 5 cm，
先端钝或短渐尖；叶柄纤细，长 2 ~ 7.5 cm，先端具毗连的腺体 2。
花单性，雌雄同株，簇生成长 4 ~ 9 cm 的顶生总状花序，雌花生于
花序轴下部，雄花生于花序轴上部，有时整个花序全为雄花；雄花
花梗丝状，长 1 ~ 3 mm，苞片卵形，长约 1.5 mm，宽近 1 mm，雄
蕊通常 2，稀 3，花丝短，花药球形；雌花花梗粗壮，圆柱形，长约
5 mm，每 1 苞片内仅有 1 花，花萼 3 深裂几达基部，裂片三角形，
子房卵形，3 室，花柱粗壮，柱头 3，外反。蒴果黑色，球形，直径

1 ~ 1.5 cm，分果爿脱落后中轴宿存；种子近球形，长 4 ~ 5 mm，直径 3 ~ 4 mm，外薄被蜡质假种皮。花期 4 ~ 6 月，果期 6 ~ 12 月。

| **生境分布** | 生于平原、丘陵、山地的疏林或灌丛中。分布于湖南长沙（望城）、株洲（攸县、茶陵、醴陵）、湘潭（湘潭）、衡阳（衡阳、衡南、衡山、衡东、耒阳）、邵阳（新邵、邵阳、洞口、武冈）、岳阳（湘阴）、常德（汉寿、桃源）、益阳（资阳、赫山、桃江）、郴州（北湖、苏仙、桂阳、永兴、临武、汝城、安仁、桂东）、永州（零陵、东安、双牌、新田、江华）、怀化（会同、辰溪、芷江）、湘西州（永顺）等。

| **资源情况** | 野生资源较丰富。栽培资源较丰富。药材来源于野生与栽培。

| **采收加工** | **山乌桕根：** 秋后采收，洗净，晒干或鲜用。
山乌桕叶： 夏、秋季采收，鲜用或晒干。

| **药材性状** | **山乌桕叶：** 本品菱状卵形，长 3 ~ 9 cm，宽 2.5 ~ 5 cm，先端长尖，基部楔形，全缘，上面暗绿色，微有光泽，下面黄绿色，基部有蜜腺 1 对。气微，味苦。

| **功能主治** | **山乌桕根：** 苦，寒；有小毒。归脾、肾、大肠经。利水通便，消肿散瘀，解蛇毒。用于二便不通，水肿，腹水，白浊，疮痈，湿疹，跌打损伤，毒蛇咬伤。
山乌桕叶： 苦，温；有小毒。归肺、肝经。活血，解毒，利湿。用于跌打损伤，毒蛇咬伤，湿疹，过敏性皮炎，缠腰火丹，乳痈。

| **用法用量** | **山乌桕根：** 内服煎汤，3 ~ 9 g；或捣汁。外用适量，捣敷；或煎汤洗。
山乌桕叶： 外用适量，鲜品捣敷；或煎汤洗。

| **附　　注** | 在 FOC 中，本种的拉丁学名被修订为山乌桕 *Triadica cochinchinensis* Loureiro。

大戟科 Euphorbiaceae 白木乌桕属 Sapium

白木乌桕 *Sapium japonicum* (Sieb. et Zucc.) Pax et Hoffm.

| 药 材 名 | 白乳木（药用部位：根皮、叶。别名：日本乌桕、银粟子）。

| 形态特征 | 灌木或乔木，带灰褐色。叶互生，纸质，卵形、卵状长方形或椭圆形，长 7 ~ 16 cm，宽 4 ~ 8 cm，先端短尖或凸尖，基部钝、截平或呈心形；叶柄长 1.5 ~ 3 cm，两侧薄，呈狭翅状，先端无腺体；托叶膜质，线状披针形，长约 1 cm。花单性，雌雄同株，常同序，聚集成顶生、长 4.5 ~ 11 cm 的纤细总状花序，数雌花生于花序轴基部，数雄花生于花序轴上部；雄花梗丝状，长 1 ~ 2 mm，苞片卵形至卵状披针形，长 2 ~ 2.5 mm，宽 1 ~ 1.2 mm，先端短尖至渐尖，边缘有不规则的小齿，基部两侧各具近长圆形的腺体 1，花萼杯状，3 裂，裂片有不规则的小齿，雄蕊通常 3，稀 2，花药球形。蒴果三棱状球形，直径 10 ~ 15 mm，分果爿脱落后无宿存中轴；种子扁

球形，直径 6 ~ 9 mm，无蜡质假种皮，有棕褐色斑纹。花期 5 ~ 7 月，果期 7 ~ 11 月。

| 生境分布 | 生于丘陵、山坡或树林中。分布于湖南长沙（长沙、宁乡）、株洲（荷塘、攸县、茶陵、醴陵）、湘潭（雨湖、岳塘、韶山）、衡阳（衡阳、衡南、衡山、祁东、耒阳）、邵阳（绥宁、武冈）、岳阳（岳阳、汨罗）、常德（汉寿）、郴州（桂阳）、永州（祁阳、双牌、蓝山、新田）、怀化（辰溪、麻阳、新晃）等。

| 资源情况 | 野生资源较丰富。栽培资源较丰富。药材来源于野生和栽培。

| 采收加工 | 根，全年均可采挖，洗净，去木心，切碎，晒干。叶，春、夏季采摘，鲜用或晒干。

| 药材性状 | 本品叶纸质，卵形、卵状长方形或椭圆形，长 7 ~ 16 cm，宽 4 ~ 8 cm，先端短尖或凸尖，基部钝、截平或呈心形；叶柄长 1.5 ~ 3 cm，两侧薄，呈狭翅状，先端无腺体；托叶膜质，线状披针形，长约 1 cm。

| 功能主治 | 苦、辛，微温；有小毒。归肾经。散瘀血，强腰膝。用于劳伤，腰膝酸痛。

| 用法用量 | 内服煎汤，15 ~ 30 g。外用鲜叶适量，捣汁外搽。

| 附　　注 | 在《中国植物志》中，本种的拉丁学名被修订为 *Neoshirakia japonica* (Siebold et Zuccarini) Esser。

大戟科 Euphorbiaceae 乌桕属 *Triadica*

圆叶乌桕

Triadica rotundifolia (Hemsley) Esser

| 药 材 名 | 圆叶乌桕（药用部位：叶、果实。别名：妹妧）。

| 形态特征 | 灌木或乔木，高达 12 m。叶近革质，近圆形，长 5 ~ 11 cm，先端圆，稀具凸尖，偶有凹缺，基部圆、平截或微心形，全缘，侧脉 10 ~ 15 对；叶柄长 3 ~ 7 cm，先端具 2 腺体。花雌雄同序，总状花序顶生，雌花生于花序下部，雄花生于上部或整个花序全为雄花；雄花苞片卵形，边缘流苏状，基部两侧各具 1 腺体，每苞片具 3 ~ 6 花，小苞片先端撕裂状，花萼杯状，3 浅裂，裂片圆，有细齿；雌花每苞片具 1 花，花萼 3 深裂近基部，裂片宽卵形，具细齿。蒴果近球形，直径约 1.5 cm，分果爿木质，自宿存中轴脱落；种子久悬于中轴，扁球形，直径约 5 mm，先端具小凸点，腹面具 1 纵棱，薄被蜡质假种皮。花期 5 ~ 9 月，果期 7 ~ 11 月。

| **生境分布** | 生于坡地、树丛。分布于湖南郴州（宜章、嘉禾）、邵阳（绥宁）、永州（道县、江永、蓝山、新田）、岳阳（平江）等。 |

| **资源情况** | 野生资源较丰富。栽培资源较丰富。药材来源于野生和栽培。 |

| **采收加工** | 叶，夏、秋季采收，鲜用或晒干。果实，成熟时采摘，晒干或鲜用。 |

| **药材性状** | 本品叶近圆形，革质，长 5.5 ~ 11 cm，宽 6 ~ 11.5 cm，基部近圆形，先端圆；叶柄长 3 ~ 7 cm，先端有 2 腺体。蒴果近球形，直径约 1.5 cm，表面紫褐色，内含种子 3；种子近三角形，外面被蜡质层。气微，味苦、涩。 |

| **功能主治** | 辛、苦，凉。归肺、肝经。解毒消肿，杀虫。用于蛇咬伤，疥癣，湿疹，疮毒。 |

| **用法用量** | 内服煎汤，9 ~ 15 g。外用适量，鲜品捣敷。 |

乌桕
Triadica sebifera (Linnaeus) Small

| 药 材 名 | 乌桕木根皮（药用部位：根皮、树皮。别名：卷根白皮、卷子根、乌桕木根白皮）、乌桕叶（药用部位：叶。别名：卷子叶、油子叶、虹叶）、乌桕子（药用部位：种子。别名：乌茶子、桕仔、琼仔）、乌桕子油（药材来源：种子榨取的油）。

| 形态特征 | 乔木，高可达 15 m，各部均无毛而具乳状汁液。树皮暗灰色，有纵裂纹。枝广展，具皮孔。叶互生，纸质，叶片菱形、菱状卵形或菱状倒卵形，长 3 ～ 8 cm，宽 3 ～ 9 cm，先端骤然紧缩，具长短不等的尖头，基部阔楔形或钝，全缘；叶柄纤细，长 2.5 ～ 6 cm，先端具 2 腺体；托叶先端钝，长约 1 mm。花单性，雌雄同株，聚集成顶生、长 6 ～ 12 cm 的总状花序；花梗纤细，长 1 ～ 3 mm；苞片阔卵形，小苞片 3，不等大，边缘撕裂状；花萼杯状，3 浅裂，裂片

钝，具不规则细齿；雄蕊通常 2，稀 3，伸出于花萼之外；雌花花梗粗壮，长 3 ~ 3.5 mm，苞片 3 深裂，花萼 3 深裂，子房卵球形，平滑，3 室，花柱 3。蒴果梨状球形，成熟时呈黑色，直径 1 ~ 1.5 cm，具 3 种子；种子扁球形，黑色，长约 8 mm，宽 6 ~ 7 mm，外被假种皮。花期 4 ~ 7 月，果期 10 ~ 12 月。

| **生境分布** | 生于坡地、树丛。湖南各地均有分布。

| **资源情况** | 野生资源较丰富。栽培资源较丰富。药材来源于野生和栽培。

| **采收加工** | **乌桕木根皮**：全年均可采收，剥下浆皮，除去栓皮，晒干。

乌桕叶：全年均可采收，鲜用或晒干。

乌桕子：果实成熟时采摘，取出种子，鲜用或晒干。

乌桕子油：乌桕树的种子经物理压榨所得到的油。

| **药材性状** | **乌桕木根皮**：本品呈不规则片状。外表面浅黄棕色，有细纵皱纹，栓皮薄，易剥落；内表面黄白色或浅黄棕色，具细密纵直纹理；切面显纤维性。质硬而韧。气微，味微苦、涩。

乌桕叶：本品多破碎，呈茶褐色，具长柄。完整叶片为菱状卵形，长 3 ~ 8 cm，宽 3 ~ 7 cm，先端长渐尖，基部阔楔形，叶片基部与叶柄相连处常有干缩的小腺体 2，全缘。纸质，易碎。气微，味微苦。

乌桕子：本品近球形，黑色，外被白蜡。

乌桕子油：本品白色，微黄，不透明。

| **功能主治** | **乌桕木根皮**：苦，微温；有毒。归肺、肾、胃、大肠经。泻下逐水，消肿散结，解蛇虫毒。用于水肿，癥瘕积聚，臌胀，二便不通，疔毒痈肿，湿疹，疥癣，毒蛇咬伤。

乌桕叶：苦，微温；有毒。归肺、肾、胃、大肠经。泻下逐水，消肿散瘀，解

毒杀虫。用于水肿，大、小便不利，腹水，湿疹，疥癣，痈疮肿毒，跌打损伤，毒蛇咬伤。

乌桕子：甘，凉；有毒。归肾、肺经。拔毒消肿，杀虫止痒。用于湿疹，癣疮，皮肤皲裂，水肿，便秘。

乌桕子油：甘，凉；有毒。归肾、肺经。杀虫，拔毒，利尿，通便。用于疥疮，脓疱疮，水肿，便秘。

| **用法用量** | **乌桕木根皮**：内服煎汤，9～12 g；或入丸、散剂。外用适量，煎汤洗；或研末调敷。

乌桕叶：内服煎汤，6～12 g。外用适量，鲜品捣敷；或煎汤洗。

乌桕子：内服煎汤，3～6 g。外用适量，煎汤洗；或捣敷。

乌桕子油：外用适量，涂敷。

大戟科 Euphorbiaceae 地构叶属 *Speranskia*

广东地构叶

Speranskia cantonensis (Hance) Pax et Hoffm.

| 药 材 名 | 蛋不老（药用部位：全草。别名：黄鸡胆、透骨草）。

| 形态特征 | 草本，高 1 ~ 2 m。茎分枝较少；小枝圆柱形，被稍伏贴疏柔毛。叶纸质，卵形或卵状椭圆形，长 2.5 ~ 9 cm，具圆齿或钝齿，两面被柔毛，侧脉 4 ~ 5 对；叶柄长 1 ~ 3.5 cm，先端常具黄色腺体。花序上部具雄花 5 ~ 15，下部具雌花 4 ~ 10；1 ~ 2 雄花生于苞腋，花梗长 1 ~ 2 mm，花萼裂片卵形，长 1.5 mm，花瓣倒心形或倒卵形，长不及 1 mm，花盘具 5 腺体；雌花花梗长约 1.5 mm，花萼裂片卵状披针形，长 1 ~ 1.5 mm，无花瓣。蒴果扁球形，直径约 7 mm，具瘤状突起；果柄长达 6 mm。花期 2 ~ 5 月，果期 10 ~ 12 月。

| 生境分布 | 生于低山树下、草丛中、河流两岸或沟边。分布于湖南衡阳（衡南、

祁东、耒阳）、邵阳（大祥、新邵、邵阳、绥宁、新宁）、常德（澧县）、张家界（永定、武陵源、慈利）、郴州（北湖、桂阳、永兴、嘉禾、临武）、永州（冷水滩、东安、道县、江永、蓝山、新田）、怀化（鹤城、中方、辰溪、新晃、芷江）、娄底（冷水江）、湘西州（吉首、泸溪、花垣、古丈、永顺、凤凰）等。

| **资源情况** | 野生资源较丰富。栽培资源稀少。药材来源于野生。

| **采收加工** | 全年均可采收，洗净，鲜用或晒干。

| **药材性状** | 本品茎圆柱状，全体密被柔毛。单叶互生，卵形或矩圆形，边缘有钝齿，下面被毛。总状花序顶生，花单性，雄花位于花序上部，雌花位于花序下部。蒴果被瘤状突起。

| **功能主治** | 苦，平。归肺、肝、大肠经。祛风湿，通经络，破瘀止痛。用于风湿痹痛，癥瘕积聚，瘰疬，疔疮肿毒，跌打损伤。

| **用法用量** | 内服煎汤，15 ~ 30 g；或炖肉。外用适量，捣敷；或煎汤洗。

地构叶 *Speranskia tuberculata* (Bunge) Baill.

药材名

透骨草（药用部位：全草。别名：珍珠透骨草、竹格叉、吉盖草）。

形态特征

多年生草本，高达 50 cm。叶披针形或卵状披针形，长 1.8 ~ 5.5 cm，宽 0.5 ~ 2.5 cm，先端渐尖，基部宽楔形，疏生腺齿及缺刻，两面疏被柔毛；叶柄长不及 5 mm。花序长 6 ~ 15 cm，上部具雄花 20 ~ 30，下部具雌花 6 ~ 10；2 ~ 4 雄花聚生于苞腋，花梗长约 1 mm，花萼裂片卵形，长约 1.5 cm，疏被长柔毛，花瓣倒心形，具爪，长约 0.5 mm，雄蕊 8 ~ 15；1 ~ 2 雌花生于苞腋，花梗长约 1 mm，花萼裂片卵状披针形，长约 1.5 mm，疏被长柔毛，花瓣较短。蒴果扁球形，直径约 6 mm，具瘤状突起；果柄长达 5 mm，常下弯；种子卵形，长约 2 mm。花期 4 ~ 5 月，果期 5 ~ 6 月。

生境分布

生于山坡及草地。分布于湖南株洲（醴陵）、湘潭（湘潭）、衡阳（衡阳）、邵阳（新邵）、常德（澧县）、郴州（安仁）等。

| 资源情况 | 野生资源较丰富。栽培资源稀少。药材来源于野生。

| 采收加工 | 5 ~ 6 月采收，除去杂质，鲜用或晒干。

| 药材性状 | 本品茎多分枝，呈圆柱形或微有棱，长 10 ~ 30 cm，直径 1 ~ 5 mm，表面灰绿色，近基部淡紫色，被灰白色柔毛，具互生叶或叶痕；质脆，易折断，断面黄白色。茎基部有时连有根茎，根茎长短不一，表面灰棕色，略粗糙；质较坚硬，断面淡黄白色。叶多皱缩或破碎，呈灰绿色，两面均被白色细柔毛。枝梢有时可见总状花序或果序。花小。蒴果三角状扁圆形。气微，味先淡而后微苦。

| 功能主治 | 辛，温。归肝、肾经。祛风除湿，舒筋活络，散瘀消肿。用于风湿痹痛，筋骨挛缩，寒湿脚气，腰部扭伤，瘫痪，闭经，阴囊湿疹，疮疖肿毒。

| 用法用量 | 内服煎汤，9 ~ 15 g。外用适量，煎汤熏洗；或捣敷。

油桐
Vernicia fordii (Hemsl.) Airy Shaw

| 药 材 名 | 油桐根（药用部位：根。别名：桐子树根）、油桐叶（药用部位：叶。别名：桐子树叶）、桐子花（药用部位：花。别名：五月雪）、气桐子（药用部位：未成熟果实。别名：气死桐子）、油桐子（药用部位：种子。别名：桐子）、桐油（药材来源：由种子榨取的油）。

| 形态特征 | 落叶乔木，高达 10 m。树皮灰色，近光滑。枝条粗壮，无毛，具明显皮孔。叶卵圆形，先端短尖，基部截平至浅心形，全缘，稀 1 ~ 3 浅裂，嫩叶上面被很快脱落的微柔毛，下面被渐脱落的棕褐色微柔毛，成长叶上面深绿色，无毛，下面灰绿色，被贴伏微柔毛，掌状脉 5（~ 7）；叶柄与叶片近等长，几无毛，先端有扁平、无柄腺体 2。花雌雄同株；花萼长约 1 cm，2（~ 3）裂，外面密被棕褐色微柔毛；花瓣白色，有淡红色脉纹，倒卵形，长 2 ~ 3 cm，宽 1 ~ 1.5 cm，

先端圆形，基部爪状；雄蕊 8 ~ 12，2 轮，外轮离生，内轮花丝中部以下合生；
子房密被柔毛，3 ~ 5（~ 8）室，每室有 1 胚珠，花柱与子房室同数，2 裂。
核果近球状，直径 4 ~ 6（~ 8）cm，果皮光滑；种子 3 ~ 4（~ 8），种皮木
质。花期 3 ~ 4 月，果期 8 ~ 9 月。

| **生境分布** | 生于岗地、丘陵岗地、低山、中山等。湖南各地均有分布。

| 资源情况 | 野生资源较丰富。栽培资源一般。药材来源于野生和栽培。

| 采收加工 | **油桐根：** 全年均可采挖，洗净，鲜用或晒干。

油桐叶： 秋季采集，鲜用或晒干。

桐子花： 4 ~ 5 月收集凋落的花，晒干。

气桐子： 果实未成熟时采收，除去杂质，鲜用或晒干。

油桐子： 冬季采收果实，将种子取出，晒干。

| 药材性状 | **油桐根：** 本品粗，表面褐黑色，根皮厚，断面内心白色，较泡松，有绵性。

油桐叶： 本品单叶互生，具长柄，初被毛，后毛渐脱落；叶片卵形至心形，长 8 ~ 20 cm，宽 6 ~ 15 cm，先端尖，基部心形或楔形，不裂或 3 浅裂，全缘，上面深绿色，有光泽，初时疏生微毛，毛沿脉较密，后毛渐脱落，下面密生细毛。气微，味苦、涩。

桐子花： 本品白色，略带红色；花单性，雌雄同株；萼不规则，2 ~ 3 裂，裂片镊合状；花瓣 5；雄花有雄蕊 8 ~ 20，花丝基部合生，上端分离，且在花芽中弯曲；雌花子房 3 ~ 5 室，每室具 1 胚珠，花柱 2。气微香，味涩。

气桐子： 本品球形，先端有短尖头，内有种子 3 ~ 5。气微，味苦、涩。

油桐子： 本品呈类方形块状或不规则块状，大小不一，表面棕褐色或黑褐色，稍具光泽，平滑或有龟裂纹。质脆，易破碎，断面不整齐，具光泽，有细孔。无臭，味先涩、苦而后略甜。

| 功能主治 | **油桐根：** 苦、微辛，寒；有毒。归肺、脾、胃、肝经。下气消积，利水化痰，驱虫。用于食积痞满，水肿，哮喘，瘰疬，蛔虫病。

油桐叶： 苦、微辛，寒；有毒。归肝、大肠经。清热消肿，解毒杀虫。用于肠炎，痢疾，痈肿，臁疮，疥癣，漆疮，烫伤。

桐子花： 苦、微辛，寒；有毒。清热解毒，生肌。用于新生儿湿疹，白秃疮，热毒疮，天疱疮，烫火伤。

气桐子： 苦，平。归胃经。行气消食，清热解毒。用于疝气，食积，月经不调，疔疮疖肿。

油桐子： 甘、微辛，寒；有大毒。祛风痰，消肿毒，利二便。用于风痰喉痹，痰火瘰疬，食积腹胀，二便不通，丹毒，疥癣，烫伤，急性软组织炎，寻常疣。

桐油： 甘、微辛，寒；有大毒。涌吐痰涎，清热解毒，祛湿杀虫，润肤生肌。用于喉痹，痈疡，疥癣，臁疮，烫伤，冻疮，皲裂。

| **用法用量** | **油桐根：** 内服煎汤，12 ～ 18 g，鲜品 30 ～ 60 g；或研末；或炖肉；或浸酒。外用适量，捣敷。

油桐叶： 内服煎汤，15 ～ 30 g。外用适量，捣敷；或烧灰，研末撒。

桐子花： 外用适量，煎汤洗；或浸植物油内，涂抹。

气桐子： 内服煎汤，1 ～ 3 个。外用适量，捣敷；或取汁搽。

油桐子： 内服煎汤，1 ～ 2 枚；或磨水；或捣烂冲。外用适量，研末敷；或捣敷；或磨水涂。

桐油： 外用适量，涂擦。

大戟科 Euphorbiaceae 油桐属 Vernicia

木油桐
Vernicia montana Lour.

药材名

木油桐子（药用部位：种子）。

形态特征

落叶乔木，高达 20 m。枝条无毛，散生凸起皮孔。叶阔卵形，长 8 ~ 20 cm，宽 6 ~ 18 cm，先端短尖至渐尖，基部心形至截平，全缘或 2 ~ 5 裂，裂缺常有杯状腺体，两面初被短柔毛，成长叶仅下面基部沿脉被短柔毛，掌状脉 5；叶柄长 7 ~ 17 cm，无毛，先端有具柄的杯状腺体 2。花序生于当年生已发叶的枝条上，雌雄异株或同株异序；花萼无毛，长约 1 cm，2 ~ 3 裂；花瓣白色或基部紫红色且有紫红色脉纹，倒卵形，长 2 ~ 3 cm，基部爪状，雄蕊 8 ~ 10，外轮离生，内轮花丝下半部合生，花丝被毛；子房密被棕褐色柔毛，3 室，花柱 3，2 深裂。核果卵球状，直径 3 ~ 5 cm，具 3 纵棱，棱间有粗疏网状皱纹，有种子 3；种子扁球状，种皮厚，有疣突。花期 4 ~ 5 月，果期 9 ~ 10 月。

生境分布

生于丘陵岗地、岗地、低山等。湖南各地均有分布。

| **资源情况** | 野生资源较丰富。栽培资源一般。药材来源于野生和栽培。

| **采收加工** | 冬季采收果实，将种子取出，晒干。

| **药材性状** | 本品呈扁球状，种皮厚，有疣突。

| **功能主治** | 用于瘰疬。

虎皮楠科 Daphniphyllaceae　虎皮楠属 Daphniphyllum

牛耳枫

Daphniphyllum calycinum Benth.

| 药 材 名 | 牛耳枫根（药用部位：根）、牛耳枫枝叶（药用部位：枝、叶）、牛耳枫子（药用部位：果实）。

| 形态特征 | 灌木，高达 5 m。小枝灰褐色，皮孔稀疏。叶纸质，椭圆形、倒卵状卵圆形或宽椭圆形，长 10 ～ 20 cm，宽 4 ～ 10 cm，下面被白粉，稍背卷，侧脉 8 ～ 11 对；叶柄长 5 ～ 15 cm。总状花序长 2 ～ 6 cm；雄花花梗长 1 ～ 1.5（～ 2）cm，苞片椭圆形，长约 5 mm，花萼盘状，直径约 5 mm，裂片 3 ～ 4，宽三角形，长约 3 mm，雄蕊 9 ～ 10，长约 4 mm，花丝极短，花药长圆形，药隔突出，较花药长，先端稍内弯；雌花花梗长 6 ～ 8 mm，苞片卵形，长约 3 mm，花萼裂片宽椭圆形或宽三角形，长约 2 mm，柱头 2，直立，稍外弯。果实卵圆形，长约 1 cm，被白粉，具小疣状突起，柱头宿存，基部具宿萼裂片；

果柄长 1.5 cm。花期 4 ~ 6 月，果期 8 ~ 9 月。

| 生境分布 | 生于海拔 250 ~ 700 m 的低山、丘陵灌丛、路旁或沟边等。分布于湖南株洲（茶陵）、郴州（苏仙、宜章、永兴、嘉禾、汝城）、永州（冷水滩、道县、江永、蓝山、江华）、湘潭（湘乡）、怀化（溆浦）等。

| 资源情况 | 野生资源较丰富。栽培资源一般。药材来源于野生和栽培。

| 采收加工 | **牛耳枫根**：全年均可采挖，鲜用，或切片，晒干。
牛耳枫枝叶：夏、秋季采收，鲜用，或切段，晒干。
牛耳枫子：秋季果实成熟时采收，晒干。

| 药材性状 | **牛耳枫枝叶**：本品叶纸质，椭圆形、倒卵状卵圆形或宽椭圆形，长 10 ~ 20 cm，宽 4 ~ 10 cm，下面被白粉，稍背卷，侧脉 8 ~ 11 对；叶柄长 5 ~ 15 cm。
牛耳枫子：本品卵圆形，长 7 ~ 10 mm，直径 5 ~ 6 mm；表面蓝黑色，有时附有浅灰色粉末，具不规则皱纹或多数疣状突起，先端有短小、2 歧的柱头残基，基部有凹入的圆点状果柄痕，有时可见果柄和宿萼。果皮较薄而脆，易碎。种子 1，棕色或棕黑色，不饱满。气微，味苦。

| 功能主治 | **牛耳枫根**：辛、苦，凉；有小毒。归肺、肝经。清热解毒，活血化瘀，消肿止痛。用于外感发热，咳嗽，咽喉肿痛，胁下痞块，风湿痹痛，跌打损伤。
牛耳枫枝叶：辛、甘，凉；有小毒。归肝、肾经。祛风止痛，解毒消肿。用于风湿痹痛，疮疡肿毒，跌打损伤，毒蛇咬伤。
牛耳枫子：苦、涩，平；有毒。归大肠经。止痢。用于久痢。

| 用法用量 | **牛耳枫根**：内服煎汤，9 ~ 15 g，鲜品加倍。外用适量，煎汤洗。
牛耳枫枝叶：外用适量，煎汤洗；或捣敷。
牛耳枫子：内服煎汤，3 ~ 4.5 g。

虎皮楠科 Daphniphyllaceae 虎皮楠属 Daphniphyllum

交让木 *Daphniphyllum macropodum* Miq.

| 药 材 名 | 交让木（药用部位：种子、叶。别名：山黄树、豆腐头、枸邑子）。

| 形态特征 | 乔木或灌木，高达 11 m。小枝粗，暗褐色。叶革质，长圆形或长圆状披针形，长 14 ~ 25 cm，先端尖，稀渐尖，基部楔形或宽楔形，下面有时被白粉，侧脉 12 ~ 18 对，细密，两面均明显；叶柄粗，长 3 ~ 6 cm，紫红色，上面具槽。雄花序长 6 ~ 7 cm，无花萼，雄蕊 8 ~ 10，花药长方形，药隔不突出，花丝长约 1 mm；雌花序长 6 ~ 9 cm，无花萼，子房卵形，长约 2 mm，有时被白粉，花柱极短，柱头 2，叉开。果实椭圆形，长约 1 cm，直径约 5 mm，柱头宿存，暗褐色，具疣状突起；果柄纤细，长 1 ~ 1.5 cm。花期 3 ~ 5 月，果期 8 ~ 10 月。

| **生境分布** | 生于海拔 600 ~ 1 900 m 的阔叶林中。分布于湖南衡阳（蒸湘、衡山）、张家界（永定、武陵源）、郴州（苏仙、宜章、永兴、桂东）、永州（冷水滩、双牌、蓝山）、怀化（鹤城、会同、麻阳、新晃、沅陵、溆浦）、湘西州（花垣、古丈、永顺、龙山）等。

| **资源情况** | 野生资源一般。药材来源于野生。

| **采收加工** | 秋季采收，晒干或鲜用。

| **药材性状** | 本品叶革质，长圆形或长圆状披针形，长 14 ~ 25 cm，先端尖，稀渐尖，基部楔形或宽楔形，下面有时被白粉，侧脉 12 ~ 18 对，细密，两面均明显；叶柄粗，长 3 ~ 6 cm，紫红色，上面具槽。

| **功能主治** | 苦，凉。归肝经。清热解毒。用于疮疖肿毒。

| **用法用量** | 外用适量，捣敷。

虎皮楠科 Daphniphyllaceae 虎皮楠属 Daphniphyllum

虎皮楠

Daphniphyllum oldhamii (Hemsl.) Rosenthal

| 药 材 名 | 虎皮楠（药用部位：根、叶）。

| 形态特征 | 乔木，高 5 ~ 10 m。小枝暗褐色，具稀疏皮孔。叶纸质，长圆状披针形，长 11 ~ 13 cm，宽 3 ~ 4.5 cm，先端渐尖，具细尖头，基部阔楔形，叶面干后呈暗褐色，略具光泽，叶背明显被白粉，具细小乳突体，侧脉 12 ~ 18 对，在叶面凸起；叶柄长 3.5 ~ 5 cm，上面具槽，纤细。花未见。果序长 6 ~ 7 cm，纤细；果柄长约 10 mm；果实斜卵形，长 10 ~ 12 mm，直径约 6 mm，先端偏斜，具直立宿存花柱，长约 1 mm，柱头 2，外弯，基部渐狭而成短柄，无宿存花萼，表面暗褐色，具小疣状突起，略被白粉。果期 8 月。

| 生境分布 | 生于山林中。分布于湖南株洲（攸县、茶陵）、邵阳（邵阳、武冈）、

郴州（汝城）、永州（双牌、道县、江永、江华）、怀化（会同、靖州、沅陵）、湘西州（古丈、永顺、保靖）、常德（石门）等。

| **资源情况** | 野生资源较丰富。栽培资源较丰富。药材来源于野生和栽培。

| **采收加工** | 根，秋季采挖，洗净，鲜用，或切片，晒干。叶，秋季采收，鲜用。

| **药材性状** | 本品叶纸质，长圆状披针形，长 11 ~ 13 cm，宽 3 ~ 4.5 cm，先端渐尖，具细尖头，基部阔楔形，叶面干后呈暗褐色，略具光泽，叶背明显被白粉，具细小乳突体，侧脉 12 ~ 18 对，在叶面凸起；叶柄长 3.5 ~ 5 cm，上面具槽，纤细。

| **功能主治** | 苦、涩，凉。归心、肝、肾经。清热解毒，活血散瘀。用于感冒发热，咽喉肿痛，脾脏肿大，毒蛇咬伤，骨折。

| **用法用量** | 内服煎汤，15 ~ 30 g。外用鲜叶适量，捣敷；或捣汁搽。

芸香科 Rutaceae 石椒草属 Boenninghausenia

臭节草

Boenninghausenia albiflora (Hook.) Reichb. ex Meisn.

| **药 材 名** | 臭节草根（药用部位：根）、臭节草（药用部位：茎、叶。别名：岩椒草）。

| **形态特征** | 多年生草本，有浓烈气味，基部近木质，高达 80 cm。枝、叶通常呈灰绿色，稀呈紫红色。叶薄纸质，小裂片倒卵形、菱形或椭圆形，长 1 ~ 2.5 cm，下面呈灰绿色，老叶常呈褐红色。花序多花，花枝纤细，基部具小叶；萼片长约 1 mm；花瓣白色，有时顶部呈桃红色，长圆形或倒卵状长圆形，长 6 ~ 9 mm，具透明油腺点；雄蕊 8，长短相间，花丝白色，花药红褐色。果瓣长约 5 mm；子房柄果时长 4 ~ 8 mm，每果瓣具（3 ~ ）4（ ~ 5）种子；种子长约 1 mm，褐黑色。花期 4 ~ 10 月，果期 6 ~ 11 月。

| **生境分布** | 生于山坡、林下及灌丛中。分布于湖南长沙（浏阳）、衡阳（衡阳）、

岳阳（岳阳、平江）、湘西州（吉首、古丈、永顺、龙山、凤凰、保靖）、郴州（宜章、临武、汝城、桂东）、永州（东安、双牌、道县、江永、蓝山、江华）、怀化（会同、麻阳）、娄底（新化、涟源）、常德（石门）、益阳（安化）、张家界（武陵源、慈利、桑植）等。

| **资源情况** | 野生资源比较丰富。药材来源于野生。

| **采收加工** | **臭节草根：**夏季采挖，除去泥沙，鲜用。
臭节草：夏季采收，鲜用，或切碎，晒干。

| **药材性状** | **臭节草根：**本品主根不明显，具多数须根，棕黄色。
臭节草：本品茎呈圆柱形，高 50 ~ 80 cm，紫红色，光滑无毛，基部略木质化，嫩枝灰绿色，常中空。叶互生，二或三回羽状复叶；小叶片椭圆形或倒卵形，大小不等，长 1 ~ 2.5 cm，宽 0.7 ~ 1.5 cm，先端钝圆或微凹，全缘，基部楔形，上面深绿色，下面灰绿色，纸质，秃净，有透明的小腺点。有浓烈气味。

| **功能主治** | **臭节草根：**苦，微寒。归心经。解毒消肿。用于疮疖肿毒。
臭节草：辛、苦，温。解表，截疟，活血，解毒。用于感冒发热，支气管炎，疟疾，胃肠炎，跌打损伤，痈疽疮肿，烫伤。

| **用法用量** | **臭节草根：**外用适量，捣汁搽。
臭节草：内服煎汤，9 ~ 15 g；或研末；或浸酒。外用适量，捣敷。

芸香科 Rutaceae 柑橘属 Citrus

酸橙 *Citrus aurantium* L.

| 药 材 名 | 枳实（药用部位：幼果。别名：鹅眼枳实）、枳壳（药用部位：未成熟果实）。

| 形态特征 | 小乔木。枝叶茂密，刺多，徒长枝的刺长达 8 cm。叶色浓绿，质厚，翼叶倒卵形，基部狭尖，长 1 ~ 3 cm，宽 0.6 ~ 1.5 cm，个别品种几无翼叶。总状花序有花少数，有时兼有腋生单花，有单性花倾向，即雄蕊发育，雌蕊退化；花蕾椭圆形或近圆球形；花萼 4 或 5 浅裂，有时花后增厚，无毛或被毛；花大小不等，直径 2 ~ 3.5 cm；雄蕊 20 ~ 25，通常基部合生成多束。果实圆球形或扁圆形，果皮稍厚至甚厚，难剥离，橙黄色至朱红色，油胞大小不均匀，凹凸不平，果心实或半充实，瓢囊 10 ~ 13 瓣，少数至 15 瓣，果肉味酸，有时味

苦或兼有特异气味；种子多且大，常有肋状棱，子叶乳白色，单胚或多胚。花期 4 ～ 5 月，果期 9 ～ 12 月。

| **生境分布** | 生于丘陵、低山、江河湖泊沿岸或平原。栽培于庭院、房前屋后。分布于湖南郴州（宜章）、永州（江永、道县）等。

| **资源情况** | 野生资源较少。栽培资源较丰富。药材来源于野生和栽培。

| **采收加工** | 枳实：5 ～ 6 月采摘或拾取自然脱落者，大者横切两半，晒干。
枳壳：7 月下旬至 8 月上旬果实近成熟时采摘，大者横切两半，晒干或微火烘干。

| **药材性状** | 枳实：本品呈半球形，少数为球形，直径 0.5 ～ 2.5 cm。外果皮黑绿色或棕褐色，具颗粒状突起和皱纹，有明显的花柱残迹或果柄痕。切面中果皮略隆起，厚 0.3 ～ 1.2 cm，黄白色或黄褐色，边缘有 1 ～ 2 列油室，瓤囊棕褐色。质坚硬。气清香，味苦、微酸。
枳壳：本品呈半球形，直径 3 ～ 5 cm。外果皮棕褐色至褐色，有颗粒状突起，突起的先端有凹点状油室；有明显的花柱残迹或果柄痕。切面中果皮黄白色，光滑而稍隆起，厚 0.4 ～ 1.3 cm，边缘散有 1 ～ 2 列油室，瓤囊 7 ～ 12 瓣，少数至 15 瓣，汁囊干缩成棕色至棕褐色，内藏种子。质坚硬，不易折断。气清香，味苦、微酸。

| **功能主治** | 枳实：苦、辛，微寒。归脾、胃、大肠经。破气消积，化痰除痞。用于积滞内停，痞满胀痛，大便秘结，泻痢后重，结胸，胸痹，胃下垂，子宫脱垂，脱肛。
枳壳：苦、酸，微寒。归肺、脾、胃、大肠经。理气宽胸，行滞消积。用于胸膈痞满，胁肋胀痛，食积不化，脘腹胀满，下痢后重，脱肛，子宫脱垂。

| **用法用量** | 枳实：内服煎汤，3 ～ 10 g；或入丸、散剂。外用适量，研末调涂；或炒热熨。
枳壳：内服煎汤，3 ～ 9 g；或入丸、散剂。外用适量，煎汤洗；或炒热熨。脾胃虚弱者及孕妇慎服。

芸香科 Rutaceae 柑橘属 Citrus

柚
Citrus maxima (Burm.) Merr.

| 药 材 名 | 柚根（药用部位：根。别名：气柑根）、柚叶（药用部位：叶。别名：气柑叶）、柚花（药用部位：花。别名：橘花）、柚皮（药用部位：果皮。别名：气柑皮）、柚（药用部位：果实。别名：柚子）、柚核（药用部位：种子。别名：柚子核）。

| 形态特征 | 常绿乔木，高 5 ～ 10 m。嫩枝、叶背、花梗、花萼及子房均被柔毛。嫩枝扁且有棱。叶颇厚，深绿色，阔卵形或椭圆形，连翼叶长 9 ～ 16 cm，宽 4 ～ 8 cm，或更大，先端钝或圆，有时短尖，基部圆，翼叶长 2 ～ 4 cm，宽 0.5 ～ 3 cm，个别品种的翼叶甚狭窄。总状花序，有时兼有腋生单花；花蕾淡紫红色，稀乳白色；花萼不规则 3 ～ 5 浅裂；花瓣长 1.5 ～ 2 cm；雄蕊 25 ～ 35，有时部分雄蕊不育，花柱粗长，柱头较子房略大。果实圆球形、扁圆形、梨形或阔圆锥状，

横径通常 10 cm 以上，淡黄色或黄绿色，杂交种果实有呈朱红色者，果皮甚厚
或薄，海绵质，油室大，凸起，果心实但松软，瓤囊通常 10 ~ 15 瓣，稀达 19 瓣，
汁胞白色、粉红色或鲜红色，稀带乳黄色；种子扁圆形或扁楔形，白色或带黄
色。花期 4 ~ 5 月，果期 9 ~ 12 月。

| 生境分布 |　　生于丘陵或低山地带。湖南各地均有分布。

| 资源情况 | 栽培资源较丰富。药材来源于栽培。

| 采收加工 | 柚根：全年均可采挖，洗净，切片，晒干。

柚叶：夏、秋季采收，鲜用或晒干。

柚花：4～5月采摘，晾干或烘干。

柚皮：秋末冬初采收，剖成5～7瓣，晒干或阴干。

柚：10～11月果实成熟时采收，鲜用。

柚核：秋、冬季采收成熟的果实，剥开果皮，取出种子，洗净，晒干。

| 药材性状 | 柚根：本品呈圆柱形，直径0.4～2m。表面灰黄色或淡棕黄色，具纵向浅沟纹和细根痕，刮去粗皮显绿黄色。质硬，难折断，断面不平坦，呈纤维性。气微香，味苦、微辛辣，刺舌。

柚叶：本品多皱缩卷曲，展平后呈卵形至椭圆状卵形，长6～15cm，先端渐尖或微凹，边缘具稀锯齿。表面黄绿色，背面浅绿色，对光透视时可见无数透明小点（油室）。叶柄处有倒心形、长2～5cm的宽翅。质脆，易撕裂。气香，味微苦、微辛。

柚花：本品多破碎，少数完整者呈倒卵状茄形，长0.9～2.3cm，棕黄色。花萼杯状，扭曲，有凹陷的油点。花瓣多脱落，单个花瓣呈舌形，淡灰黄色，表面密布凹陷油点。雄蕊脱落；子房球形，棕黑色，花柱存在或折断。质脆，易折断。气香，味苦。

柚皮：本品多为5～7瓣，少有单瓣者。完整者展平后的皮片直径为25～32cm，每单瓣长10～13cm，宽5～7cm，厚0.5～1cm。皮片边缘略向内卷曲。外表面黄绿色至黄棕色，有时略呈金黄色，极粗糙，有多数凹下的圆点及凸起的油点；内表面白色，稍软而有弹性，呈棉絮状。质柔软。有浓烈的柚子香气。

柚：本品呈圆球形、扁圆形、梨形或阔圆锥状，横径通常10cm以上，淡黄色或黄绿色，杂交种果实有呈朱红色者。

柚核：本品呈扁长条形，长1.4～1.7cm，宽6～10mm，厚2～5mm。表面淡黄色或黄色，尖端较宽而薄，基部较窄而厚，具棱线数条，有的伸向尖端。质较硬，破开后可见内有1种仁，子叶乳白色，油质。气微，味微苦。

| 功能主治 | 柚根：辛、苦，温。归肺、胃、肝经。理气止痛，散风寒。用于胃痛气胀，疝气疼痛，风寒咳嗽。

柚叶：辛、苦，温。归脾、肝经。行气止痛，解毒消肿。用于头痛，寒湿痹痛，

食滞腹痛，乳痈，扁桃体炎，中耳炎。

柚花： 辛、苦，温。归脾、胃经。行气，化痰，止痛。用于胃脘、胸膈疼痛。

柚皮： 辛、苦、甘，温。归脾、肾、膀胱经。宽中理气，消食，化痰，止咳平喘。用于气郁胸闷，脘腹冷痛，食积，泻痢，咳喘，疝气。

柚： 甘、酸、寒。归肝、脾、胃经。消食，化痰，醒酒。用于饮食积滞，食欲不振，醉酒。

柚核： 辛、苦，温。归肝经。疏肝理气，宣肺止咳。用于疝气，肺寒咳嗽。

| **用法用量** | **柚根：** 内服煎汤，9 ~ 15 g。

柚叶： 内服煎汤，15 ~ 30 g。外用适量，捣敷；或煎汤洗。

柚花： 内服煎汤，1.5 ~ 4.5 g。

柚皮： 内服煎汤，6 ~ 9 g；或入散剂。

柚： 内服适量，生食。

柚核： 内服煎汤，6 ~ 9 g。外用适量，开水浸泡，涂擦。

芸香科 Rutaceae 柑橘属 *Citrus*

宜昌橙
Citrus cavaleriei H. Lévl. ex Cavalier

| 药 材 名 | 宜昌橙（药用部位：果实。别名：宜昌柑、罗汶柑）、宜昌橙根（药用部位：根）。

| 形态特征 | 小乔木或灌木，高约 10 m，胸围达 1.6 m。嫩枝被疏毛，徒长枝和隐芽枝有刺。叶身卵状披针形，长 3 ～ 5.5 cm，宽 1.5 ～ 2 cm，顶部短狭尖，翼叶比叶身长 1 ～ 3 倍，狭长圆形，长 6 ～ 16 cm，宽 2.5 ～ 4 cm，先端圆，基部沿叶柄下延，叶缘有细浅钝裂齿。总状花序有花 5 ～ 9，很少同时有单花腋生；花蕾阔椭圆形，淡紫红色，长 1.5 cm；花白色，直径 3 ～ 3.5 cm；花瓣 4 或 5；雄蕊 16 ～ 18，花丝分离，被细毛；子房近椭圆形，淡绿色，花柱长约 6.5 mm，纵径 8 ～ 10 cm，横径 10 ～ 12 cm，两端圆，顶部微凹，有浅放射沟，淡黄色或黄绿色。果皮厚 1.5 ～ 2 cm，油室大，凸起，果

心实，瓤囊 10 ~ 13 瓣，果肉淡黄白色；种子味甚酸、微苦，长 12 mm，宽 10 ~ 12 mm，厚 6 ~ 8 mm，种皮平滑，单胚。花期 3 ~ 4 月，果期 10 ~ 11 月。

| **生境分布** | 生于海拔 1 000 ~ 2 000 m 的落叶灌木林或乔木林中。分布于湖南张家界（桑植、慈利）、湘西州（吉首、花垣）等。

| **资源情况** | 野生资源一般。栽培资源一般。药材来源于野生和栽培。

| **采收加工** | 宜昌橙：10 ~ 11 月果实成熟时采收，鲜用。
宜昌橙根：全年均可采挖，洗净，切片，晒干。

| **药材性状** | 宜昌橙：本品扁圆形、圆球形或梨形，淡黄色，粗糙，油室大，明显凸起，果肉淡黄白色，甚酸，兼有苦味。

| **功能主治** | 宜昌橙：酸、甘，平。化痰止咳，生津健胃。用于咳嗽，食欲不振，中暑烦渴。
宜昌橙根：苦、辛，温。行气，止痛，止咳平喘，止血，消炎，祛痰。用于胃痛，疝气痛，咳嗽，外伤出血，跌打损伤，皮肤溃疡，牙龈出血。

| **用法用量** | 宜昌橙：内服适量，生食。
宜昌橙根：内服煎汤，9 ~ 15 g。外用适量，研末干掺；或调敷。

芸香科 Rutaceae 柑橘属 Citrus

香橙 *Citrus ×junos* Siebold ex Tanaka

| 药 材 名 | 橙子（药用部位：果实。别名：橙、黄橙、金橙）、橙子皮（药用部位：果皮。别名：橙皮）、橙子核（药用部位：种子。别名：香橙仁）。

| 形态特征 | 小乔木，高达 6 m。茎常具粗长刺。叶厚纸质；叶柄翅倒卵状椭圆形，长 1 ~ 2.5 cm，宽 0.4 ~ 1.5 cm，先端圆钝，基部窄楔形，叶卵形、卵状披针形或椭圆形，长 2.5 ~ 8 cm，宽 1 ~ 4 cm，先端渐窄，钝尖或短钝尖，常凹缺，上部具细浅齿，稀近全缘。单花腋生，下垂；花梗短；花瓣白色，有时背面淡紫红色，长 1 ~ 1.3 cm；雄蕊 20 ~ 25。果实扁球形或近梨形，直径 4 ~ 8 cm，顶部具环状突起及放射状浅沟，果皮粗糙，油室大，皮厚 2 ~ 4 mm，淡黄色，易剥离，具香气，果肉味酸、苦。花期 4 ~ 5 月，果期 10 ~ 11 月。

| **生境分布** | 生于气候温暖，土壤肥沃、透水透气性好，年平均气温 15 ℃以上的地区。分布于湖南怀化（辰溪）、郴州（安仁）等。

| **资源情况** | 野生资源稀少。栽培资源较丰富。药材来源于栽培。

| **采收加工** | 橙子：秋季果实成熟时采收，鲜用或低温冷藏，亦可风干。
橙子皮：秋季剥取成熟果实的果皮，切片，鲜用或晒干。
橙子核：秋季果实成熟时剖开果实，收集种子，晒干。

| **药材性状** | 橙子：本品呈扁球形或近梨形，直径 4 ～ 8 cm，顶部具环状突起及放射状浅沟，瓤囊 9 ～ 11 瓣，囊壁厚而韧，果肉淡黄白色，味甚酸，常带有苦味或异味。
橙子皮：本品粗糙，油室大，皮厚 2 ～ 4 mm，淡黄色，易剥离，具香气。
橙子核：本品呈阔卵形，饱满，平滑，子叶乳白色，单或多胚。

| **功能主治** | 橙子：酸，凉。归肺、肝、胃经。降逆和胃，理气宽胸，消瘿，醒酒，解鱼蟹毒。用于恶心呕吐，胸闷腹胀，瘿瘤，醉酒。
橙子皮：苦、辛，温。归脾、肺经。快气利膈，化痰降逆，消食和胃，解酒，解鱼蟹毒。用于胸膈气滞，咳嗽痰多，饮食不消，恶心呕吐，醉酒。
橙子核：苦，微温。归膀胱、肾经。理气止痛。用于疝气，闪挫腰痛。

| **用法用量** | 橙子：内服适量，生食；或煎汤；或盐腌、蜜制；或制饼。
橙子皮：内服煎汤，3 ～ 9 g；或盐腌、糖渍；或制饼。
橙子核：内服煎汤，3 ～ 9 g；或研末。

芸香科 Rutaceae 柑橘属 Citrus

柠檬
Citrus×limon (Linnaeus) Osbeck

| 药 材 名 | 柠檬根（药用部位：根）、柠檬叶（药用部位：叶）、柠檬皮（药用部位：果皮）、柠檬（药用部位：果实。别名：柠果）。

| 形态特征 | 常绿小乔木。枝少刺或近无刺。嫩叶及花芽暗紫红色。翼叶宽或狭，或仅具痕迹；叶片卵形或椭圆形，长 8 ~ 14 cm，宽 4 ~ 6 cm，边缘有明显钝裂齿。花瓣长 1.5 ~ 2 cm，外面淡紫红色，内面白色；常有单性花，即雄蕊发育，雌蕊退化。果实椭圆形或卵形，两端狭，顶部常有乳头状突尖，果皮厚，柠檬黄色。花期 4 ~ 5 月，果期 9 ~ 11 月。

| 生境分布 | 生于温暖而土层深厚、排水良好的缓坡地。分布于湖南衡阳（珠晖）、永州（东安、蓝山）、娄底（娄星）等。

| **资源情况** | 野生资源稀少。栽培资源一般。药材来源于栽培。

| **采收加工** | **柠檬根**：夏、秋季采挖，洗净，切片，晒干。

柠檬叶：全年均可采收。

柠檬皮：果实成熟时采摘果实，剥取果皮，晒干。

柠檬：待果实呈黄绿色时分批采摘，再用乙烯进行催熟处理，使果皮变为黄色，鲜用，或切片，晒干。

| **药材性状** | **柠檬叶**：本品呈卵形或椭圆形，长 8 ～ 14 cm，宽 4 ～ 6 cm，边缘有明显钝裂齿。

柠檬皮：本品呈螺旋状，长 2 ～ 3 cm，有时呈带状或不规则片状，厚 1.5 ～ 2.5 mm。外表面黄色至棕黄色，有多数凹入的油点；内表面淡黄色至类白色，常有线形脉络。易折断，断面颗粒性。气香，味微苦。

柠檬：本品呈长椭圆形，长 4 ～ 6.5 cm，直径 3 ～ 5 cm。

| **功能主治** | **柠檬根**：辛、苦，微温。归肝、肾经。行气止血，止痛，止咳。用于胃痛，疝气痛，跌打损伤，咳嗽。

柠檬叶：辛、甘、微苦，微温。归肺、胃、大肠经。化痰止咳，理气和胃，止泻。用于咳喘痰多，气滞腹胀，泄泻。

柠檬皮：酸、辛、微苦，温。归脾、胃经。行气，和胃，止痛。用于脾胃气滞，脘腹胀痛，食欲不振。

柠檬：酸、甘，凉。归肺、胃经。生津止渴，和胃安胎。用于胃热伤津，中暑烦渴，食欲不振，脘腹痞胀，咳嗽，妊娠呕吐。

| **用法用量** | **柠檬根**：内服煎汤，15 ～ 30 g。

柠檬叶：内服煎汤，9 ～ 15 g。

柠檬皮：内服煎汤，9 ～ 15 g。

柠檬：内服适量，绞汁饮；或生食。

芸香科 Rutaceae 柑橘属 Citrus

香橼 *Citrus medica* L.

| 药 材 名 | 香橼根（药用部位：根）、香橼叶（药用部位：叶）、香橼（药用部位：果实）、香橼露（药材来源：果实的蒸馏液）。

| 形态特征 | 常绿小乔木，高 2 m 左右。枝具短而硬的刺，嫩枝幼时紫红色。叶大，互生，革质；叶片长圆形或长椭圆形，长 8 ~ 15 cm，宽 3.5 ~ 6.5 cm，先端钝或钝短尖，基部阔楔形，边缘有锯齿；叶柄短而无翼，无节或节不明显。短总状花序，顶生及腋生，3 ~ 10 花丛生，有两性花及雄花之分；萼片 5，合生如浅杯状，上端 5 浅裂；花瓣 5，肉质，白色，外面淡紫色；雄蕊约 30；雌蕊 1，子房上部渐狭，花柱有时宿存。柑果长椭圆形或卵圆形，果顶有乳头状突起，长径 10 ~ 25 cm，横径 5 ~ 10 cm，成熟时呈柠檬黄色，果皮粗厚而芳香，瓤囊细小，12 ~ 16 瓣，果汁黄色，味极酸而苦；种子约 10，卵圆形，

子叶白色。花期 4 月，果期 8 ~ 9 月。

| 生境分布 |　生于海拔 350 ~ 1 750 m 的高温、多湿地区。分布于湖南郴州（桂东）等。

| 资源情况 |　栽培资源稀少。药材来源于栽培。

| 采收加工 |　**香橼根**：9 ~ 10 月采挖，晒干。

香橼叶：全年均可采收。

香橼：9 ~ 10 月果实成熟时采摘，用糠壳堆 1 周，待果皮变为金黄色后，切成 1 cm 厚的片，摊开曝晒，遇雨天可烘干。

香橼露：每年 9 ~ 10 月份，采摘香橼的成熟果实，切成薄片，晒干或晾干，再取香橼片约 60 g 放入烧瓶内，加入适量清水，盖上瓶塞后接好冷凝管，然后将烧瓶置于酒精炉上加热，待烧开后收取蒸馏液。

| 药材性状 |　**香橼叶**：本品长圆形或长椭圆形，长 8 ~ 15 cm，宽 3.5 ~ 6.5 cm，先端钝或钝短尖，基部阔楔形，边缘有锯齿；叶柄短而无翼，无节或节不明显。

香橼：本品为圆形或长圆形片，直径 4 ~ 10 cm，厚 0.2 ~ 0.5 cm。横切片外果皮呈黄色或黄绿色，边缘呈波状，散有凹入的油点；中果皮厚 1 ~ 3 cm，黄白色，有凸起的不规则网状维管束，瓤囊 10 ~ 17 室。纵切片中心柱较粗壮。质柔韧。气清香，味微甜而苦、辛。

| 功能主治 |　**香橼根**：辛，温。归肺、胃经。理气消胀。用于胃腹胀痛，风痰咳嗽，小儿疝气。

香橼叶：苦、辛，微寒。归肺经。散寒止咳。用于风寒咳嗽。

香橼：辛、苦、酸，温。归肝、脾、肺经。疏肝理气，宽中，化痰。用于肝胃气滞，胸胁胀痛，脘腹痞满，呕吐噫气，咳嗽痰多。

香橼露：淡、寒。归肺经。消痰逐滞。用于痰滞不散。

| 用法用量 |　**香橼根**：内服煎汤，3 ~ 9 g；或浸酒。

香橼叶：内服煎汤，6 ~ 9 g。

香橼：内服煎汤，3 ~ 6 g；或入丸、散剂。

香橼露：30 ~ 60 g，炖温饮。

芸香科 Rutaceae 柑橘属 Citrus

柑橘

Citrus reticulata Blanco

| 药 材 名 | 陈皮（药用部位：成熟果实的果皮。别名：橘皮）、青皮（药用部位：幼果或未成熟果实的果皮）、橘（药用部位：成熟果实。别名：黄橘、橘子）、橘饼（药材来源：成熟果实加蜜糖而制成的饼）、橘红（药用部位：果皮的红色外层部分。别名：化州橘红）、橘白（药用部位：果皮的白色内层部分）、橘络（药用部位：果皮内层的筋络。别名：橘丝、橘筋）、橘核（药用部位：种子。别名：橘子仁、橘子核）、橘叶（药用部位：叶。别名：橘子叶）、橘根（药用部位：根）。 |

| 形态特征 | 常绿小乔木或灌木，高 3 ~ 4 m。枝细，多有刺。叶互生；叶柄长 0.5 ~ 1.5 cm，有窄翼，先端有关节；叶片披针形或椭圆形，长 4 ~ 11 cm，宽 1.5 ~ 4 cm，先端渐尖，微凹，基部楔形，全缘或呈微波状，具不明显钝锯齿，有半透明油点。花单生或数花丛生于 |

枝端或叶腋；花萼杯状，5 裂；花瓣 5，白色或带淡红色，开时向上反卷；雄蕊 15 ~ 30，长短不一，常 3 ~ 5 花丝连合成组；雌蕊 1，子房圆形，柱头头状。柑果近圆形或扁圆形，横径 4 ~ 7 cm，果皮薄而宽，容易剥离，囊瓣 7 ~ 12，汁胞柔软多汁；种子数粒至数十粒，或无，卵圆形，白色，一端尖。花期 3 ~ 4 月，果期 10 ~ 12 月。

| 生境分布 | 生于低山地带。分布于湖南郴州（宜章）等。

| 资源情况 | 野生资源稀少。栽培资源较丰富。药材来源于栽培。

| 采收加工 | **陈皮**：10 ~ 12 月果实成熟时采摘，剥取果皮，阴干或晒干。

青皮：5 ~ 6 月收集自落的幼果，晒干，习称"个青皮"或"青皮子"；7 ~ 8 月采收未成熟的果实，在果皮上纵剖成 4 瓣至基部，除尽瓤瓣，晒干，习称"四花青皮"。

橘：10 ~ 12 月果实成熟时采摘，鲜用。

橘饼：10 ~ 12 月果实成熟时采摘，加蜜糖渍制成饼。

橘红：10 ~ 12 月果实成熟时采摘果实，用刀削下外果皮，晒干或阴干。

橘白：选取新鲜的橘皮，用刀扞去外层红皮（即橘红）后，取内层的白皮，除去橘络，晒干或晾干。

橘络：将橘皮剥下，自皮内或橘瓣外表撕下白色筋络，晒干或微火烘干。比较完整而理顺成束者，称为"凤尾橘络"（又名"顺筋"）；断裂、散乱不整者，称为"金丝橘络"（又名"乱络""散丝橘络"）；用刀自橘皮内铲下者，称为"铲络"。

橘核：果实成熟后收集种子，洗净，晒干。

橘叶：全年均可采收，尤以 12 月至翌年 2 月采收为佳，阴干或晒干，亦可鲜用。

橘根：9 ~ 10 月采挖，洗净，切片，晒干。

| 药材性状 | **陈皮**：本品常剥成数瓣，基部相连，有的呈不规则片状，厚 1 ~ 4 mm。外表面橙红色或红棕色，有细皱纹及凹下的点状油室；内表面浅黄白色，粗糙，附黄白色或黄棕色筋络状维管束。质稍硬而脆。气香，味辛、苦。

青皮：本品类球形，直径 0.5 ~ 2 cm；表面灰绿色或黑绿色，微粗糙，有细密、凹下的油室，先端有稍凸起的柱基，基部有圆形果柄痕；质硬，断面果皮黄白色或淡黄棕色，厚 0.1 ~ 0.2 cm，外缘有油室 1 ~ 2 列；瓤囊 8 ~ 10 瓣，淡棕色；气清香，味酸、苦、辛。四花青皮剖成 4 裂片，裂片长椭圆形，长 4 ~ 6 cm，

厚 0.1 ~ 0.2 cm；外表面灰绿色或黑绿色，密生多数油室，内表面类白色或黄白色，粗糙，附黄白色或黄棕色小筋络；质稍硬，易折断，断面外缘有油室 1 ~ 2 列；气香，味苦、辛。

橘：本品近圆形或扁圆形，横径 4 ~ 7 cm，果皮薄而宽，容易剥离，囊瓣 7 ~ 12，汁胞柔软多汁。

橘饼：本品黄红色，皮质细紧，果肉结实，甜酸适口，具有天然橘香味。

橘红：本品呈长条形或不规则薄片状，边缘皱缩，向内卷曲。外表面黄棕色或橙红色，存放后呈棕褐色，密布凸起或凹下的黄白色油室；内表面黄白色，密布凹下、透光的小圆点。质脆易碎。气芳香，味微苦。

橘白：本品为黄白色、海绵状的薄层块片，内表面常有橘络的痕迹。质疏软，有弹性。气芳香，味微苦而甘。

橘络：凤尾橘络呈长条形，为松散的网络状，上端与蒂相连，下端筋络交叉而顺直；蒂呈圆形，帽状，初呈淡黄白色，久则变成棕黄色；每束长 6 ~ 10 cm，宽 0.5 ~ 1 cm；10 余束或更多束压紧为块状长方形；质轻而软，干后质脆易断；气香，味微苦。金丝橘络呈不整齐的松散状，如乱丝，长短不一，与蒂相混连，其余与凤尾橘络相同。铲络筋络多疏散碎断，并连带少量橘白，为白色片状小块，有时夹带橘蒂及少量肉瓤碎片。

橘核：本品略呈卵形，长 0.8 ~ 1.2 cm，直径 0.4 ~ 0.6 cm。表面淡黄白色或淡灰白色，光滑，一侧有种脊棱线，一端钝圆，另一端渐尖成小柄状。外种皮薄而韧，内种皮菲薄，淡棕色。子叶 2，黄绿色，有油性。气微，味苦。

橘叶：本品多卷缩或破碎，展平后呈菱状长椭圆形或椭圆形，长 5 ~ 8 cm，宽 2 ~ 4 cm，先端渐尖，基部楔形，全缘或呈微波状。表面灰绿色或黄绿色，光滑，对光可见众多透明小油点。叶柄常缺，偶有者，狭翅也不明显。质脆，易碎裂。气香，味苦。

| **功能主治** | **陈皮：**苦、辛，温。归肺、脾经。理气健脾，燥湿化痰。用于胸脘胀满，食少吐泻，咳嗽痰多。

青皮：苦、辛，温。归肝、胆、胃经。疏肝破气，消积化滞。用于胸胁胀痛，疝气，乳核，乳痛，食积腹痛。

橘：甘、酸，平。归肺、胃经。润肺生津，理气和胃。用于消渴，呕逆，胸膈结气。

橘饼：甘、辛，温。归肺、脾、胃经。宽中下气，消积化痰。用于饮食积滞，泻痢，胸膈满闷，咳喘。

橘红：辛、苦，温。归膀胱、小肠、肺、脾、大肠、胃经。散寒燥湿，理气化痰，宽中健胃。用于风寒咳嗽，痰多气逆，恶心呕吐，胸脘痞胀。

橘白：苦、辛、微甘，温。归胃经。和胃化湿。用于湿浊内阻，胸脘痞满，食欲不振。

橘络：甘、苦，平。归肝、脾经。通络，理气，化痰。用于气滞，久咳胸痛，痰中带血，伤酒口渴。

橘核：苦，平。归肝、肾、膀胱经。理气，散结，止痛。用于疝气，睾丸肿痛，乳痛，腰痛。

橘叶：苦、辛，平。归肝经。疏肝行气，化痰散结。用于乳痈，乳房结块，胸胁胀痛，疝气。

橘根：苦、辛，平。归脾、胃、肾经。行气止痛。用于脾胃气滞，脘腹胀痛，疝气。

| **用法用量** | 陈皮：内服煎汤，3 ~ 10 g；或入丸、散剂。

青皮：内服煎汤，3 ~ 10 g；或入丸、散剂。

橘：内服适量，做食品；或蜜煎；或酱菹；或配制成药膳。外用适量，搽涂。

橘饼：内服煎汤，1 ~ 2 个。

橘红：内服煎汤，3 ~ 9 g；或入丸、散剂。

橘白：内服煎汤，1.5 ~ 3 g。

橘络：内服煎汤，2.5 ~ 4.5 g。

橘核：内服煎汤，3 ~ 9 g；或入丸、散剂。

橘叶：内服煎汤，6 ~ 15 g，鲜品可用 60 ~ 120 g；或捣汁服。外用适量，捣敷。

橘根：内服煎汤，9 ~ 15 g。

芸香科 Rutaceae 柑橘属 *Citrus*

甜橙
Citrus sinensis (L.) Osbeck

| 药 材 名 | 橙叶（药用部位：叶）、甜橙（药用部位：果实。别名：黄果、橙子、新会橙）、橙皮（药用部位：果皮。别名：理皮、黄果皮、理陈皮）、枳壳（药用部位：未成熟果实）、枳实（药用部位：幼果）。

| 形态特征 | 小乔木，高达 5 m。枝少刺或近无刺。叶柄翅窄或具痕迹；叶卵形或卵状椭圆形，稀呈披针形，长 6 ～ 10 cm，先端短尖，基部宽楔形，全缘或具不明显浅齿，无毛。总状花序少花，或兼有腋生单花；花瓣 5，长圆形，长 1.2 ～ 1.5 cm，白色，稀背面带淡紫红色；雄蕊 20 ～ 25。果实球形、扁球形或椭圆形，橙黄色至橙红色，果皮难剥离或稍易剥离，果肉味甜或酸甜；种子少或无。花期 3 ～ 5 月，果期 10 ～ 12 月。

| 生境分布 | 生于丘陵、低山或江河湖泊的沿岸。分布于湖南常德（临澧）、株洲（渌口、醴陵）、衡阳（珠晖、雁峰、石鼓、衡南、衡山、衡东）、邵阳（新宁）、岳阳（临湘）、张家界（桑植）、郴州（宜章、永兴、汝城、安仁）、怀化（芷江、靖州、洪江、沅陵）、永州（江华）、娄底（冷水江）等。

| 资源情况 | 野生资源稀少。栽培资源较丰富。药材来源于栽培。

| 采收加工 | **橙叶：** 全年均可采收，鲜用。
甜橙： 11 ~ 12 月果实成熟时采摘，鲜用或晒干。
橙皮： 秋季或初春收集食用甜橙时剥下的果皮，晒干或烘干。
枳壳： 见酸橙。
枳实： 见酸橙。

| 药材性状 | **橙叶：** 本品叶柄翅窄或具痕迹；叶卵形或卵状椭圆形，稀呈披针形，长 6 ~ 10 cm，先端短尖，基部宽楔形，全缘或具不明显浅齿，无毛，有半透明油腺点。
甜橙： 本品呈扁圆形或近球形，直径 6 ~ 9 cm，橙黄色或橙红色，果皮较厚，不易剥离，瓤囊 8 ~ 13，果汁黄色，味甜。
橙皮： 本品呈瓣状，略似陈皮，但较厚实，厚者可达 2 ~ 3 mm。外表面金黄色，粗糙，有多数凹下的油腺，比陈皮粗大，分布亦较疏；内表面色白，附着有细小的黄色筋络，筋络不易剥落。体柔实，润泽，易折碎。气芳香，味苦。
枳壳： 本品呈半球形，直径 3 ~ 5.5 cm。外皮绿褐色或棕褐色，略粗糙，散有众多小油点，中央有明显的花柱基痕或圆形果柄痕。切面中果皮厚 0.6 ~ 1.2 cm，黄白色，较光滑，略向外翻，散布有维管束，边缘有棕黄色油点 1 ~ 2 列。质坚硬，不易折断。瓤囊通常 7 ~ 12 瓣，稀达 15 瓣，囊内汁胞干缩，棕黄色或暗棕色，质软，内藏种子。中轴坚实，宽 5 ~ 9 mm，黄白色，有 1 圈断续环列的维管束点。气香，味苦、微酸。
枳实： 本品呈半球形、球形或卵圆形，直径 0.5 ~ 2.5 cm。外表面黑绿色或暗棕绿色，具颗粒状突起和皱纹，顶部有明显的花柱基痕，基部有花盘残留或果柄脱落痕。切面光滑而稍隆起，灰白色，厚 3 ~ 7 mm，边缘散有 1 ~ 2 列凹陷油点，瓤囊 7 ~ 12 瓣，中心有棕褐色的囊，具车轮纹。质坚硬。气清香，味苦、微酸。

| 功能主治 | **橙叶：** 辛、苦，平。归肝经。散瘀止痛。用于疮疡肿痛。
甜橙： 辛、甘、微苦，微温。归肝经。疏肝行气，散结通乳，解酒。用于肝气郁滞所致胁肋疼痛，脘腹胀满，产妇乳汁不通，乳房结块肿痛，醉酒。

橙皮：辛、苦，温。归脾、肺经。行气健脾，降逆化痰。用于脾胃气滞之脘腹胀满，恶心呕吐，食欲不振，痰壅气逆之咳嗽痰多，胸膈满闷，梅核气。

枳壳：苦、酸，微寒。归肺、脾、肝、胃、大肠经。破气，化痰，消积。用于胸膈痞满，胁肋胀痛，食积不化，脘腹胀满，下痢后重，脱肛，子宫脱垂。

枳实：苦、辛，寒。归脾、胃、肝、心经。破气消积，化痰除痞。用于积滞内停，痞满胀痛，大便秘结，泻痢后重，结胸，胃下垂，子宫脱垂，脱肛。

| 用法用量 | 橙叶：外用适量，捣敷。

甜橙：内服干品 6 g，研细末；或鲜品适量，捣汁。

橙皮：内服煎汤，3 ~ 10 g；或研末。外用适量，煎汤熏洗。

枳壳：内服煎汤，3 ~ 9 g；或入丸、散剂。外用适量，煎汤洗；或炒热熨。

枳实：内服煎汤，3 ~ 10 g；或入丸、散剂。外用适量，研末调涂；或炒热熨。

芸香科 Rutaceae 黄皮属 Clausena

齿叶黄皮

Clausena dunniana H. Lévl.

| 药 材 名 | 山黄皮（药用部位：叶、树皮、根）。

| 形态特征 | 常绿灌木或小乔木，高约 3 m，全株有香气，以叶为甚。奇数羽状复叶互生，常聚生于枝顶，长 15 ~ 40 cm；小叶柄红色，长 4 ~ 8 mm；小叶 5 ~ 15，卵形、卵状披针形至披针形，长 5 ~ 9 cm，宽 2.5 ~ 4 cm，先端急尖或渐尖，或尾状尖而钝头，基部钝斜或为宽楔形至楔形，两侧略不对称，边缘有明显的圆锯齿，上面深绿色，下面浅绿色，近无毛。聚伞圆锥花序腋生；花梗无毛；萼片 4，稀 5，广卵形，长不超过 1 mm；花瓣 4 ~ 5，白色，长圆形，长 3 ~ 4 mm；子房上位，近圆球形，花柱比子房短，柱头略具 4 棱。浆果近圆球形，直径 6 ~ 10 mm，紫黑色或暗紫色，有种子 1 ~ 4。花期夏季，果期秋季。

| **生境分布** | 生于丘陵岗地、低山的石灰岩山坡、灌丛或疏林中。分布于湖南邵阳（邵阳）、永州（东安、江永、新田）等。 |

| **资源情况** | 野生资源较丰富。药材来源于野生。 |

| **采收加工** | 全年均可采收，叶鲜用，根洗净，切片，晒干。 |

| **功能主治** | 辛、苦，温。疏风解表，除湿消肿，行气散瘀。用于感冒，麻疹，哮喘，水肿，胃痛，风湿痹痛，湿疹，扭挫伤。 |

| **用法用量** | 内服煎汤，6 ～ 12 g。外用适量，煎汤洗；或叶捣敷。 |

芸香科 Rutaceae 吴茱萸属 Evodia

华南吴萸

Evodia austrosinensis Hand.-Mazz.

| 药 材 名 | 华南吴萸（药用部位：果实）。

| 形态特征 | 乔木，高 6 ~ 20 m。小枝的髓部大，嫩枝及芽密被灰色或红褐色短绒毛。小叶 5 ~ 13 片，呈卵状椭圆形或长椭圆形，长 7 ~ 15 cm，宽 3 ~ 7 cm，生于叶轴基部的通常为卵形，对称或一侧略偏斜，叶缘有细钝裂齿或近全缘，叶面常有疏短毛，中脉毛较密，叶背灰绿色，被短柔毛，有干后褐色或黑色细油点。花序顶生，多花；萼片及花瓣均 5；花瓣淡黄白色，长 2.5 ~ 3 mm；雄花的退化雌蕊短棒状，5 浅裂；雌花的退化雄蕊甚短。分果瓣淡紫红至深红色，直径 4 ~ 5.5 mm，油点微凸起，内果皮薄壳质，蜡黄色，有成熟种子 1；种子长约 3 mm 或稍大，厚 2.5 ~ 2.8 mm。花期 6 ~ 7 月，果期 9 ~ 11 月。

| **生境分布** | 生于海拔 200 ～ 1 800 m 的山地疏林或沟谷中。分布于湖南怀化（通道）、郴州（桂东、汝城）等。

| **资源情况** | 野生资源稀少。药材来源于野生。

| **功能主治** | 用于心痛，滞气，腹胀，中暑。

| **附　　注** | 本种在 FOC 中被修订为芸香科 Rutaceae 吴茱萸属 *Tetradium* 华南吴萸 *Tetradium austrosinense* (Hand-Mazz.) T. G. Hartley。

芸香科 Rutaceae 吴茱萸属 *Evodia*

臭檀吴萸

Evodia daniellii (Benn.) F. B. Forbes et Hemsl.

| 药 材 名 | 臭檀子（药用部位：果实）。

| 形态特征 | 落叶乔木，高达 15 m。小枝密被短毛，后毛渐脱落。单数羽状复叶对生；小叶 5 ~ 11，纸质，卵形、长圆状卵形或长圆状披针形，长 5 ~ 13 cm，先端渐尖，基部圆形或宽楔形，近全缘或有细钝锯齿，背面沿中脉密被白色长柔毛；叶柄长 2 ~ 5 cm；小叶柄长 1 ~ 3 mm。聚伞状圆锥花序顶生，花序大小变化很大，花序轴及花梗被短绒毛，序轴较细，直径 2 ~ 3 mm；花单性，雌雄异株，白色；雄花萼片、花瓣、雄蕊均为 5，花瓣长约 4 mm，内面被稀疏柔毛，花丝中部以下被长柔毛，退化子房先端 4 ~ 5 裂，密被毛；雌花与雄花相似而稍大，退化雄蕊短线状，长约为子房的 1/4，先端无退化花药，子房上位，近球形。果实成熟后呈紫红色，有腺点，先端有

小喙；种子黑色，光亮。

| **生境分布** | 生于海拔 1 700 m 以上的疏林及沟边。分布于湖南永州（双牌、新田）等。

| **资源情况** | 野生资源丰富。栽培资源较少。药材来源于野生。

| **采收加工** | 秋季采收近成熟的果序，晒干后搓下果实，再晒干。

| **功能主治** | 辛、苦，热。散寒，温中，止痛。用于脘腹冷痛，疝气疼痛，口腔溃疡，齿痛。

| **用法用量** | 内服煎汤，6 ~ 12 g。

芸香科 Rutaceae 吴茱萸属 Evodia

臭辣吴萸

Evodia fargesii Dode

| 药 材 名 | 臭辣树（药用部位：果实）。

| 形态特征 | 落叶乔木，高达 17 m。枝暗紫色，幼时有柔毛。羽状复叶；小叶 5 ~ 11，椭圆状卵形或长椭圆状披针形，长 6 ~ 11 cm，宽 2 ~ 5 cm，先端渐尖或长渐尖，基部楔形，两侧常不等齐，表面深绿色，近无毛，背面灰白色，沿中脉疏生柔毛，基部及叶柄上毛较密，全缘或有不明显的圆锯齿。聚伞圆锥花序顶生；花白色或淡绿色，基数 5。蓇果分裂成 4 ~ 5 果瓣，成熟时呈紫红色或淡红色，背面布网纹和油点，侧面有细毛，每个分果瓣有 1 种子。花期 7 ~ 8 月，果期 9 ~ 10 月。

| **生境分布** | 生于海拔 600 ~ 1 000 m 的山坡或沟边。湖南各地均有分布。

| **资源情况** | 野生资源丰富。栽培资源较少。药材来源于野生。

| **采收加工** | 秋季采收，阴干。

| **功能主治** | 苦、辛，温。止咳，散寒，止痛。用于咳嗽，腹痛。

| **用法用量** | 内服煎汤，6 ~ 9 g，鲜品 15 ~ 18 g。

芸香科 Rutaceae 吴茱萸属 *Evodia*

棟叶吴萸
Evodia glabrifolia (Champ. ex Benth.) Huang

| 药 材 名 | 树腰子（药用部位：果实。别名：红花树、臭油林、野米辣）。

| 形态特征 | 乔木，高达 17 m，胸径达 40 cm。树皮平滑，暗灰色。嫩枝紫褐色，散生小皮孔。叶通常具小叶 5 ～ 9，稀具小叶 11；小叶斜卵形至斜披针形，长 8 ～ 16 cm，宽 3 ～ 7 cm，生于叶轴基部的小叶较小，小叶基部通常一侧圆，另一侧楔尖，两侧甚不对称，叶正面无毛，叶背面灰绿色，干后带苍灰色，沿中脉两侧有卷曲的灰白色长毛，或脉腋上有卷曲丛毛，油点不显或甚细小且稀少，叶缘波纹状或有细钝齿，叶轴及小叶柄均无毛，侧脉每边 8 ～ 14；小叶柄长不及 1 cm。花序顶生，花甚多，5 基数；萼片卵形，长不及 1 mm，边缘被短毛；花瓣长约 3 mm，腹面被短柔毛；雄蕊长约 5 mm，花丝中部以下被长柔毛，退化雌蕊顶部 5 深裂，裂瓣被毛；雌花的退化雄

蕊甚短，通常难察见，子房近圆球形，无毛，花柱长约 0.5 mm。成熟心皮通常 4 ~ 5，稀 3，紫红色，干后色较暗淡，每个分果瓣有 1 种子；种子长约 3 mm，宽约 2.5 mm，褐黑色，有光泽。花期 6 ~ 8 月，果期 8 ~ 10 月。

| **生境分布** | 生于海拔 500 ~ 800 m 的岗地、丘陵岗地、中山或平地常绿阔叶林中。分布于湘中、湘东等。

| **资源情况** | 野生资源丰富。栽培资源较少。药材来源于野生。

| **采收加工** | 秋季采收近成熟的果序，晒干后搓下果实，再晒干。

| **功能主治** | 辛，温。散寒，温中，止痛。用于脘腹冷痛，疝气疼痛，口腔溃疡，齿痛。

芸香科 Rutaceae 吴茱萸属 Evodia

吴茱萸
Evodia rutaecarpa (Juss.) Benth.

| 药 材 名 | 吴茱萸（药用部位：近成熟果实。别名：茶辣、辣子、臭辣子）。

| 形态特征 | 小乔木或灌木。高 3 ~ 5 m，嫩枝暗紫红色，与嫩芽同被灰黄色或红锈色绒毛，或疏短毛。叶有小叶 5 ~ 11，小叶薄至厚纸质，卵形、椭圆形或披针形，长 6 ~ 18 cm，宽 3 ~ 7 cm，叶轴下部的较小，两侧对称或一侧基部稍偏斜，全缘或浅波浪状，两面及叶轴被长柔毛，毛密如毡状，或仅中脉两侧被短毛，油点大且多。花序顶生；雄花序的花彼此疏离，雌花序的花密集或疏离；萼片及花瓣均 5，偶有 4，镊合状排列；雄花花瓣长 3 ~ 4 mm，腹面被疏长毛，退化雌蕊 4 ~ 5 深裂，下部及花丝均被白色长柔毛，雄蕊伸出花瓣之上；雌花花瓣长 4 ~ 5 mm，腹面被毛，退化雄蕊鳞片状、短线状或兼有

细小的不育花药，子房及花柱下部被疏长毛。果序宽 3 ～ 12 cm，果实密集或疏离，暗紫红色，有大油点，每分果瓣有 1 种子；种子近圆球形，一端钝尖，腹面略平坦，长 4 ～ 5 mm，褐黑色，有光泽。花期 4 ～ 6 月，果期 8 ～ 11 月。

| 生境分布 | 生于海拔 100 ～ 1 500 m 的山地疏林或灌丛中，多见于向阳坡地。湖南各地均有分布。

| 资源情况 | 野生资源丰富。栽培资源丰富。药材来源于栽培。

| 采收加工 | 8 ～ 11 月果实尚未开裂时，剪下果枝，晒干或低温干燥，除去枝、叶、果柄等杂质。

| 功能主治 | 辛、苦，热；有小毒。归肝、脾、胃、肾经。散寒止痛，降逆止呕，助阳止泻。用于厥阴头痛，寒疝腹痛，寒湿脚气，经行腹痛，脘腹胀痛，呕吐吞酸，五更泄泻。

| 用法用量 | 内服煎汤，1.5 ～ 5 g；或入丸、散剂。外用适量，研末调敷；或煎汤洗。

芸香科 Rutaceae 吴茱萸属 Evodia

疏毛吴茱萸

Evodia rutaecarpa (Juss.) Benth. var. *bodinieri* (Dode) Huang

| 药 材 名 |

波氏吴萸（药用部位：果实。别名：毛脉吴茱萸、疏毛吴萸）。

| 形态特征 |

乔木或落叶灌木。小枝被黄锈色或丝光质的疏长毛。叶轴被长柔毛；小叶 5 ~ 11，叶形变化较大，长圆形、披针形、卵状披针形至倒卵状披针形，下面叶脉被短柔毛，侧脉清晰，油腺点小。花期 7 ~ 8 月，果期 9 ~ 10 月。

| 生境分布 |

生于海拔 700 ~ 2 100 m 的山坡草丛或林缘、丘陵岗地。分布于湖南邵阳（邵东）、永州（蓝山）、娄底（冷水江）等。

| 资源情况 |

以野生资源为主，有栽种。药材来源于野生。

| 采收加工 |

8 ~ 11 月果实未开裂时采收，晒干或微火炕干。

| **功能主治** | 辛、苦，热；有小毒。散寒止痛。用于脘腹冷痛，呃逆吞酸，厥阴头痛，呕吐，腹泻，疝痛，痛经；外用于口疮。 |

| **用法用量** | 内服煎汤，1.5 ～ 5 g；或入丸、散剂。外用适量，研末调敷；或煎汤洗。 |

芸香科 Rutaceae 吴茱萸属 Evodia

石虎
Evodia rutaecarpa (Juss.) Benth. var. *officinalis* (Dode) Huang

| 药 材 名 | 吴茱萸（药用部位：果实）。

| 形态特征 | 小叶 3 ~ 11，叶片较狭，长圆形至狭披针形，先端渐尖或长渐尖，各小叶片相距较疏远，侧脉较明显，全缘，两面密被长柔毛，脉上毛最密，油腺粗大。花序轴常被淡黄色或无色长柔毛。成熟果序生于枝顶，不及正种密集；种子蓝黑色。花期 7 ~ 8 月，果期 9 ~ 10 月。

| 生境分布 | 生于山坡草丛中。湖南各地均有分布。

| 资源情况 | 野生资源丰富。药材来源于野生。

| 采收加工 | 8 ~ 11 月果实未开裂时采收，晒干或微火炕干。

| 功能主治 | 辛、苦，热；有小毒。散寒止痛。用于厥阴头痛，寒病腹痛，寒湿脚气，经行腹痛，脘腹胀痛，呕吐吞酸，五更泻，口疮，高血压等。

| 用法用量 | 内服煎汤，1.5 ~ 5 g；或入丸、散剂。外用适量，研末调敷；或煎汤洗。

| 附　注 | 本种与吴茱萸形态极相似，区别之处在于本种具有特殊的刺激性气味。

芸香科 Rutaceae 金橘属 Fortunella

金柑 *Fortunella japonica* (Thunb.) Swingle

| 药 材 名 | 园金柑（药用部位：果实、根。别名：甘橘、山橘子、金橘）。

| 形态特征 | 高 1 ~ 3 m。枝密生，节间短，无刺。叶为单身复叶，互生；叶较小，革质，卵状椭圆形或倒披针形，先端具不明显锯齿；叶柄具极狭翅。1 ~ 3 花生于叶腋，花被 5 瓣裂，白色；子房 5 室。果实球形或扁球形，前圆后狭，果皮光滑，初时呈青绿色，成熟时呈金黄色，有香味，汁多味美。夏季开花，秋、冬季果实成熟。

| 生境分布 | 生于丘陵岗地、低山。湖南各地均有分布。

| 资源情况 | 野生资源一般，栽培资源丰富。药材来源于栽培。

| 采收加工 | 果实近成熟时采收。

功能主治	果实，辛、甘、微酸，温。健脾，理气。用于水肿，胃气痛，疝气，脱肛，产后气滞腹痛，子宫脱垂。根，辛、苦，温。健脾，理气。用于水肿，胃气痛，疝气，脱肛，产后气滞腹痛，子宫脱垂。
用法用量	果实，内服煎汤，鲜品 50 ～ 150 g。根，内服煎汤，25 ～ 40 g。

芸香科 Rutaceae 金橘属 Fortunella

金橘 *Fortunella margarita* (Lour.) Swingle

| 药 材 名 | 金橘（药用部位：果实、根。别名：卢橘、山橘）。

| 形态特征 | 常绿灌木。树高小于 3 m。叶厚，卵状披针形或长椭圆形，先端略尖或钝，基部宽楔形或近圆形；叶柄长 1.2 cm；翼叶甚窄。单花或 2 ~ 3 花簇生；花梗长 3 ~ 5 mm；子房椭圆形，花柱细长，其长度通常为子房的 1.5 倍，柱头稍增大。果实椭圆形或卵状椭圆形，长 2 ~ 3.5 cm，橙黄色至橙红色，果皮味甜，厚约 2 mm，油室常稍凸起，瓤囊 5 或 4 瓣，果肉味酸，有种子 2 ~ 5；种子卵形，一端尖，子叶和胚均呈绿色，单胚或多胚。花期 3 ~ 5 月，果期 10 ~ 12 月。

| 生境分布 | 生于丘陵、岗地、低山。分布于湘中、湘东、洞庭湖及环湖丘岗地区。

| **资源情况** | 野生资源一般。栽培资源丰富。药材来源于野生和栽培。

| **采收加工** | 果实，秋季采摘，鲜用、晒干或文火烘干。根，全年均可采挖，切片，晒干。

| **药材性状** | 本品果实矩圆形或卵形，金黄色，果皮肉质而厚，平滑，有许多腺点，有香味，肉瓣4~5；种子卵状球形。果肉味酸，果皮味甜。

| **功能主治** | 果实，辛、酸、甘，温，理气解郁，化痰，醒酒，利膈，除口气，解肝毒。用于胸闷郁结，食滞，气郁不舒，咳嗽痰多等。根，苦、辛，温，行气散结，健脾开胃，舒筋活络，醒酒。用于胃气痛，食积胀满，痰滞气逆，疝气。

| **用法用量** | 果实，内服煎汤，10 ~ 15 g。根，内服煎汤，15 g。

芸香科 Rutaceae 九里香属 *Murraya*

千里香
Murraya paniculata (L.) Jack.

| 药 材 名 | 九里香（药用部位：枝、叶。别名：千里香、满山香、过山香）。

| 形态特征 | 灌木或乔木，木材极硬，高3～8m，秃净或幼嫩部被小柔毛。奇数羽状复叶；叶长8～13cm；小叶互生，3～9，有时退化为1，小叶形状变异大，卵形、匙状倒卵形、椭圆形至近菱形，长2～7cm，宽1～3cm，先端钝或钝渐尖，有时稍凹入，基部阔楔尖或楔尖，有时略偏斜，全缘。伞房花序短，顶生或生于上部叶腋内，通常有数花；花白色，极芳香，长1.2～1.5cm；花萼极小，5深裂；花瓣5，分离，覆瓦状排列；雄蕊10，花丝柔弱；子房上位，2室，花柱柔弱，柱头头状。果实卵形或球形，肉质，红色，长8～12mm，先端尖锐，有种子1～2。花期秋季。

| **生境分布** | 生于山坡疏林中。分布于湖南永州（江永）等。

| **资源情况** | 野生资源丰富。栽培资源一般。药材来源于野生。

| **采收加工** | 全年均可采收，除去老枝，阴干。

| **药材性状** | 本品枝一般截成长 3 ~ 6 cm 的段，直径最大不超过 7 mm；外表面灰黄色，有细纵纹，栓皮剥落，露出肉色木质部，横切面中心颜色较淡；质坚硬。本品叶革质，卵形或椭圆形，长 2 ~ 7 cm，宽 1 ~ 3 cm，呈黄绿色，基部楔形，全缘，主脉在背面明显凸出；叶柄极短。气香。

| **功能主治** | 辛、微苦，温；有小毒。行气止痛，活血散瘀，祛风活络，除湿，麻醉，镇惊，解毒消肿。用于脘腹气痛，胃痛，风湿痹痛，肿毒，疥疮，皮肤瘙痒，跌打肿痛，牙痛，蛇虫咬伤。

| **用法用量** | 内服煎汤，3 ~ 9 g。外用鲜品适量，捣敷。

芸香科 Rutaceae 臭长山属 Orixa

臭常山
Orixa japonica Thunb.

| 药 材 名 | 臭常山（药用部位：根、茎、叶。别名：和常山、胡椒树、日本常山）。

| 形态特征 | 落叶灌木，高可达 3 m。枝条暗褐色，平滑，嫩枝绿色，疏被白色毛。单叶互生；叶柄长 4 ~ 10 mm；叶片菱状卵形至卵状椭圆形，长 3 ~ 17 cm，宽 2 ~ 9 cm，先端渐尖或具钝尖头，基部宽楔形，全缘或具细钝锯齿，嫩时被毛，薄纸质或膜质，具半透明的黄色腺点，具恶臭味。花单性，雌雄异株，黄绿色；雄花序总状，腋生，长 2 ~ 4 cm，花梗基部有宽卵形苞片 1，萼筒基部有对生的卵形小苞片 2，萼片 4，卵形，基部愈合，花瓣 4，有透明腺点，雄蕊 4，较花瓣短，与花瓣互生；雌花单生，具退化雄蕊 4，子房上位，花盘四角形，心皮 4，花柱短，柱头 4 裂。蓇葖果 2 瓣裂开；种子黑色，近球形。花期 4 ~ 5 月，果期 8 ~ 9 月。

生境分布	生于山野。分布于湖南怀化（鹤城、中方）等。
资源情况	野生资源丰富。栽培资源一般。药材来源于野生。
采收加工	根、茎，全年均可采收，晒干。叶，夏、秋季采集，鲜用。
药材性状	本品根较粗大，表面栓皮淡灰黄色，有时现细裂纹，栓皮脱落处类白色，断面灰白色。气特异，味苦。
功能主治	苦、辛，凉。祛风清热，行气活血，解毒除湿，截疟。用于风热感冒，咳嗽，喉痛，脘腹胀痛，风湿关节痛，跌打损伤，湿热痢疾，肾囊出汗，疟疾，无名肿毒。
用法用量	内服煎汤，5 ~ 15 g。外用适量，捣敷。

芸香科 Rutaceae 黄檗属 Phellodendron

川黄檗

Phellodendron chinense Schneid.

| 药 材 名 | 黄柏（药用部位：树皮。别名：檗木、檗皮、黄檗）。

| 形态特征 | 树高达 15 m。成年树有厚的纵裂的木栓层，内皮黄色，小枝粗壮，暗紫红色，无毛。叶轴及叶柄粗壮，通常密被褐锈色或棕色柔毛，有小叶 7 ~ 15；小叶纸质，长圆状披针形或卵状椭圆形，长 8 ~ 15 cm，宽 3.5 ~ 6 cm，顶部短尖至渐尖，基部阔楔形至圆形，两侧通常略不对称，全缘或浅波浪状，叶背密被长柔毛或至少在叶脉上被毛，叶面中脉有短毛或嫩叶被疏短毛；小叶柄长 1 ~ 3 mm，被毛。花序顶生，花通常密集，花序轴粗壮，密被短柔毛。果实多数密集成团，顶部呈略狭窄的椭圆形或近圆球形，直径约 1 cm 或达 1.5 cm，蓝黑色，有分核 5 ~ 8（ ~ 10）；种子 5 ~ 8，很少 10，长 6 ~ 7 mm，厚

4 ～ 5 mm，一端微尖，有细网纹。花期 5 ～ 6 月，果期 9 ～ 11 月。

| 生境分布 | 生于海拔 900 m 以上的杂木林中。湖南各地均有分布。

| 资源情况 | 野生资源较少。栽培资源丰富。药材来源于野生和栽培。

| 采收加工 | 定植 15 ～ 20 年采收，5 月上旬至 6 月上旬，采用半环剥或环剥、砍树剥皮等方法剥取，除去粗皮，晒干。

| 药材性状 | 本品呈板片状或浅槽状，长宽不一，厚 1 ～ 6 mm。外表面黄褐色或黄棕色，平坦或具纵沟纹，有的可见皮孔痕及残存的灰褐色粗皮；内表面暗黄色或淡棕色，具细密的纵棱纹。体轻，质硬，断面纤维性，呈裂片状分层，深黄色。气微，味极苦，嚼之有黏性。

| 功能主治 | 苦，寒。归肾、膀胱经。清热燥湿，泻火除蒸，解毒疗疮。用于湿热泻痢，黄疸尿赤，带下阴痒，热淋涩痛，脚气痿躄，骨蒸劳热，盗汗，遗精，疮疡肿毒，湿疹。

| 用法用量 | 内服煎汤，2 ～ 12 g；或入丸、散剂。外用适量，研末调敷；或煎汤浸渍。

芸香科 Rutaceae 黄檗属 *Phellodendron*

秃叶黄檗

Phellodendron chinense Schneid. var. *glabriusculum* Schneid.

| 药 材 名 |

秃叶黄檗（药用部位：树皮）。

| 形态特征 |

本种与川黄檗 *Phellodendron chinense* Schneid. 的区别在于本种的叶轴、叶柄及小叶柄无毛或被疏毛；小叶叶面仅中脉有短毛，有时嫩叶叶面有疏短毛，叶背沿中脉两侧被疏柔毛，有时几为无毛但有棕色甚细小的鳞片状体。果序上的果实通常较疏散。

| 生境分布 |

生于海拔 800 ～ 1 500 m 的山地疏林或密林中。分布于湖南株洲（炎陵）、衡阳（南岳、衡山）、怀化（洪江、沅陵、新晃、芷江）、邵阳（绥宁、新宁）、郴州（宜章、永兴）、永州（东安、道县）、湘西州（永顺）等。

| 资源情况 |

野生资源一般。栽培资源较少。药材来源于野生和栽培。

| **功能主治** | 清热燥湿，泻火解毒。用于热痢，泄泻，淋浊，便血，带下，肾炎，肝炎，骨蒸劳热，目赤肿痛，口疮，疮痈。

芸香科 Rutaceae 积属 Poncirus

枳 *Poncirus trifoliata* (L.) Raf.

| 药 材 名 | 绿衣枳实（药用部位：幼果。别名：臭橘）。

| 形态特征 | 落叶灌木或小乔木，全株无毛。分枝多，枝绿色，嫩枝扁，有纵棱，密生粗壮棘刺，刺长 1 ～ 7 cm，基部扁平。叶柄有狭长的翼叶，通常具指状 3 出叶，很少具 4 ～ 5 小叶，杂交种除具 3 小叶外尚有 2 小叶和单小叶同时存在者；小叶等长或中间 1 小叶较大，纸质或近革质，卵形、椭圆形或倒卵形，长 1.5 ～ 5 cm，宽 1 ～ 3 cm，先端圆而微凹缺，基部楔形，具钝齿或近全缘，近无毛。花单生或成对腋生，常先于叶开放，黄白色，有香气；萼片 5，长 5 ～ 6 mm；花瓣 5，长 1.8 ～ 3 cm；雄蕊 8 ～ 20，长短不等。柑果球形，直径 3 ～ 5 cm，幼时绿色，成熟后呈橙黄色，果皮平滑，具茸毛，油室小而密，果

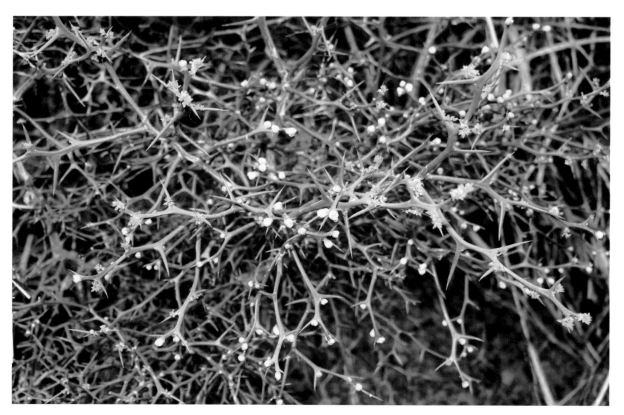

心充实，瓤囊 6 ~ 8 瓣，汁胞有短柄，果肉含黏液，微有香橼气味，甚酸且苦，带涩味，有种子 20 ~ 50。

| **生境分布** | 生于岗地、丘陵岗地。栽培于村庄、庭院周围。湖南各地均有分布。

| **资源情况** | 野生资源一般。栽培资源较丰富。药材来源于野生和栽培。

| **采收加工** | 5 ~ 6 月采收，晒干或低温干燥。

| **药材性状** | 本品呈球形，直径 0.8 ~ 2 cm。外表面绿褐色，密被棕绿色茸毛，基部具圆盘状果柄痕，先端有凸起的花柱基痕；中部横切面类白色，边缘绿褐色，可见凹陷的小点。瓤黄白色，瓤囊 6 ~ 8 瓣，每瓣内有黄白色长椭圆形种子 20 ~ 50。味苦、涩。

| **功能主治** | 苦、辛、酸，微寒。归脾、胃经。破气化痰，消积散痞。用于积滞内停，痞满胀痛，泻痢后重，大便不通，痰滞气阻，胸痹，结胸证，胃下垂，脱肛，子宫脱垂。

| **用法用量** | 内服煎汤，6 ~ 9 g；外用适量，煎汤熏洗。

芸香科 Rutaceae 裸芸香属 Psilopeganum

裸芸香

Psilopeganum sinense Hemsl.

| 药 材 名 | 裸芸香（药用部位：全草）。

| 形态特征 | 多年生草本，高 30 ～ 80 cm。根纤细。叶有柑橘叶香气，叶柄长
8 ～ 15 mm；小叶椭圆形或倒卵状椭圆形，中间 1 小叶最大，长很
少达 3 cm，宽不到 1 cm，两侧 2 甚小，长 4 ～ 10 mm，宽 2 ～ 6 mm，
先端钝或圆，微凹缺，下部狭至楔尖，边缘有不规则亦不明显的钝
裂齿，无毛，背面灰绿色。花梗在花蕾及结果时下垂，开花时挺直，
花蕾时长约 5 mm，结果时长至 15 mm；萼片卵形，长约 1 mm，
绿色；花瓣盛花时平展，卵状椭圆形，长 4 ～ 6 mm，宽约 2 mm；
雄蕊略短于花瓣，花丝黄色，花药甚小；雌蕊心形而略长，顶部中
央凹陷，花柱淡黄绿色，自雌蕊群的中央凹陷处长出，长不超过
2 mm。蓇葖果，顶部呈口状凹陷并开裂，2 室；种子长约 1.5 mm，

厚约 1 mm。花果期 5 ~ 8 月。

| **生境分布** | 生于沙砾滩地及丘陵。分布于湖南怀化（沅陵）等。

| **资源情况** | 野生资源稀少。药材来源于野生。

| **采收加工** | 4 ~ 6 月采收，扎把，晒干。

| **功能主治** | 解表，平喘，利水，止呕。

| **用法用量** | 内服煎汤，6 ~ 15 g。

芸香科 Rutaceae 茵芋属 Skimmia

茵芋

Skimmia reevesiana Fort.

| 药 材 名 | 茵芋（药用部位：茎叶）。

| 形态特征 | 常绿灌木，高 0.5 ~ 1 m，全株芳香。单叶互生，常集生于枝顶；叶柄长 4 ~ 10 mm，绿色或淡红色；叶片革质，具腺点，通常呈长椭圆状披针形或披针形，稀呈倒披针形，长 7 ~ 11 cm，宽 2 ~ 3 cm，先端渐尖，基部楔形，全缘或中部以上有疏而浅的锯齿，上面深绿色，主脉上密被短柔毛，下面淡绿色，主脉于上面稍隆起，侧脉不明显，无毛。花常为两性，白色，芳香；苞片小，卵形；萼片 5，广卵形；花瓣 5，长圆形至卵状长圆形，长 3 ~ 5 mm，在花蕾时各瓣大小略不等；雄蕊 5，与花瓣等长或较花瓣长；子房上位，近圆球形，4 ~ 5 室，花柱短，柱头头状。核果浆果状，长圆形至卵状长圆形，长 10 ~ 15 mm，红色，有残存花萼。花期 4 ~ 5 月，果期

10 ~ 12 月。

| **生境分布** | 生于树下。分布于湖南常德（醴陵）、株洲（宜章、临武、汝城、桂东）、永州（江永）、张家界（慈利、桑植）。

| **资源情况** | 野生资源较丰富。栽培资源较少。药材来源于野生。

| **采收加工** | 全年均可采收，切段，晒干。

| **功能主治** | 辛、苦，温；有毒。归肝、肾经。祛风胜湿。用于风湿痹痛，四肢挛急，两足软弱。

| **用法用量** | 内服浸酒或入丸剂，0.9 ~ 1.8 g。

芸香科 Rutaceae 飞龙掌血属 *Toddalia*

飞龙掌血 *Toddalia asiatica* (L.) Lam.

| 药 材 名 | 飞龙掌血（药用部位：根）。

| 形态特征 | 木质蔓生藤本。枝与分枝常有向下弯曲的皮刺；老枝褐色，幼枝淡绿色或黄绿色，常被有褐锈色的短柔毛和白色圆形皮孔。三出复叶互生；总叶柄长 3 ~ 5 cm；小叶无柄；小叶片革质，倒卵形、倒卵状长圆形或长圆形，长 3.5 ~ 9 cm，宽 1.5 ~ 3.5 cm，先端急尖或微尖而钝头，基部楔形，边缘有细钝锯齿，齿缝及叶片都有透明腺点，两面无毛。花单性，白色至淡黄色；萼片与花瓣均为 4 ~ 5；雄花常排成腋生的圆锥状聚伞花序，雄蕊 4 ~ 5，花瓣长约 3 mm；雌花比雄花稍大，不育雄蕊 4 ~ 5，长不及雌蕊的 1/2，子房上位，近圆球形，被毛，3 ~ 5 室，每室有上下叠生的胚珠 2。核果近球形，直径 8 ~ 10 mm，橙黄色至朱红色，有深色腺点，果皮肉质，表面

有微凸起的肋纹 3 ~ 5；种子肾形，黑色，有光泽。花期 10 ~ 12 月，果期 12 月至翌年 2 月。

| **生境分布** | 生于山林、路旁、灌丛或疏林中。分布于湘西、湘中、湘东等。

| **采收加工** | 全年均可采挖，洗净，鲜用，或切段，晒干。

| **药材性状** | 本品呈圆柱形，略弯曲，长约 30 cm，直径 0.5 ~ 4 cm，有的根头部直径可达 8 cm。表面灰棕色至深黄棕色，粗糙，有细纵纹及稍凸起的类圆形或长椭圆形白色皮孔。栓皮易脱落，露出棕褐色或浅红棕色的皮部。质坚硬，不易折断。断面皮部与木部界线明显，木部淡黄色，年轮显著。气微，味辛、苦，有辛凉感。

| **功能主治** | 苦，温；有小毒。活血散瘀，祛风除湿，消肿止痛。用于风寒感冒，胃痛，肋间神经痛，风湿关节痛，跌打损伤，咯血等。

芸香科 Rutaceae 花椒属 Zanthoxylum

椿叶花椒
Zanthoxylum ailanthoides Sieb. et Zucc.

| 药 材 名 | 椿叶花椒（药用部位：根、果实。别名：樗叶花椒、满天星、刺椒）。

| 形态特征 | 落叶乔木，高可达 15 m。茎干有鼓钉状皮刺。当年生枝的髓部甚大，各部无毛。叶片整齐对生，多数呈狭长披针形，位于叶轴基部的近卵形，顶部渐狭长尖，基部圆，叶缘有明显裂齿，油点多，肉眼可见，叶背灰绿色或有灰白色粉霜。花序顶生，多花；花瓣淡黄白色。分果瓣淡红褐色。8 ～ 9 月开花，10 ～ 12 月结果。

| 生境分布 | 生于温暖湿润且土层深厚、肥沃的壤土或砂壤土。分布于湖南长沙（望城）、常德（汉寿）、郴州（宜章、永兴）、永州（东安、双牌、蓝山、新田）、娄底（冷水江）、怀北（溆浦）等。

| **资源情况** | 野生资源丰富。栽培资源丰富。药材来源于野生。

| **采收加工** | 根，春、秋季采挖。果实，10 ～ 11 月采收，阴干。

| **功能主治** | 辛，苦，平；有小毒。根，祛风湿，止痛。用于腹痛，牙痛，风湿痹痛。果实，温中止痛，驱虫健胃。用于胃痛，腹痛，蛔虫病；外用于皮肤瘙痒，龋齿疼痛。

| **用法用量** | 根，外用适量。果实，内服煎汤，3 ～ 8 g；或研末，1 ～ 2 g。外用适量，煎汤洗或含漱。

芸香科 Rutaceae 花椒属 Zanthoxylum

竹叶花椒
Zanthoxylum armatum DC.

| 药 材 名 | 竹叶花椒（药用部位：果实、种子、根。别名：万花针、白总管、野花椒）。

| 形态特征 | 小乔木或灌木，高 3 ~ 5 m。茎枝多锐刺，刺基部宽而扁，红褐色，小枝上的刺劲直，水平抽出。通常有小叶 3 ~ 9，稀有小叶 11，翼叶明显，稀仅有痕迹；小叶对生，呈披针形、椭圆形或卵形；呈披针形者长 3 ~ 12 cm，宽 1 ~ 3 cm，两端尖，有时基部宽楔形，干后叶缘略向背卷，叶面稍粗皱；呈椭圆形者长 4 ~ 9 cm，宽 2 ~ 4.5 cm，先端中央 1 小叶最大，基部 1 对小叶最小；呈卵形者叶缘有甚小且疏离的裂齿，或近全缘，仅在齿缝处或沿小叶边缘有油点；小叶柄甚短或无柄。花序近腋生或同时生于侧枝之顶，长 2 ~ 5 cm，花少于 30；花被片 6 ~ 8，形状与大小几相同，长约 1.5 mm；雄蕊

5～6，药隔先端有干后变为褐黑色的油点1，不育雌蕊垫状凸起，先端2～3浅裂；雌花有心皮2～3，背部近顶侧各有1油点，花柱斜向背弯，不育雄蕊短线状。果实紫红色，有微凸起的少数油点，单个分果瓣直径4～5mm；种子直径3～4mm，褐黑色。花期4～5月，果期8～10月。

| 生境分布 | 生于低丘陵坡地至海拔2 100 m的山地。湖南各地均有分布。

| 资源情况 | 野生资源较丰富。栽培资源较少。药材来源于野生。

| 采收加工 | 果实、种子，秋季果实成熟后采收，晒干，或取种子用。根，全年均可采收，洗净，切片，晒干。

| 功能主治 | 辛，温。温中止痛，杀虫止痒。用于脘腹冷痛，呕吐，泄泻，虫积腹痛，蛔虫病，湿疹。

| 用法用量 | 内服煎汤，6～9 g；或研末，1～3 g。外用适量，煎汤洗或含漱；或浸酒搽；或研末，塞入龋齿洞中；或鲜品捣敷。

芸香科 Rutaceae 花椒属 Zanthoxylum

岭南花椒
Zanthoxylum austrosinense Huang

|药材名|

搜山虎（药用部位：根。别名：总管）。

|形态特征|

小乔木或灌木。高稀达 3 m。枝褐黑色，有少或多刺，各部无毛。叶轴浑圆；小叶 5 ~ 11，除位于顶部中央的 1 小叶有长 1 ~ 3 cm 的小叶柄外，其余无柄或几无柄，整齐对生，很少位于基部的 2 小叶为互生状，披针形，位于叶轴基部的通常卵形，长 6 ~ 11 cm，宽 3 ~ 5 cm，顶部渐尖，基部圆形或近心形，或一侧圆而另一侧斜向上展，油点清晰，干后暗红褐色至褐黑色，叶缘有裂齿，中脉在叶面稍凹陷或平坦，侧脉每边 11 ~ 15。花序顶生，通常生于侧枝之顶，花稀超过 30；花梗 5 ~ 8 mm；花单性，有时两性（则杂性同株）；花被片 7 ~ 9，近似 2 轮排列，各片的大小稍有差异，披针形，有时倒披针形，长约 1.5 mm，上半部暗紫红色，下半部淡黄绿色；两性花的雄蕊 3 ~ 4，心皮 4；雄花有雄蕊 6 ~ 8；雌花心皮 3 ~ 4，花柱比子房长，稍向背弯，柱头头状。果柄暗紫红色，长 1 ~ 2 cm；分果瓣与果柄同色，直径约 5 mm，有少数微凸起的油点，芒尖极短；种子长约 4 mm，厚 3 ~ 4 mm，先端略尖。花期 3 ~ 4 月，果期 8 ~ 9 月。

| **生境分布** | 生于海拔 300 ~ 900 m 的坡地疏林或灌丛中。分布于湖南怀化（沅陵）、邵阳（新宁、武冈）、张家界（桑植）等。

| **资源情况** | 野生资源较少。药材来源于野生。

| **采收加工** | 全年均可采挖，洗净，切片，晒干。

| **药材性状** | 本品呈圆柱形，略弯，有少数分枝，直径 0.3 ~ 0.5 cm。表面深黄棕色至深棕色，具细纵纹，皮孔近圆形或椭圆形，横向突出。质坚硬，折断面呈纤维性，横断面栓皮薄，深棕色，皮部淡棕色。

| **功能主治** | 辛，温；有小毒。归肺、胃、肝经。祛风解表，行气活血，消肿止痛。用于风寒感冒，风湿痹痛，气滞胃痛，龋齿痛，跌打肿痛，骨折，毒蛇咬伤。

| **用法用量** | 内服煎汤，2 ~ 6 g；或浸酒。外用适量，浸酒搽；或研末酒调敷。

芸香科 Rutaceae 花椒属 Zanthoxylum

簕欓花椒
Zanthoxylum avicennae (Lam.) DC.

| 药 材 名 | 鹰不泊根（药用部位：根）、鹰不泊叶（药用部位：嫩叶）、鹰不泊果（药用部位：果实）。

| 形态特征 | 落叶乔木。高稀达 15 m。树干有鸡爪状刺；刺基部扁圆而增厚，形似鼓钉，并有环纹。幼苗的小叶甚小，但多达 31。幼龄树的枝及叶密生刺，各部无毛。叶有小叶 11 ~ 21，稀较少；小叶通常对生或偶有不整齐对生，斜卵形、斜长方形或呈镰状，有时倒卵形，幼苗小叶多为阔卵形，长 2.5 ~ 7 cm，宽 1 ~ 3 cm，顶部短尖或钝，两侧甚不对称，全缘或中部以上有疏裂齿，鲜叶的油点肉眼可见，也有的油点不明显；叶轴腹面有狭窄、绿色的叶质边缘，常呈狭翼状。花序顶生，具多花；花序轴及花梗有时紫红色；雄花花梗长 1 ~

3 mm；萼片及花瓣均 5；萼片宽卵形，绿色；花瓣黄白色，雌花的花瓣比雄花的稍长，长约 2.5 mm；雄花有雄蕊 5，退化雌蕊 2 浅裂；雌花有心皮 2，稀3，退化雄蕊极小。果柄长 3 ~ 6 mm，总梗比果柄长 1 ~ 3 倍；分果瓣淡紫红色，单个分果瓣直径 4 ~ 5 mm，先端无芒尖，油点大且多，微凸起；种子直径 3.5 ~ 4.5 mm。花期 6 ~ 8 月，果期 10 ~ 12 月，也有 10 月开花的。

| 生境分布 | 生于低海拔地区的平地、坡地或谷地，多见于次生林中。分布于湖南衡阳（祁东）、永州（东安）等。

| 资源情况 | 野生资源一般。药材来源于野生。

| 采收加工 | **鹰不泊根：**全年均可采收，洗净，切片，晒干。

鹰不泊叶：全年均可采收，洗净，切碎，鲜用或晒干。

鹰不泊果：9 ~ 10 月果实成熟时采收，晒干。

| 功能主治 | **鹰不泊根：**祛风除湿，活血止痛，利水消肿。用于风湿痹痛，跌打损伤，腰肌劳损，脘腹疼痛，黄疸水肿，带下，感冒，咳嗽。

鹰不泊叶：活血止痛，解毒消肿。用于跌打肿痛，腰肌劳损，黄疸，乳痈，肠痈，痔疮，疖肿。

鹰不泊果：行气活血，散寒止痛。用于胃痛，腹痛，小儿腹胀。

| 用法用量 | **鹰不泊根、鹰不泊叶、鹰不泊果：**内服煎汤，10 ~ 20 g；或浸酒。外用适量，浸酒擦。

芸香科 Rutaceae 花椒属 Zanthoxylum

花椒 *Zanthoxylum bungeanum* Maxim.

| 药 材 名 | 花椒（药用部位：果皮、种子。别名：香椒、大花椒、椒目）。

| 形态特征 | 落叶灌木或小乔木，高 3 ～ 7 m，具香气。茎干通常有增大的皮刺。奇数羽状复叶互生；叶柄两侧常有 1 对扁平且基部特宽的皮刺；小叶 5 ～ 11，对生，近无柄，纸质，卵形或卵状矩圆形，长 1.5 ～ 7 cm，宽 1 ～ 3 cm，边缘有细钝锯齿，齿缝处有粗大、透明的腺点，下面中脉基部两侧常被一簇锈褐色长柔毛。聚伞状圆锥花序顶生；花单性，花被片 4 ～ 8，1 轮；子房无柄。蓇葖果球形，红色至紫红色，密生凸起的疣状腺体。

| 生境分布 | 栽培于房屋附近、园圃等地。湖南各地有栽培。

| 资源情况 | 栽培资源较少。药材来源于栽培。

| **采收加工** | 秋季果实成熟后采收，削取果皮或取种子。

| **药材性状** | 本品果皮外表面紫红色或棕红色，散有多数凸起的疣状油点，油点直径 0.5 ~ 1 mm，对光观察呈半透明状；内表面淡黄色。香气浓，味麻辣而持久。

| **功能主治** | 温中散寒，除湿，止痛，杀虫，解鱼蟹毒。用于积食停饮，心腹冷痛，呕吐，呃逆，咳嗽，风寒湿痹，泄泻，痢疾，疝痛，齿痛，蛔虫病，蛲虫病，阴痒，疮疥。

| **用法用量** | 内服煎汤，3 ~ 9 g；或入丸、散剂。外用适量，研末调敷；或煎汤洗。

芸香科 Rutaceae 花椒属 Zanthoxylum

砚壳花椒

Zanthoxylum dissitum Hemsl.

| 药 材 名 | 大叶花椒（药用部位：果实。别名：大花椒、山枇杷、岩花椒）、大叶花椒根（药用部位：根。别名：公麒麟根）、大叶花椒茎叶（药用部位：茎叶）。

| 形态特征 | 攀缘藤本。老茎的皮灰白色；枝干上的刺多劲直，叶轴及小叶中脉上的刺呈向下的弯钩状，刺褐红色。叶有小叶 5 ~ 9，稀 3；小叶互生或近对生，形状多样，长达 20 cm，宽 1 ~ 8 cm 或更宽，全缘，两侧对称，稀一侧稍偏斜，顶部渐尖至长尾状，厚纸质或近革质，无毛，中脉在叶面凹陷，油点甚小，在放大镜下不易察见；小叶柄长 3 ~ 10 mm。花序腋生，通常长不超过 10 cm，花序轴有短细毛；萼片及花瓣均 4，油点不明显；萼片紫绿色，宽卵形，长不及

1 mm；花瓣淡黄绿色，宽卵形，长 4 ～ 5 mm；雄花的花梗长 1 ～ 3 mm，雄蕊 4，花丝长 5 ～ 6 mm，退化雌蕊先端 4 浅裂；雌花无退化雄蕊。果实密生于果序上，果柄短；果实棕色，外果皮比内果皮宽大，外果皮平滑，边缘较薄，干后显出弧形环圈，长 10 ～ 15 mm，残存花柱位于一侧；种子直径 8 ～ 10 mm。

| 生境分布 | 生于海拔 300 ～ 1 500 m 的坡地杂木林、灌丛中或石灰岩山地、土山上。湖南各地均有分布。

| 资源情况 | 野生资源丰富。药材来源于野生。

| 采收加工 | 大叶花椒：8 ～ 9 月果实成熟时采摘，晒干。
大叶花椒根：夏、秋季采挖，洗净，鲜用或切片晒干。
大叶花椒茎叶：夏、秋季采收，鲜用或晒干。

| 药材性状 | **大叶花椒**：本品外形似砚，直径 8 ～ 9 mm。果皮表面红色或黄褐色，极皱缩，愈向四周愈扁薄，边缘有 1 弧形凸环，先端尖，呈弯喙状；果皮质硬，内含种子。种子形如黑豆，直径 5 ～ 6 mm。气浓厚，味苦，麻舌。

大叶花椒根：本品呈圆柱形，长短不一，直径 0.5 ～ 5.5 cm。表面灰黄棕色至暗黄棕色，粗糙，具不明显的纵纹，皮孔众多。质坚硬，横断面栓皮较薄，皮部外侧有黄色斑点环，常易环裂，内侧白色，木部淡黄色。味微苦，麻舌。

大叶花椒茎叶：本品茎呈圆柱形；表面灰褐色或暗灰色，有纵向凸起的棱纹、乳头状凸起的皮刺或椭圆形的皮刺疤痕。质坚硬，难以折断，断面木质性，中心有圆形髓部。羽状复叶，互生；叶片长圆形、长圆状披针形或卵状长圆形，长 8 ～ 15 cm，宽 2.5 ～ 5 cm，先端渐尖，基部广楔形，全缘，两面光滑；叶柄短。小枝、叶柄、叶轴、有时叶下面中脉处有小锐刺。叶革质。气特异。味微苦而有刺喉感。

| 功能主治 | **大叶花椒**：辛，温；有小毒。散寒止痛，调经。用于疝气痛，月经过多。

大叶花椒根：苦、辛，温。祛风散寒，理气活血。用于风寒湿痹，气滞脘痛，寒疝腹痛，牙痛，跌打损伤。

大叶花椒茎叶：苦、辛，温。祛风散寒，活血止痛。用于风寒湿痹，胃痛，疝气痛，腰痛，跌打损伤。

| 用法用量 | **大叶花椒**：内服煎汤，3 ～ 9 g。

大叶花椒根：内服煎汤，9 ～ 15 g；或浸酒。外用适量，研末酒调敷；或煎汤洗。

大叶花椒茎叶：内服煎汤，9 ～ 15 g。

芸香科 Rutaceae 花椒属 Zanthoxylum

刺壳花椒

Zanthoxylum echinocarpum Hemsl.

| 药 材 名 | 单面针（药用部位：根或根皮、茎皮、种子）。

| 形态特征 | 攀缘藤本。嫩枝的髓部大。枝、叶有刺，叶轴上的刺较多，花序轴上的刺长短不均但劲直，嫩枝、叶轴、小叶柄及小叶叶面中脉均密被短柔毛。通常有小叶 5 ~ 11，稀有小叶 3；小叶厚纸质，或互生，或对生，卵形、卵状椭圆形或长椭圆形，长 7 ~ 13 cm，宽 2.5 ~ 5 cm，基部圆，有时略呈心形，全缘或近全缘，在叶缘附近有干后呈褐黑色的细油点，油点在放大镜下可见，有时叶背沿中脉被短柔毛；小叶柄长 2 ~ 5 mm。花序腋生，有时兼有顶生者；萼片及花瓣均为 4，萼片淡紫绿色；花瓣长 2 ~ 3 mm；雄蕊 4；雌花通常有心皮 4，稀有心皮 3 或 5，花后不久长出短小的芒刺。果柄长 1 ~ 3 mm；分果瓣密生长短不等且有分枝的刺，刺长可达 1 cm；种

子直径 6 ～ 8 mm。花期 4 ～ 5 月，果期 10 ～ 12 月。

| **生境分布** | 生于海拔 200 ～ 1 000 m 的山坡灌丛。湖南各地均有分布。

| **资源情况** | 野生资源较丰富。栽培资源较少。药材来源于野生。

| **采收加工** | 全年均可采收，晒干。

| **药材性状** | 本品根圆柱形，长短不一，直径 0.5 ～ 3 cm，表面黄棕色，具较密粗纵纹或浅纵沟。质坚硬，不易折断，折断面栓皮厚，易断裂，外侧黄棕色，内侧红棕色，横断面皮部灰色，木部淡棕色。气特异，味极苦。

| **功能主治** | 根，活血散瘀，续筋接骨。用于跌打损伤，骨折。茎皮，祛风活络。种子，理气止痛。用于脾运不健，厌食腹胀，脘腹气滞作痛，疝气疼痛。

| **用法用量** | 内服煎汤，9 ～ 15 g；或研末，1 ～ 1.5 g。

芸香科 Rutaceae 花椒属 Zanthoxylum

小花花椒 *Zanthoxylum micranthum* Hemsl.

| 药 材 名 | 小花花椒（药用部位：根皮、树皮、果实。别名：刺三百棒、野花椒、见血飞）。

| 形态特征 | 落叶乔木，高达 15 m。茎枝有稀疏短锐刺，花序轴及上部小枝均无刺或少刺。当年生枝的髓部甚小，各部无毛。叶轴腹面常有狭窄的叶质边缘；小叶 9 ~ 17，对生，位于叶轴下部的小叶不整齐对生，披针形，长 5 ~ 8 cm，宽 1 ~ 3 cm，顶部渐狭长尖，基部圆形或宽楔形，两侧对称，或一侧基部圆，另一侧基部略楔尖，干后叶背颜色较淡，两面无毛，油点多，对光透视油点清晰可见，叶缘有钝或圆裂齿，中脉凹陷，侧脉每边 8 ~ 12；小叶柄长 1.5 ~ 5 mm。花序顶生，具多花；萼片及花瓣均为 5；萼片宽卵形，宽约 0.3 mm；花瓣淡黄白色，长 1.5 ~ 2 mm；雄蕊 5，花盛开时雄蕊长约 3 mm，

退化雌蕊极短，3 浅裂或不裂；雌花通常具心皮 3，稀具心皮 4。分果瓣淡紫红色，干后呈淡灰黄色或灰褐色，直径约 5 mm，先端无或几无芒尖，油点小；种子长不超过 4 mm。花期 7 ~ 8 月，果期 10 ~ 11 月。

| 生境分布 |　生于海拔 1 200 m 以上的山坡林中较湿润处。分布于湖南永州（零陵）、湘西州（吉首、泸溪、花垣）、衡阳（常宁）、常德（临澧）等。

| 资源情况 |　野生资源较丰富。药材来源于野生。

| 采收加工 |　夏、秋季采收根皮、树皮，洗净，切片，晒干；9 ~ 10 月采收果实，晒干。

| 功能主治 |　辛、苦，温。温中行气止痛。用于心腹冷痛胀满，蛔虫腹痛。

| 用法用量 |　内服煎汤，2 ~ 3 g。

芸香科 Rutaceae 花椒属 *Zanthoxylum*

朵花椒
Zanthoxylum molle Rehd.

| **药材名** | 朵花椒皮（药用部位：茎皮、枝皮）。

| **形态特征** | 落叶乔木，高达 10 m。树皮褐黑色。嫩枝暗紫红色。茎干有鼓钉状锐刺，花序轴及枝顶部散生较多的短直刺。嫩枝的髓部大且中空。叶轴浑圆，常被短毛；有小叶 13 ~ 19，生于顶部小枝上的小叶通常为 5 ~ 11，小叶对生，几无柄，厚纸质，阔卵形或椭圆形，稀近圆形，长 8 ~ 15 cm，宽 4 ~ 9 cm，顶部急尖，基部圆形或略呈心形，两侧对称，稀一侧偏斜，全缘或有细裂齿，中脉在叶面凹陷，侧脉每边 11 ~ 17，叶背密被白灰色或黄灰色毡状绒毛，油点不显或稀少，在放大镜下可见。花序顶生，多花，总花梗常有锐刺；花梗淡紫红色，密被短毛；萼片及花瓣均为 5；花瓣白色，长 2 ~ 3 mm；雄花的退化雌蕊约与花瓣等长，先端 3 浅裂；雌花的退化雄蕊极短，

心皮 3。果柄及分果瓣呈淡紫红色，干后呈淡黄灰色至灰棕色，先端无芒尖，直径 4 ~ 5 mm，油点多，干后凹陷；种子直径 3.5 ~ 4 mm。花期 6 ~ 8 月，果期 10 ~ 11 月。

| **生境分布** | 生于海拔 100 ~ 700 m 的丘陵地较干燥的疏林或灌丛中。分布于湖南邵阳（邵阳）、益阳（安化）、永州（双牌）、张家界（慈利）、怀化（沅陵）等。

| **资源情况** | 野生资源较丰富。药材来源于野生。

| **采收加工** | 夏、秋季采收，洗净，切片，晒干。

| **药材性状** | 本品茎皮外表面灰褐色，有纵向或横向乳头状钉刺，钉刺较大，先端锐尖。刺尖多脱落，基部直径达 2 cm，有的两钉刺生在一起。

| **功能主治** | 甘、辛，平。祛风通络，活血散瘀，散寒健胃，止吐泻。用于跌打损伤，风湿痹痛，蛇咬伤，外伤出血。

| **用法用量** | 内服煎汤，9 ~ 15 g。外用适量。

芸香科 Rutaceae 花椒属 Zanthoxylum

大叶臭花椒 *Zanthoxylum myriacanthum* Wallich ex J. D. Hooker

| 药 材 名 | 驱风通（药用部位：茎、枝、叶。别名：刺盐肤木、刺椿木、天星木）。

| 形态特征 | 落叶乔木，高达 15 m，胸径约 25 cm。茎干有鼓钉状锐刺，花序轴及小枝顶部有较多劲直锐刺。嫩枝的髓部大而中空。叶轴及小叶无刺；小叶 7 ~ 17，对生，宽卵形、卵状椭圆形或长圆形，位于叶轴基部的小叶有时近圆形，长 10 ~ 20 cm，宽 4 ~ 10 cm，基部圆形或宽楔形，两侧对称或一侧稍短且楔尖，两面无毛，油点多且大，干后微凸起，呈红色或黑褐色，叶缘有浅而明显的圆裂齿，齿缝有大油点 1，中脉在叶面凹陷，侧脉明显。花序顶生，长达 35 cm，宽 30 cm，多花；花枝被短柔毛；萼片及花瓣均为 5；花瓣白色，长约 2.5 mm；雄蕊 5，花丝比花瓣长，萼片宽卵形，长约 0.3 mm，退化雌蕊顶部 3 浅裂；雌花花瓣长约 3 mm，退化雄蕊极短，心皮通常为

3，稀为 2 或 4。分果瓣红褐色，直径约 4.5 mm，先端无芒尖，油点多；种子直径约 4 mm。花期 6 ~ 8 月，果期 9 ~ 11 月。枝、叶、果实均有浓烈的花椒香气或特殊气味。

| **生境分布** | 生于海拔 200 ~ 1 500 m 的疏林或密林中。分布于湖南永州（零陵）、怀化（溆浦）等。

| **资源情况** | 野生资源较丰富。药材来源于野生。

| **采收加工** | 全年均可采收，茎、枝切片后晒干，叶鲜用或晒干。

| **功能主治** | 辛、苦，微温。祛风除湿，活血散瘀，消肿止痛。用于风湿痹痛，跌打损伤，骨折，疮疥，痈疬，湿疹。

| **用法用量** | 内服煎汤，茎、枝 10 ~ 25 g，叶 6 ~ 15 g。外用适量，茎、枝煎汤洗；或干叶研末撒；或鲜叶捣烂，加酒调敷。

芸香科 Rutaceae 花椒属 Zanthoxylum

异叶花椒 *Zanthoxylum ovalifolium* Wight

| 药 材 名 |

羊山刺（药用部位：枝叶）。

| 形态特征 |

落叶乔木，高达 10 m。枝灰黑色，嫩枝及芽常有红锈色短柔毛，枝很少有刺。单小叶或指状 3 小叶，或 7 ~ 11 小叶；小叶卵形、椭圆形或倒卵形，通常长 4 ~ 9 cm，宽 2 ~ 3.5 cm，最大者长达 20 cm，宽约 7 cm，最小者长约 2 cm，宽约 1 cm，顶部钝形、圆形或短尖至渐尖，常有浅凹缺，两侧对称，叶缘有明显钝裂齿，或有针状小刺，油点多，在放大镜下可见，叶背的油点最清晰；网状叶脉明显，干后微凸起，叶面中脉平坦或微凸起，被微柔毛。花序顶生；花被片 6 ~ 8，稀 5，大小不等，形状略不相同，上宽下窄，先端圆，大者长 2 ~ 3 mm；雄蕊 6，退化雌蕊垫状；雌花的退化雄蕊 5 或 4，长约为子房的一半，常有甚萎缩的花药但无花粉，心皮 2 ~ 3，花柱斜向背弯。分果瓣紫红色，幼嫩时常被疏短毛，直径 6 ~ 8 mm，基部有甚短的狭柄，油点稀少，顶侧有短芒尖；种子直径 5 ~ 7 mm。花期 4 ~ 6 月，果期 9 ~ 11 月。

| **生境分布** | 生于海拔 300 ～ 1600 m 的山坡林缘、灌丛中。分布于湖南娄底（新化）、湘西州（花垣、古丈）、张家界（慈利）、常德（石门）等。

| **资源情况** | 野生资源较丰富。药材来源于野生。

| **药材性状** | 本品小枝圆柱形，外表面粗糙，红褐色，有纵棱线，小刺极少。单叶互生，叶片披针形，长 4 ～ 7 cm，宽 2 ～ 4 cm，先端渐尖，基部楔形，边缘有波状浅齿。小枝质硬脆，叶革质。气微，味微辛。

| **功能主治** | 辛，温；有小毒。散寒燥湿，活血散瘀。用于脚气，目翳。

| **用法用量** | 内服煎汤，9 ～ 30 g；或研末；或浸酒。外用适量，捣敷；或研末撒。

芸香科 Rutaceae 花椒属 *Zanthoxylum*

刺异叶花椒

Zanthoxylum ovalifolium Wight var. *spinifolium* (Rehd. et Wils.) Huang

药材名

散血飞（药用部位：根或根皮。别名：见血飞、刺三加、红三百棒）。

形态特征

灌木或小乔木，高 2 ~ 6 m。枝粗糙，具稀疏皮刺。奇数羽状复叶互生；小叶通常为 1 ~ 3，稀 3 ~ 5，革质，宽卵形至长圆形，长 4 ~ 12 cm，宽 2 ~ 5 cm，先端短渐尖，有时微凹，基部狭楔形，边缘有锯齿或针刺。聚伞状圆锥花序顶生或腋生，长 2 ~ 6 cm；花小型，单性，同株；花被片 7 ~ 8，有时 2 花被片合生，先端分叉，大小不等；雄蕊 4 ~ 6，退化心皮圆球形；雌花具退化雄蕊 4 ~ 5，心皮 2，分离。蓇葖果紫红色；种子球形，直径 4 ~ 5 mm，黑色，有光泽。

生境分布

生于丛林阴湿处或空旷地。分布于湖南怀化（中方、麻阳）、湘西州（吉首、花垣、永顺、龙山）、岳阳（平江）等。

资源情况

野生资源较丰富。药材来源于野生。

| **采收加工** | 全年均可采收。

| **功能主治** | 涩、辛，平。祛风散寒，活血舒筋，镇痛。用于风寒咳嗽，肢体麻木，跌打损伤，外伤出血，大便秘结。

| **用法用量** | 内服煎汤，15 ~ 25 g；或研末冲服。外用适量，捣敷；或研末撒。

芸香科 Rutaceae 花椒属 *Zanthoxylum*

花椒簕
Zanthoxylum scandens Bl.

| 药 材 名 | 花椒簕（药用部位：茎、叶、根。别名：通墙虎、山花椒、见血飞）。

| 形态特征 | 幼龄植株呈直立灌木状，其小枝细长而披垂，成龄植株攀缘于他树上，枝干有短钩刺，叶轴上的刺较多。小叶 5 ~ 25，多互生，近花序部分小叶较少，萌发枝上有较多小叶；位于叶轴上部的小叶对生，卵形、卵状椭圆形或斜长圆形，长 4 ~ 10 cm，宽 1.5 ~ 4 cm，稀较小，顶部短尖至长尾状尖，或突急尖至长渐尖，先端常钝且微凹缺，凹口处有 1 油点，基部短尖或宽楔形，或一侧近圆形，另一侧楔尖，两侧明显不对称或近对称，全缘或叶缘的上半段有细裂齿，干后呈乌黑色或黑褐色，叶面有光泽，老叶暗淡无光，中脉至少下半段凹陷且无毛，或有粉末状灰色微柔毛。花序腋生或兼有顶生者；萼片及花瓣均为 4；萼片淡紫绿色，宽卵形，长约 0.5 mm；

花瓣淡黄绿色，长 2 ~ 3 mm；雄蕊 4，长 3 ~ 4 mm，药隔顶部有 1 油点，退化雌蕊半圆形，垫状凸起，花柱 2 ~ 4 裂；雌花有心皮 4 或 3，退化雄蕊鳞片状。分果瓣紫红色，干后呈灰褐色或乌黑色，直径 4.5 ~ 5.5 mm，先端有短芒尖，油点通常不甚明显，平或稍凸起，有时凹陷；种子近圆球形，两端微尖，直径 4 ~ 5 mm。花期 3 ~ 5 月，果期 7 ~ 8 月。

| 生境分布 | 生于海拔 600 ~ 1 500 m 的山坡林下、溪谷林缘灌丛中或村边路旁。湖南各地均有分布。

| 资源情况 | 野生资源丰富。栽培资源丰富。药材来源于野生。

| 采收加工 | 全年均可采收，洗净，切片，晒干。

| 药材性状 | 本品枝条圆柱形，外表面棕褐色，有向下弯曲的皮刺，长约 1 mm。奇数羽状复叶，小叶片 13 ~ 25 或部分脱落，多呈卵形、椭圆形或略呈菱形，长 4 ~ 8 cm，宽 1.5 ~ 3.5 cm，先端长尾状渐尖，略弯，基部楔形，歪斜，上面具光泽，叶脉下凹，叶轴、叶脉凹沟内及中脉下部具疏短微柔毛，无腺点；纸质；气特异，味微苦。根圆柱形，长短不一，直径 1 ~ 2 cm；表面暗灰棕色，具较密纵沟；质坚硬，横断面栓皮暗黄棕色，易碎，皮部有淡棕色小点。味微苦。

| 功能主治 | 辛、苦，温。活血散瘀，镇痛，消肿解毒，祛风行气。用于胃痛，牙痛，风湿痹痛，湿疹，龋齿疼痛。

| 用法用量 | 内服煎汤，3 ~ 9 g。外用适量，煎汤熏洗。

芸香科 Rutaceae 花椒属 Zanthoxylum

青花椒
Zanthoxylum schinifolium Sieb. et Zucc.

| 药 材 名 | 花椒（药用部位：果实。别名：香椒、大花椒、椒目）。

| 形态特征 | 灌木，高 1 ~ 2 m。茎枝有短刺，刺基部两侧压扁状，嫩枝暗紫红色。树皮暗灰色，多皮刺，无毛。小叶 7 ~ 19，纸质，几无柄，位于叶轴基部的小叶常互生；叶柄长 1 ~ 3 mm；叶宽卵状披针形或阔卵状菱形，长 5 ~ 10 mm，宽 4 ~ 6 mm，顶部短至渐尖，基部圆形或宽楔形，两侧对称，有时一侧偏斜，油点多或不明显，叶面有在放大镜下可见的细短毛或毛状凸体，叶缘有细裂齿或近全缘，齿缝有腺点，下面苍青色，疏生腺点；叶轴具狭翅和稀疏而略向上的小皮刺。伞房状圆锥花序顶生，长 3 ~ 8 mm；花小而多，青色，单性，萼片及花瓣均为 5；花瓣淡黄白色，长约 2 mm；雌花有心皮 3 ~ 5。分果瓣红褐色，干后呈暗苍绿色或褐黑色，直径 4 ~ 5 mm，先端几无

芒尖，油点小；种子直径 3 ～ 4 mm；内果皮淡黄色，常由基部与外种皮分离并向内反卷，香气浓，味麻而持久。花期 7 ～ 9 月，果期 9 ～ 12 月。

| **生境分布** | 生于平原至海拔 800 m 的山地疏林、灌丛中或岩石旁等。湖南各地均有分布。

| **资源情况** | 野生资源丰富。栽培资源丰富。药材来源于栽培。

| **采收加工** | 秋季果实成熟时采收，晒干。

| **药材性状** | 本品多为上部离生的小蓇葖果，集生于小果柄上，球形，沿腹缝线开裂，直径 3 ～ 4 mm。外表面灰绿色或暗绿色，散有多数油点及细密的网状隆起皱纹；内表面类白色，光滑。内果皮常由基部与外果皮分离。残存种子呈卵形，长 3 ～ 4 mm，直径 2 ～ 3 mm，表面黑色，有光泽。气香，味微甜而辛。

| **功能主治** | 辛，温。温中止痛，杀虫止痒。用于脘腹冷痛，呕吐，泄泻，虫积腹痛；外用于湿疹，阴痒。

| **用法用量** | 内服煎汤，3 ～ 6 g。外用适量，煎汤熏洗。

芸香科 Rutaceae 花椒属 *Zanthoxylum*

野花椒
Zanthoxylum simulans Hance

药 材 名	野花椒（药用部位：果实。别名：花椒、岩椒）。
形态特征	灌木或小乔木。枝干散生基部宽而扁的锐刺，嫩枝、小叶背面沿中脉或仅中脉基部两侧及侧脉被短柔毛，或各部均无毛。小叶 5 ~ 15，对生，无柄或位于叶轴基部者有甚短小叶柄，卵形、卵状椭圆形或披针形，长 2.5 ~ 7 cm，宽 1.5 ~ 4 cm，两侧略不对称，顶部急尖或短尖，常有凹口，油点多，干后半透明且常微凸起，间有窝状凹陷，叶面常有刚毛状细刺，中脉凹陷，叶缘有疏离而浅的钝裂齿；叶轴有狭窄的叶质边缘，腹面沟状凹陷。花序顶生，长 1 ~ 5 cm；花被片 5 ~ 8，狭披针形、宽卵形或近三角形，有时大小、形状不同，长约 2 mm，淡黄绿色；雄蕊 5 ~ 8（~ 10），花丝及半圆形凸起的退化雌蕊均呈淡绿色，药隔先端有干后呈暗褐黑色的油点 1；

雌花花被片呈狭长披针形，心皮 2 ~ 3，花柱斜向背弯。果实红褐色，分果瓣基部变狭窄且略延长 1 ~ 2 mm，呈柄状，油点多，微凸起，单个分果瓣直径约 5 mm；种子长 4 ~ 4.5 mm。花期 3 ~ 5 月，果期 7 ~ 9 月。

| **生境分布** | 生于平地、低丘陵、山地疏林或密林下。湖南各地均有分布。

| **资源情况** | 野生资源丰富。药材来源于野生。

| **采收加工** | 7 ~ 8 月采收成熟的果实，除去杂质，晒干。

| **药材性状** | 本品分果球形，常 1 ~ 2 集生，每分果沿腹背缝线开裂达基部，直径 6 ~ 7 mm。表面褐红色，密生凸起的小油腺点。基部延长为子房柄，子房柄长约 2.5 mm，中部直径约 1 mm，具纵皱纹。种子卵球形，长 4 ~ 4.5 mm，直径 3.5 ~ 4 mm，黑色，光亮，基部种阜呈嵌入状。果皮质韧。气淡，味苦、微麻而辣，凉。

| **功能主治** | 辛，温；有小毒。温中止痛，杀虫止痒。用于脾胃虚寒，脘腹冷痛，呕吐，泄泻，蛔虫所致腹痛，湿疹，皮肤瘙痒，阴痒，龋齿疼痛。

| **用法用量** | 内服煎汤，3 ~ 6 g；或研末，1 ~ 2 g。外用适量，煎汤洗或含漱；或研末调敷。

芸香科 Rutaceae 花椒属 Zanthoxylum

狭叶花椒
Zanthoxylum stenophyllum Hemsl.

| 药材名 | 狭叶花椒（药用部位：果实）。

| 形态特征 | 小乔木或灌木。茎枝灰白色，当年生枝淡紫红色，小枝纤细，多刺，刺劲直且长，弯钩短小。通常有小叶 9 ~ 23，稀有较少小叶，小叶互生，披针形、狭长披针形或卵形，披针形者长 2 ~ 11 cm，宽 1 ~ 4 cm，狭长披针形者长 2 ~ 3.5 cm，宽 0.4 ~ 0.7 cm，卵形者长 8 ~ 16 mm，宽 6 ~ 8 mm，顶部长渐尖或短尖，基部楔尖至近圆形，油点不明显，叶缘有锯齿状裂齿，齿缝处有油点，中脉在叶面微凸起或平坦，至少下半段被微柔毛，至果期变为无毛，叶轴腹面微凹陷，呈纵沟状，被毛，网状叶脉在叶片两面均微凸起；小叶柄长 1 ~ 3 mm，腹面被挺直的短柔毛。伞房状聚伞花序顶生，花稀超过 30；雄花花梗长 2 ~ 5 mm；雌花花梗长 6 ~ 15 mm，结果时

伸长达 30 mm，紫红色，无毛；萼片及花瓣均为 4，萼片长约 0.5 mm，花瓣长 2.5 ～ 3 mm；雄蕊 4，药隔先端无油点，退化雌蕊浅盆状，花柱短，不分裂；雌花无退化雄蕊，花柱甚短。果柄长 1 ～ 3 cm，与分果瓣同色；分果瓣淡紫红色或鲜红色，直径 4.5 ～ 5 mm，稀较大，先端的芒尖长达 2.5 mm，油点干后常凹陷；种子直径约 4 mm。花期 5 ～ 6 月，果期 8 ～ 9 月。

| 生境分布 | 生于海拔 1 000 ～ 2 100 m 的山地灌丛中或路边。分布于湖南张家界（桑植）、郴州（桂东）等。

| 资源情况 | 野生资源较丰富。药材来源于野生。

| 采收加工 | 7 ～ 8 月采收成熟的果实，除去杂质，晒干。

| 功能主治 | 辛、苦，温。温胃，杀虫。用于脘腹冷痛，蛔虫病。

| 用法用量 | 内服煎汤，3 ～ 9 g；或研末，每次 1.5 g。

芸香科 Rutaceae 花椒属 Zanthoxylum

梗花椒
Zanthoxylum stipitatum C. C. Huang

| 药 材 名 | 梗花椒（药用部位：根皮、树皮。别名：麻口皮子药、红山椒、满山香）。

| 形态特征 | 灌木或小乔木，高 1 ~ 3 m。小叶 11 ~ 17，对生，几无柄或有长 1 ~ 2 mm 的小叶柄，披针形或卵形，长 1 ~ 3 cm，宽稀超过 1 cm，生于叶轴基部的小叶近圆形，位于叶轴上部的 1 ~ 3 小叶明显不对称，散生干后在叶面或两面均凸起的油点，中脉在叶面至少下半段裂缝状凹陷，侧脉不明显或甚纤细，叶缘有细裂齿，小叶背面紫红色或灰绿色，干后呈红褐色至暗黑色。花序顶生；花被片 6 ~ 8，大小几相等，通常呈披针形，长 2 ~ 3 mm。果轴、果柄、分果瓣均呈紫红色；果柄长 5 ~ 8（ ~ 10）mm，分果瓣长约 5 mm，宽 4 mm，干后的油点稍凸起，基部具狭窄且延长 1 ~ 3 mm 的短柄状体，

残存花柱长约 0.5 mm 或仅有痕迹；种子长约 4 mm，宽约 3.5 mm。花期 4 ~ 5 月，果期 7 ~ 8 月。

| **生境分布** | 生于海拔 100 ~ 800 m 的山坡或疏林、密林下。分布于湖南邵阳（洞口、城步、邵阳）、湘西州（凤凰）、怀化（沅陵、洪江、芷江）、衡阳（衡山）、郴州（宜章）、张家界（慈利）等。

| **资源情况** | 野生资源丰富。药材来源于野生。

| **采收加工** | 夏、秋季剥取根皮或树皮，晒干，置干燥处保存。

| **功能主治** | 辛、苦，平。祛风通络，活血散瘀。用于风湿关节痛，跌打肿痛。

| **用法用量** | 内服煎汤，9 ~ 15 g。外用适量。

芸香科 Rutaceae 花椒属 Zanthoxylum

浪叶花椒

Zanthoxylum undulatifolium Hemsl.

| 药 材 名 | 波叶花椒（药用部位：根皮、树皮）。

| 形态特征 | 小乔木，高约 3 m。当年生新枝及叶轴有零星短刺或无刺，有褐锈色微柔毛。小叶 3 ~ 5（~ 7），对生，卵形或卵状披针形，长 3 ~ 8 cm，宽 1.5 ~ 3.5 cm，稀较大，顶部短或渐尖，基部宽楔形或近圆形，叶缘波浪状，有钝或圆裂齿，齿缝处有 1 油点，其余处有零星数油点或无，仅在放大镜下可见，中脉在叶面平坦，侧脉每边 6 ~ 10，纤细，在叶缘附近叉状分枝且延伸至裂齿缺口与油点接合，叶背无毛，叶面有松散的微柔毛，位于叶轴先端的小叶有长 6 ~ 10 mm 的小叶柄，位于叶轴两侧的小叶几无柄。顶生伞房状聚伞花序；花被片 5 ~ 8。果柄及分果瓣呈红褐色；果柄长 7 ~ 14 mm，3 ~ 5 果柄聚生于同一总柄顶部；单个分果瓣直径约 5 mm，先端几

无芒尖，油点大，凹陷；种子直径约 4 mm。花期 4 ～ 5 月，果期 8 ～ 10 月。

| **生境分布** | 生于海拔 1 600 ～ 2 300 m 的山地林下或灌丛中。分布于湖南湘西州（永顺）等。

| **功能主治** | 辛、苦，平。用于脾胃虚寒，脘腹冷痛，呕吐，泄泻。

臭椿
Ailanthus altissima (Mill.) Swingle

| 药 材 名 | 椿皮（药用部位：根皮、干皮。别名：臭椿皮、苦椿皮）、凤眼草（药用部位：果实。别名：椿荚、凤眼子）、臭椿叶（药用部位：叶。别名：樗叶）。

| 形态特征 | 落叶乔木，高可达 20 m。树皮平滑而有直纹。嫩枝有髓，幼时被黄色或黄褐色柔毛，后毛渐脱落。叶为奇数羽状复叶，长 40 ~ 60 cm；叶柄长 7 ~ 13 cm；小叶 13 ~ 27，对生或近对生，纸质，卵状披针形，长 7 ~ 13 cm，宽 2.5 ~ 4 cm，先端长渐尖，基部偏斜，截形或稍呈圆形，两侧各具粗锯齿 1 或 2，齿背有腺体 1，叶面深绿色，背面灰绿色，揉碎后具臭味。圆锥花序长 10 ~ 30 cm；花淡绿色；花梗长 1 ~ 2.5 mm；萼片 5，覆瓦状排列，裂片长 0.5 ~ 1 mm；花瓣 5，长 2 ~ 2.5 mm，基部两侧被粗硬毛；雄蕊 10，花丝基部密

被粗硬毛，雄花中的花丝长于花瓣，雌花中的花丝短于花瓣，花药长圆形，长约 1 mm；心皮 5，花柱黏合，柱头 5 裂。翅果长椭圆形，长 3 ~ 4.5 cm，宽 1 ~ 1.2 cm；种子位于翅的中间，扁圆形。花期 4 ~ 5 月，果期 8 ~ 10 月。

| 生境分布 | 生于海拔 100 ~ 2 000 m 的向阳山坡或灌丛。湖南各地均有分布。

| 资源情况 | 野生资源较丰富。栽培资源较丰富。药材来源于栽培。

| 采收加工 | **椿皮**：春、夏季剥取根皮或干皮，刮去或不刮去粗皮，切成块片或丝，晒干。

凤眼草：8 ~ 9 月果实成熟时采收，除去果柄，晒干。

臭椿叶：春、夏季采收，鲜用或晒干。

| 药材性状 | **椿皮**：本品根皮呈扁块状或不规则卷片状，长、宽不一，厚 2 ~ 5（~ 10）mm；外表面灰黄色或黄棕色，粗糙，皮孔明显，纵向延长，微凸起，有时外表面栓皮剥落，呈淡黄白色，内表面淡黄色，较平坦，密布棱形小点或小孔；质坚脆，折断面强纤维性，易与外皮分离；微有油腥臭气，折断后臭气更甚，味苦。干皮多呈扁块状，厚 3 ~ 5 mm 或更厚；外表面暗灰色至灰黑色，具不规则纵横裂，皮孔大，去栓皮后呈淡棕黄色；折断面颗粒性。

凤眼草：本品呈菱状长椭圆形，扁平，长 3 ~ 4.5 cm，宽 1 ~ 1.5 cm。表面淡黄棕色，具细密纵脉纹，微具光泽，中央隆起，呈扁球形，其上有 1 明显的横向脊纹通向一侧。常无果柄。种子 1，扁心形，长约 5 mm，宽约 4 mm，种皮黄色，内有富油质、呈淡黄色的子叶 2。气微，味苦。

臭椿叶：本品多皱缩、破碎，完整者展平后为奇数羽状复叶，叶轴长，多折断，灰黄色，具小叶 10 余对，小叶片卵状披针形，长 7 ~ 12 cm，宽 2 ~ 4 cm，先端渐尖，基部一侧圆，一侧斜，近基部边缘常有 1 ~ 2 对粗锯齿。上表面暗绿色，下表面灰绿色。叶柄长 4 ~ 6 mm。质脆，易折断。气微，味淡。

| **功能主治** | **椿皮**：苦、涩，寒。归大肠、胃、肝经。清热燥湿，收涩止带，止泻，止血。用于带下，湿热泻痢，久泻久痢，便血，崩漏。

凤眼草：苦，寒；有小毒。活血祛风，清热利湿。用于风湿痹痛，便血，淋浊，带下，遗精。

臭椿叶：苦，凉；有小毒。清热燥湿，杀虫。用于湿热带下，泄泻，痢疾，湿疹，疮疥，疖肿。

| **用法用量** | **椿皮**：内服煎汤，6 ~ 12 g；或入丸、散剂。外用适量，煎汤洗；或熬膏涂。

凤眼草：内服煎汤，3 ~ 9 g；或研末。外用适量，煎汤洗。

臭椿叶：内服煎汤，6 ~ 15 g，鲜品 30 ~ 60 g；或绞汁。外用适量，煎汤洗。

苦木科 Simaroubaceae 苦树属 Picrasma

苦木 *Picrasma quassioides* (D. Don) Benn.

| 药 材 名 | 苦木（药用部位：木材。别名：苦胆树、熊胆树）、苦树皮（药用部位：茎皮。别名：苦皮子）、苦木根（药用部位：根或根皮）、苦木叶（药用部位：叶）。

| 形态特征 | 落叶灌木或小乔木。树皮灰褐色，平滑，有灰色皮孔及斑纹。小枝绿色至红褐色。羽状复叶互生；小叶 9 ～ 15，卵形或卵状椭圆形，长 4 ～ 10 cm，宽 2 ～ 4.5 cm，先端锐尖，边缘具不整齐钝锯齿，沿中脉有柔毛。伞房状总状花序腋生，花单性异株；萼片、花瓣、雄蕊及子房心皮均为 4 ～ 5 出数。核果倒卵形，3 ～ 4 核果并生，蓝色或红色，有宿萼。花期 4 ～ 6 月。

| 生境分布 | 生于海拔 2 400 m 以下的山地、溪边等。分布于湖南长沙（浏阳）、邵阳（邵阳）、怀化（通道、沅陵、溆浦、麻阳）、湘西州（吉首、龙山、保靖、古丈、花垣、永顺）、永州（双牌）、郴州（安仁）等。 |

| 资源情况 | 野生资源较丰富。栽培资源较丰富。药材来源于栽培。 |

| 采收加工 | **苦木：** 全年均可采收，除去茎皮，洗净，切片，晒干。 |

苦树皮：全年均可采收，剥取茎皮，切段，晒干。

苦木根：全年均可采挖，洗净，切片，晒干。

苦木叶：夏、秋季采收，洗净，切碎，晒干或鲜用。

| **药材性状** | 苦木：本品类圆形，直径达 30 cm，厚 1 cm。表面灰绿色或淡棕色，散布不规则的灰白色斑纹。树心处的块片呈深黄色。横切片年轮明显，射线放射状排列。质坚硬，折断面纤维状。气微，味苦。

苦树皮：本品呈单卷状、槽状或长片状，长 20 ~ 55 cm，宽 2 ~ 10 cm，大多数已除去栓皮。未除去栓皮的幼皮表面棕绿色，皮孔细小，淡棕色，稍凸起；未除去栓皮的老皮表面棕褐色，圆形皮孔纵向排列，中央下凹，四周凸起，常附有白色地衣斑纹。内表面黄白色，平滑。质脆，易折断，折断面略粗糙，可见微细的纤维。气微，味苦。

苦木叶：本品为奇数羽状复叶，易脱落。小叶卵状长圆形或卵状披针形，长 4 ~ 16 cm，宽 1.5 ~ 6 cm，先端锐尖，基部偏斜或稍圆，近无柄，柄上具柔毛，边缘具钝齿，叶面通常呈绿色，有的呈淡紫红色，沿中脉有柔毛。气微，味极苦。

| **功能主治** | 苦木：苦，寒；有小毒。清热解毒，燥湿杀虫。用于上呼吸道感染，肺炎，急性胃肠炎，痢疾，胆道感染，疮疖，疥癣，湿疹，烫火伤，毒蛇咬伤。

苦树皮：苦，寒；有小毒。清热燥湿，解毒杀虫。用于湿疹，疮毒，疥癣，蛔

虫病，急性胃肠炎。

苦木根：苦，寒；有小毒。清热燥湿，解毒杀虫。用于急性胃肠炎，痢疾，胆道感染，蛔虫病，疮疖，疥癣，湿疹，烫伤，毒蛇咬伤。

苦木叶：苦，寒；有小毒。清热解毒，燥湿杀虫。用于疮疖痈肿，无名肿毒，体癣，烫伤，外伤出血。

| 用法用量 | **苦木：**内服煎汤，6～15 g，大剂量可用30 g；或入丸、散剂。外用适量，煎汤洗；研末撒或调敷；或浸酒搽。

苦树皮：内服煎汤，3～9 g；或研末，每次1.5～3 g。外用适量，煎汤洗；或研末撒。

苦木根：内服煎汤，6～15 g，大剂量可用30 g；或研末。外用适量，煎汤洗；或研末涂敷；或浸酒搽。

苦木叶：外用适量，煎汤洗；研末撒或调敷；或鲜品捣敷。

楝科 Meliaceae 米仔兰属 Aglaia

米仔兰
Aglaia odorata Lour.

| 药 材 名 |

米仔兰（药用部位：枝叶。别名：树兰、鱼子兰）、米仔兰花（药用部位：花。别名：米兰花、树兰花）。

| 形态特征 |

灌木或小乔木。茎多小枝，幼枝顶部被锈色星状鳞片。叶长 5 ~ 12（~ 16）cm，叶轴和叶柄具狭翅；小叶 3 ~ 5，对生，厚纸质，长 2 ~ 7（~ 11）cm，宽 1 ~ 3.5（~ 5）cm，先端钝，基部楔形，两面均无毛，侧脉每边约 8，极纤细，侧脉与网脉在两面均微凸起。圆锥花序腋生，长 5 ~ 10 cm，无毛；花芳香，直径约 2 mm；雄花的花梗纤细，长 1.5 ~ 3 mm，两性花的花梗稍短而粗；花萼 5 裂，裂片圆形；花瓣 5，黄色，长圆形或近圆形，长 1.5 ~ 2 mm，先端圆而截平；雄蕊管略短于花瓣，倒卵形或近钟形，外面无毛，先端全缘或有圆齿，花药 5，卵形，内藏；子房卵形，密被黄色粗毛。果实为浆果，卵形或近球形，长 10 ~ 12 mm，初时被散生的星状鳞片，后鳞片脱落；种子有肉质假种皮。花期 5 ~ 12 月，果期 7 月至翌年 3 月。

| **生境分布** | 生于低海拔山地的疏林或灌木林中。分布于湖南株洲（醴陵、茶陵）、衡阳（蒸湘、雁峰、衡阳）、岳阳（华容、汨罗）、永州（冷水滩）、怀化（靖州）、娄底（涟源）等。

| **资源情况** | 野生资源较丰富。栽培资源较丰富。药材来源于栽培。

| **采收加工** | **米仔兰**：全年均可采收，洗净，晒干或鲜用。
米仔兰花：全年均可采摘，洗净，晒干或鲜用。

| **药材性状** | **米仔兰**：本品细枝灰白色至绿色，直径 2 ～ 5 mm，外表面有浅沟纹，并有凸起的枝痕、叶痕及多数细小的疣状突起。干燥的小叶片长椭圆形，长 2 ～ 6 cm，先端钝，基部楔形而下延，无柄，上面有浅显的网脉，下面羽脉明显，叶缘稍反卷。薄革质，稍柔韧。
米仔兰花：本品干燥花呈细小、均匀的颗粒状，棕色，下端有 1 细花梗，基部有小花萼 5，花冠由 5 花瓣紧包而成，内面有小而明显的花蕊，淡黄色。体轻，质硬稍脆。

| **功能主治** | **米仔兰**：辛，微温。活血散瘀，消肿止痛。用于风湿关节痛，跌打损伤，骨折，痈疮。
米仔兰花：辛、甘，平。行气宽中，宣肺止咳。用于气郁胸闷，食滞腹胀，感冒咳嗽。

| **用法用量** | **米仔兰**：内服煎汤，6 ～ 12 g。外用适量，捣敷；或熬膏涂。
米仔兰花：内服煎汤，3 ～ 9 g；或泡茶。

楝科 Meliaceae 麻楝属 Chukrasia

麻楝

Chukrasia tabularis A. Juss.

| 药 材 名 | 麻楝（药用部位：根皮）。

| 形态特征 | 乔木，高达 30 m。枝赤褐色，无毛，有苍白色皮孔。通常为偶数羽状复叶，长 30 ～ 50 cm，无毛；小叶 10 ～ 16，互生，纸质，卵形至长圆状披针形，长 7 ～ 12 cm，宽 3 ～ 5 cm，先端渐尖，基部偏斜而圆，全缘，两面均无毛。花两性，圆锥花序顶生和腋生，总花梗短，近无毛；花梗短，具节；苞片线形，长达 1 cm，早落；花萼浅杯状，5 ～ 6 裂，裂齿短而钝，外面略被极短柔毛；花瓣 4 ～ 5，黄色或略带紫色，长圆形，长 1.2 ～ 1.5 cm，外面中部以上被极稀疏的短柔毛 5；雄蕊管圆筒形，长 9 ～ 10 mm，无毛，先端近平截，花药 10；子房具柄，略被紧贴的短硬毛，花柱被毛，柱头头状。蒴果灰黄色或褐色，近球形，长约 4 cm，宽 3.5 ～ 4 cm，先端凸尖，

无毛，表面粗糙且有小疣点；种子扁平，椭圆形，直径约 5 mm，具膜质的翅。花期 4 ～ 5 月，果期 8 ～ 9 月。

| **生境分布** | 生于海拔 500 ～ 1 030 m 的山坡、山谷林中。

| **采收加工** | 全年均可采挖根，剥取根皮，洗净，鲜用或晒干。

| **功能主治** | 苦，寒。疏风清热。用于感冒发热。

| **用法用量** | 内服煎汤，6 ～ 10 g。

楝科 Meliaceae 楝属 *Melia*

楝
Melia azedarach L.

| 药 材 名 | 苦楝皮（药用部位：树皮、根皮。别名：楝木皮）、苦楝子（药用部位：果实。别名：土楝实）、苦楝花（药用部位：花）、苦楝叶（药用部位：叶）。

| 形态特征 | 落叶乔木，高达 10 m。树皮灰褐色，纵裂。叶为二至三回奇数羽状复叶，长 20 ～ 40 cm；小叶对生，卵形、椭圆形至披针形，长 3 ～ 7 cm，宽 2 ～ 3 cm，先端短渐尖，基部楔形或宽楔形，多少偏斜，边缘有钝锯齿，幼时被星状毛，后两面均无毛，侧脉每边 12 ～ 16，广展，向上斜举。圆锥花序与叶等长，无毛或幼时被鳞片状短柔毛；花萼 5 深裂，裂片卵形或长圆状卵形，先端急尖，外面被微柔毛；花瓣淡紫色，倒卵状匙形，长约 1 cm，两面均被微柔毛；雄蕊管紫色，无毛或近无毛，长 7 ～ 8 mm，有纵细脉，管口有钻

形、2 ～ 3 齿裂的狭裂片 10，花药 10，着生于裂片内侧，且与裂片互生，长椭圆形，先端微凸尖；子房近球形，5 ～ 6 室，无毛，每室有胚珠 2，花柱细长，柱头头状，先端具 5 齿，不伸出雄蕊管。核果球形至椭圆形，长 1 ～ 2 cm，宽 8 ～ 15 mm，内果皮木质，4 ～ 5 室，每室有种子 1；种子椭圆形。花期 4 ～ 5 月，果期 10 ～ 12 月。

| **生境分布** | 生于海拔 200 ～ 800 m 以上的丘陵岗地、低山。湖南各地均有分布。

| 资源情况 | 野生资源较丰富。栽培资源较丰富。药材来源于栽培。

| 采收加工 | **苦楝皮：**全年均可采收，除去泥沙，晒干。

苦楝子：秋、冬季果实成熟时采收，或收集落下的果实，晒干、阴干或烘干。

苦楝花：4 ~ 5 月采收，晒干、阴干或烘干。

苦楝叶：全年均可采收，鲜用或晒干。

| 药材性状 | **苦楝皮：**本品呈不规则板片状、槽状或半卷筒状，长、宽不一，厚 2 ~ 6 mm。外表面灰棕色或灰褐色，粗糙，有交织的纵皱纹和灰棕色点状皮孔，除去粗皮者呈淡黄色；内表面类白色或淡黄色。质韧，不易折断，断面纤维性，呈层片状，易剥离。气微，味苦。

苦楝子：本品呈长圆形至近球形，长 1.2 ~ 2 cm，直径 1.2 ~ 1.5 cm。外表面棕黄色至灰棕色，微有光泽，干皱，先端偶见花柱残痕，基部有果柄痕。果肉较松软，淡黄色，遇水浸润显黏性。果核卵圆形，坚硬，具 4 ~ 5 棱，内分 4 ~ 5 室，每室含种子 1。气特异，味酸、苦。

| 功能主治 | **苦楝皮：**苦，寒；有毒。归脾、胃、肝经。杀虫，疗癣。用于蛔虫病，蛲虫病，虫积腹痛；外用于疥癣瘙痒。

苦楝子：苦，寒；有小毒。归肝、胃经。理气，止痛，清湿热，驱虫。用于疥癣，冻疮，脘腹疼痛，疝痛，虫积腹痛，头癣。

苦楝花：苦，寒。清热祛湿，杀虫，止痒。用于热痱，头癣。

苦楝叶：苦，寒；有毒。清热燥湿，杀虫止痒，行气止痛。用于湿疹瘙痒，疮癣疥癞，蛇虫咬伤。

| **用法用量** | 苦楝皮：内服煎汤，6 ~ 15 g，鲜品 15 ~ 30 g；或入丸、散剂。外用适量，煎汤洗；或研末调敷。

苦楝子：内服煎汤，3 ~ 10 g。外用适量，研末调涂。

苦楝花：外用适量，研末撒或调涂。

苦楝叶：内服煎汤，5 ~ 10 g。外用适量，煎汤洗；或捣敷；或绞汁涂。

楝科　Meliaceae　地黄连属　*Munronia*

单叶地黄连

Munronia unifoliolata Oliv.

| 药 材 名 | 矮脚南（药用部位：全草）。

| 形态特征 | 矮小亚灌木，高 15 ~ 30 cm，全株被微柔毛。单叶，互生，坚纸质，长椭圆形，长 3 ~ 5.5（~ 7）cm，宽 1.3 ~ 1.5 cm，先端钝圆或短渐尖，基部宽楔形或圆形，全缘或有钝齿状裂片 1 ~ 3，两面均被微柔毛，侧脉每边 4 ~ 6，纤细，斜举；叶柄长 1.2 ~ 3 cm，被微柔毛。聚伞花序腋生，有花 1 ~ 3；萼 5 裂，裂片披针形，长 2 ~ 2.5 mm；花冠白色，长 1.7 ~ 2 cm，花冠管纤细，与裂片等长或较裂片长，被稀疏微柔毛，裂片倒披针状椭圆形；雄蕊管略突出，裂片 10，线形至披针形，花药具凸头，与裂齿等长，互生；花盘筒状；子房卵形，被毛，5 室，每室有叠生的胚珠 2。蒴果球形，被柔毛；种子背部半球形，腹面凹入。花期 7 ~ 9 月。

| **生境分布** | 生于海拔约 450 m 的岩石边和石缝中。分布于湘西州（吉首、古丈、永顺）、怀化（沅陵、芷江）等。

| **资源情况** | 野生资源较稀少。药材来源于野生。

| **采收加工** | 全年均可采收，洗净，鲜用或晒干。

| **功能主治** | 微苦、涩，凉。清热解毒，活血止痛。用于黄疸性肝炎，疮痈，跌打损伤，胃痛。

| **用法用量** | 内服煎汤，9 ~ 15 g；或浸酒。外用适量，捣敷。

棟科 Meliaceae 香椿属 Toona

红椿
Toona ciliata M. Roem.

| 药 材 名 | 红椿（药用部位：根皮。别名：红楝子）。

| 形态特征 | 大乔木，高可达 20 m。小枝初时被柔毛，渐无毛，有苍白色皮孔。羽状复叶长 25 ~ 40 cm，通常有小叶 7 ~ 8 对；叶柄长约为叶长的 1/4，圆柱形；小叶对生或近对生，纸质，长圆状卵形或披针形，长 8 ~ 15 cm，宽 2.5 ~ 6 cm，先端尾状渐尖，基部一侧圆形，另一侧楔形，全缘，两面均无毛或仅于背面脉腋内有毛，侧脉每边 12 ~ 18，背面凸起；小叶柄长 5 ~ 13 mm。圆锥花序顶生，约与叶等长或较叶稍短，被短硬毛或近无毛；花长约 5 mm，具短花梗，花梗长 1 ~ 2 mm；花萼短，5 裂，裂片钝，被微柔毛及睫毛；花瓣 5，白色，长圆形，长 4 ~ 5 mm，先端钝或具短尖，无毛或被微柔毛，边缘具睫毛；雄蕊 5，约与花瓣等长，花丝被稀疏柔毛，花药椭圆

形；花盘与子房等长，被粗毛，子房密被长硬毛，每室有胚珠 8 ～ 10，花柱无毛，柱头盘状，具 5 细纹。蒴果长椭圆形，长 2 ～ 3.5 cm，木质，干后呈紫褐色，有苍白色皮孔。

| **生境分布** | 生于海拔 560 ～ 1 550 m 的低山、丘陵岗地、中山等。分布于湖南衡阳（衡山）、湘西州（吉首、花垣）、怀化（沅陵）、邵阳（新宁）等。

| **资源情况** | 野生资源较稀少。药材来源于野生。

| **采收加工** | 春季剥取根皮，晒干。

| **功能主治** | 苦、涩，微寒。清热燥湿，收敛，杀虫。用于久泻，久痢，肠风便血，崩漏，带下，遗精，白浊，疳积，蛔虫病，疮癣。

| **用法用量** | 内服煎汤，6 ～ 15 g；或入丸、散剂。外用适量，煎汤洗；或研末调敷。

楝科 | Meliaceae | 香椿属 | Toona

香椿 Toona sinensis (Juss.) Roem.

| 药 材 名 | 椿白皮（药用部位：树皮、根皮。别名：香椿皮）、香椿子（药用部位：果实。别名：椿树子）、春尖油（药用部位：从树干流出的液汁。别名：椿树油）、椿叶（药用部位：叶。别名：椿木叶）、椿树花（药用部位：花。别名：椿花）。

| 形态特征 | 乔木。树皮粗糙，深褐色，片状脱落。叶具长柄；偶数羽状复叶长30 ~ 50 cm 或更长；小叶 16 ~ 20，对生或互生，纸质，卵状披针形或卵状长椭圆形，长 9 ~ 15 cm，宽 2.5 ~ 4 cm，先端尾尖，基部一侧圆形，另一侧楔形，不对称，全缘或有疏离的小锯齿，两面均无毛，无斑点，侧脉每边 18 ~ 24，平展，与中脉几成直角，背面略凸起；小叶柄长 5 ~ 10 mm。圆锥花序与叶等长或较叶长，被稀疏的锈色短柔毛或近无毛，小聚伞花序生于较短的小枝上，多

花；花长 4 ~ 5 mm，具短花梗；花萼 5 齿裂或浅波状，外面被柔毛，且有睫毛；花瓣 5，白色，长圆形，先端钝，长 4 ~ 5 mm，宽 2 ~ 3 mm，无毛；雄蕊 10，其中 5 雄蕊能育，5 雄蕊退化；花盘无毛，近念珠状。花期 6 ~ 8 月，果期 10 ~ 12 月。

| **生境分布** | 生于海拔 2 100 m 以下的低山、丘陵岗地、岗地、中山等。湖南各地均有分布。

| **资源情况** | 野生资源一般。栽培资源丰富。药材来源于野生和栽培。

| **采收加工** | 椿白皮：全年均可采收，剥取树皮或根皮，鲜用或晒干。
香椿子：秋季采收，晒干。
春尖油：春、夏季切割树干，收集从树干流出的液汁，晒干。
椿叶：春季采收，多鲜用。
椿树花：5 ~ 6 月采摘，晒干。

| **药材性状** | 椿白皮：本品呈半卷筒状或片状，厚 0.2 ~ 6 cm。外表面红棕色或棕褐色，有纵纹及裂隙，有时可见细小的圆形皮孔；内表面棕色，有细纵纹。质坚硬，断面纤维性，呈层状。有香气，味淡。

| **功能主治** | 椿白皮：苦、涩，微寒。归大肠、胃经。清热燥湿，涩肠，止血，止带，杀虫。用于泄泻，痢疾，肠风便血，崩漏，带下，蛔虫病，丝虫病，疮癣。
香椿子：辛、苦，温。归肺、肝、大肠经。祛风散寒，止痛。用于外感风寒，风湿痹痛，胃痛，疝气疼痛，痢疾。
春尖油：辛、苦，温。润燥解毒，通窍。用于鼻炎，手足皲裂，疔疮。
椿叶：辛、苦，平；有小毒。归脾、胃经。祛暑化湿，解毒，杀虫。用于暑湿伤中，恶心呕吐，食欲不振，泄泻，痢疾，痈疽肿毒，疥疮，白秃疮。
椿树花：辛、苦，温。归肝、肺经。祛风除湿，行气止痛。用于风湿痹痛，久咳，痔疮。

| **用法用量** | 椿白皮：内服煎汤，6 ~ 15 g；或入丸、散剂。外用适量，煎汤洗；或熬膏涂；或研末调敷。
香椿子：内服煎汤，6 ~ 15 g；或研末。
春尖油：内服烊化，6 ~ 9 g。
椿叶：内服煎汤，30 ~ 60 g。外用适量，煎汤洗；或捣敷。
椿树花：内服煎汤，6 ~ 15 g。外用适量，煎汤洗。

远志科 Polygalaceae 远志属 Polygala

荷包山桂花
Polygala arillata Buth.-Nam. ex D. Don

| 药 材 名 |

鸡根（药用部位：根皮）。

| 形态特征 |

灌木或小乔木，高 1 ~ 5 m。小枝密被短柔毛，具纵棱；芽密被黄褐色毡毛。单叶互生，叶片纸质，椭圆形、长圆状椭圆形至长圆状披针形，长 6.5 ~ 14 cm，宽 2 ~ 2.5 cm，先端渐尖，基部楔形或钝圆，全缘，具缘毛，叶面绿色，背面淡绿色，两面均疏被短柔毛，沿脉较密，后渐无毛，主脉上面微凹，背面隆起，侧脉 5 ~ 6 对，于边缘附近网结，细脉网状，明显；叶柄长约 1 cm，被短柔毛。总状花序与叶对生，下垂，密被短柔毛，长 7 ~ 10 cm，果时长达 25（~ 30）cm；花长 13 ~ 20 mm，花梗长约 3 mm，被短柔毛，基部具三角状渐尖的苞片 1；萼片 5，具缘毛，花后脱落，外面 3 小，不等大，上面 1 深兜状，长 8 ~ 9 mm，侧生 2 卵形，长约 5 mm，宽约 3 mm，先端圆形，内萼片 2，花瓣状，红紫色，长圆状倒卵形，长 15 ~ 18 mm，与花瓣几成直角着生；花瓣 3，肥厚，黄色，侧生花瓣长 11 ~ 15 mm，较龙骨瓣短，2/3 以下与龙骨瓣合生，基部外侧耳状，龙骨瓣盔状，具丰富条裂的鸡冠状附属物；雄蕊 8，花丝长约 14 mm，2/3 以下联合成鞘，并与花瓣贴生，花药卵形，顶孔开裂；子房圆形，压扁，直径约 3 mm，具狭翅及缘毛，基部具肉质花盘，花柱长 8 ～ 12 mm，向先端弯曲，先端呈喇叭状 2 裂，柱头生于下裂片内。蒴果阔肾形至略心形，浆果状，长约 10 mm，宽 13 mm，成熟时紫红色，先端微缺，具短尖头，具狭翅及缘毛，果爿具同心圆状肋；种子球形，棕红色，直径约 4 mm，被极疏白色短柔毛，种脐端平截，圆形微凸起，亮黑色。花期 5 ～ 10 月，果期 6 ～ 11 月。

| **生境分布** | 生于海拔 1 200 ～ 2 000 m 的山坡林中。分布于湖南张家界（桑植）、常德（石门）、邵阳（新宁）、湘西州（永顺）等。

| **资源情况** | 野生资源稀少。药材来源于野生。

| **采收加工** | 全年均可采收。

| **功能主治** | 补气活血，祛风利湿。

远志科 Polygalaceae 远志属 *Polygala*

尾叶远志

Polygala caudata Rehd. et E. H. Wils.

| 药 材 名 | 水黄杨木（药用部位：根。别名：乌棒子）。

| 形态特征 | 灌木，高 1 ~ 3 m。幼枝上部被黄色短柔毛，后渐无毛，具纵棱槽。单叶，绝大部分呈螺旋状且紧密地排列于小枝顶部，叶片近革质，长圆形或倒披针形，稀呈倒卵状披针形，长 3 ~ 12 cm，宽 1 ~ 3 cm，先端尾状渐尖或细尖，基部渐狭至楔形，全缘，叶面深绿色，背面淡绿色，两面无毛，主脉在上面凹陷，在下面隆起，侧脉 7 ~ 12 对，在上面不明显，在下面凸起，于边缘处网结，网脉不明显；叶柄长 5 ~ 10 mm，上面具槽。总状花序顶生或生于顶部数个叶腋内，数个密集成伞房状花序或圆锥状花序，长 2.5 ~ 5（~ 7）cm，被短柔毛；花长 5（~ 8）mm；萼片 5，果时早落，外面 3 萼片小，卵形，长约 2 mm，宽约 1.5 mm，先端圆形，具缘毛，外面被短柔毛，

里面 2 萼片大，花瓣状，倒卵形至斜倒卵形，长 4.5（~ 6）mm，宽约 3 mm，先端钝圆，基部渐狭，具 3 脉；花瓣 3，白色、黄色或紫色，侧生花瓣与龙骨瓣于 3/4 以下合生，较龙骨瓣短，龙骨瓣长 5 mm，先端背部具 1 鸡冠状附属物；雄蕊 8，花丝长约 4 mm，3/4 以下连合成鞘，花药卵形；子房倒卵形，直径约 0.8 mm，基部具杯状花盘，花柱由下向上逐渐增粗，弯曲，先端 2 浅裂，柱头生于下裂片内。花期 11 月至翌年 5 月，果期翌年 5 ~ 12 月。

| 生境分布 | 生于海拔 1 000 ~ 1 800 m 的石灰山林下、丘陵岗地、中山等。分布于湖南湘西州（吉首、龙山、花垣、永顺）、邵阳（邵阳）、张家界（桑植）等。

| 资源情况 | 野生资源稀少。药材来源于野生。

| 采收加工 | 秋、冬季采收，洗净，切片，晒干。

| 药材性状 | 本品呈圆柱形，略弯曲。表面黄褐色，有纵皱纹。质硬，断面黄白色。气微，味甘。

| 功能主治 | 甘、微苦，凉。清热利湿，化痰止咳。用于咽喉肿痛，湿热黄疸，支气管炎。

| 用法用量 | 内服煎汤，15 ~ 30 g。

远志科 Polygalaceae 远志属 Polygala

黄花倒水莲

Polygala fallax Hemsl.

| 药 材 名 | 黄花倒水莲（药用部位：根、茎、叶。别名：黄花参）。

| 形态特征 | 灌木或小乔木，高 1 ~ 3 m。根粗壮，多分枝，表皮淡黄色。枝灰绿色，密被长而平展的短柔毛。单叶互生，叶片膜质，披针形至椭圆状披针形，长 8 ~ 17（~ 20）cm，宽 4 ~ 6.5 cm，先端渐尖，基部楔形至钝圆，全缘，叶面深绿色，背面淡绿色，两面均被短柔毛，主脉在上面凹陷，在下面隆起，侧脉 8 ~ 9 对，在下面凸起，于边缘网结，细脉明显，呈网状；叶柄长 9 ~ 14 mm，上面具槽，被短柔毛。总状花序顶生或腋生，长 10 ~ 15 cm，直立，花后延长达 30 cm，下垂，被短柔毛；花梗基部具线状长圆形小苞片，早落；萼片 5，早落，具缘毛，外面 3 萼片小，不等大，上面 1 萼片盔状，长 6 ~ 7 mm，其余 2 萼片卵形至椭圆形，长约 3 mm，里面 2 萼片大，

花瓣状，斜倒卵形，长约 1.5 cm，宽 7 ～ 8 mm，先端圆形，基部渐狭；花瓣 3，正黄色，侧生花瓣长圆形，长约 10 mm，2/3 以上与龙骨瓣合生，先端近截形，基部向上盔状延长，内侧无毛，龙骨瓣盔状，长约 12 mm，鸡冠状附属物具柄，流苏状，长约 3 mm；雄蕊 8，长 10 ～ 11 mm，花丝 2/3 以下连合成鞘，花药卵形；子房圆形，压扁，直径 3 ～ 4 mm，具缘毛，基部具环状花盘，花柱细，长 8 ～ 9 mm，先端略呈 2 浅裂的喇叭形，柱头具短柄。蒴果阔倒心形至圆形，绿黄色，直径 10 ～ 14 mm，具半同心圆状凸起的棱，无翅及缘毛，先端具喙状短尖头，具短柄；种子圆形，直径约 4 mm，棕黑色至黑色，密被白色短柔毛，种阜盔状，先端凸起。花期 5 ～ 8 月，果期 8 ～ 10 月。

| **生境分布** | 生于海拔 360 ～ 1 650 m 的低山、丘陵岗地、中山等。分布于湖南怀化（通道）、永州（道县、江华、蓝山、江永）、株洲（醴陵、茶陵、攸县）、岳阳（岳阳）、郴州（安仁、北湖、苏仙、宜章、汝城、临武、永兴、桂东）等。

| **资源情况** | 野生资源一般。栽培资源较少。药材来源于野生和栽培。

| **采收加工** | 茎、叶，春、夏季采收，切段，晒干。根，秋、冬季采挖，切片，晒干。

| **药材性状** | 本品根粗大，肥厚多肉，直径 0.6 ～ 3 cm，有分枝，表面淡黄色；味甜略苦。单叶互生，具柄；叶片薄，多皱缩，完整叶呈窄长方形或倒卵状披针形，长 5 ～ 20 cm，宽 3 ～ 7 cm，先端渐尖，基部渐窄，呈楔形或近圆形，全缘，两面无毛或疏生短柔毛。气微，味淡。

| **功能主治** | 甘、微苦，平。补虚健脾，散瘀通络。用于劳倦乏力，子宫脱垂，疳积，脾虚水肿，带下清稀，风湿痹痛，腰痛，月经不调，痛经，跌打损伤。

| **用法用量** | 内服煎汤，15 ～ 30 g。外用适量，捣敷。

远志科 Polygalaceae 远志属 Polygala

华南远志
Polygala chinensis L.

| 药 材 名 | 大金牛草（药用部位：带根全草。别名：肥儿草）。

| 形态特征 | 一年生直立草本，高 10 ~ 25（~ 90）cm。主根粗壮，橘黄色。茎基部木质化，分枝圆柱形，被卷曲短柔毛。叶互生，叶片纸质，倒卵形、椭圆形或披针形，长 2.6 ~ 10 cm，宽 1 ~ 1.5 cm，先端钝，具短尖头，或渐尖，基部楔形，全缘，微反卷，绿色，疏被短柔毛，主脉在上面凹入，在下面隆起，侧脉少数，在下面不明显；叶柄长约 1 mm，被柔毛。总状花序通常腋上生，稀腋生，较叶短，长仅 1 cm，花少而密集；花梗长约 1.5 mm，基部具披针形苞片 2，早落；花大，长约 4.5 mm；萼片 5，绿色，具缘毛，宿存，外面 3 萼片卵状披针形，长约 2 mm，先端渐尖，里面 2 萼片花瓣状，镰形，长约 4.5 mm，先端渐尖，基部具爪，具明显的 4 ~ 5 脉；花瓣

3，淡黄色或白色带淡红色，基部合生，侧瓣较龙骨瓣短，基部内侧具 1 簇白色柔毛，龙骨瓣长约 4 mm，先端具 2 束条裂的鸡冠状附属物；雄蕊 8，花丝长约 3 mm，中部以下合生成鞘，花药棒状卵形，顶孔开裂；子房圆形，侧扁，直径约 1 mm，具缘毛，花柱先端呈蹄铁状弯曲，柱头生其内。蒴果圆形，直径约 2 mm，具狭翅及缘毛，先端微凹；种子卵形，黑色，密被白色柔毛，种阜盔状，白色，沿种脐侧 2 裂。花期 4 ～ 10 月，果期 5 ～ 11 月。

| 生境分布 | 生于海拔 500 ～ 1 500 m 的丘陵岗地。分布于湖南郴州（汝城）、永州（新田）等。

| 资源情况 | 野生资源较少。药材来源于野生。

| 采收加工 | 春、夏季采收，切段，晒干。

| 药材性状 | 本品长 6 ～ 40 cm。茎被柔毛，多数有分枝。叶片皱缩，完整叶片呈椭圆形、长圆状披针形或卵圆形，长 1 ～ 6 cm，宽 0.5 ～ 1.5 cm，灰绿色或褐色，叶端常有 1 小突尖；叶柄短，有柔毛。蒴果长约 4 mm，先端内凹，边缘有缘毛，萼片宿存；种子基部有短裂的种阜 3。气无，味淡。

| 功能主治 | 辛、甘，平。祛痰，消积，散瘀，解毒。用于咳嗽，咽痛，疳积，跌打损伤，瘰疬，痈肿，毒蛇咬伤。

| 用法用量 | 内服煎汤，15 ～ 30 g。外用适量，捣敷；或研末调敷。

远志科 | Polygalaceae | 远志属 | *Polygala*

香港远志
Polygala hongkongensis Hemsl.

| 药 材 名 | 香港远志（药用部位：全草）。

| 形态特征 | 直立草本至亚灌木，高 15 ～ 50 cm。茎枝细，疏被至密被卷曲短柔毛。单叶互生，叶片纸质或膜质，茎下部叶小，卵形，长 1 ～ 2 cm，宽 5 ～ 15 mm，先端具短尖头，茎上部叶披针形，长 4 ～ 6 cm，宽 2 ～ 2.2 cm，先端渐尖，基部圆形，全缘，多少反卷，叶正面绿色，叶背面淡绿色至苍白色，两面均无毛，主脉在叶正面稍凹，在背面隆起，侧脉 3 对，不明显；叶柄长约 2 mm，被短柔毛。总状花序顶生，长 3 ～ 6 cm，花序轴及花梗被短柔毛，具疏松排列的 7 ～ 18 花；花长 7 ～ 9 mm；花梗长 1 ～ 2 mm，基部具 3 苞片，苞片钻形，花后脱落；萼片 5，宿存，具缘毛，外面 3 萼片呈舟形或椭圆形，内凹，长约 4 mm，中间 1 萼片沿中脉具狭翅，内萼片花瓣状，斜卵形，

长 5 ~ 8 mm，宽 3 ~ 5 mm，先端圆形，基部狭；花瓣 3，白色或紫色，侧瓣长 3 ~ 5 mm，深波状，2/5 以下与龙骨瓣合生，先端圆形，基部内侧被短柔毛，龙骨瓣盔状，长约 5 mm，先端具鸡冠状附属物；雄蕊 8，花丝长约 5 mm，2/3 以下合生成鞘，鞘 1/2 以下与花瓣贴生，并具缘毛，花药棒状，顶孔开裂；子房倒卵形，长约 1.5 mm，具柄，无毛，花柱扁平，弧曲，柱头 2，间隔排列。蒴果近圆形，直径约 4 mm，具阔翅，先端具缺刻，基部具宿存萼片；种子 2，卵形，直径约 1.5 mm，长约 2 mm，黑色，被白色细柔毛，种阜 3 裂，长为种子的 1/2。花期 5 ~ 6 月，果期 6 ~ 7 月。

| 生境分布 |　生于海拔 500 ~ 1 400 m 的沟谷林下或灌丛中。分布于湖南永州（蓝山）、湘西州（凤凰、永顺、泸溪）、郴州（北湖、苏仙、宜章、临武、永兴、嘉禾）、怀化（麻阳、芷江、辰溪、新晃）、益阳（安化）、张家界（桑植、永定、武陵源）、常德（桃源）。

| 资源情况 |　野生资源稀少。药材来源于野生。

| 功能主治 |　苦、微辛，温。活血，化痰，解毒。用于跌打损伤，咳嗽，附骨疽，失眠，毒蛇咬伤。

狭叶香港远志
Polygala hongkongensis var. *stenophylla* Migo

| 药 材 名 | 狭叶香港远志（药用部位：全草）。

| 形态特征 | 直立草本至亚灌木，高 15 ~ 50 cm。茎枝细，疏被至密被卷曲短柔毛。单叶互生，叶片纸质或膜质，茎下部叶小，卵形，长 1 ~ 2 cm，宽 5 ~ 15 mm，先端具短尖头，茎上部叶披针形，长 4 ~ 6 cm，宽 2 ~ 2.2 cm，先端渐尖，基部圆形，全缘，多少反卷，叶正面绿色，叶背面淡绿色至苍白色，两面均无毛，主脉在叶正面稍凹，在背面隆起，侧脉 3 对，不明显；叶柄长约 2 mm，被短柔毛。总状花序顶生，长 3 ~ 6 cm，花序轴及花梗被短柔毛，具疏松排列的 7 ~ 18 花；花长 7 ~ 9 mm；花梗长 1 ~ 2 mm，基部具 3 苞片，苞片钻形，花后脱落；萼片 5，宿存，具缘毛，外面 3 萼片舟形或椭圆形，内凹，长约 4 mm，中间 1 萼片沿中脉具狭翅，内萼片花瓣状，斜卵形，

长 5 ～ 8 mm，宽 3 ～ 5 mm，先端圆形，基部狭；花瓣 3，白色或紫色，侧瓣长 3 ～ 5 mm，深波状，2/5 以下与龙骨瓣合生，先端圆形，基部内侧被短柔毛，龙骨瓣盔状，长约 5 mm，先端具鸡冠状附属物；雄蕊 8，花丝长约 5 mm，2/3 以下合生成鞘，鞘 1/2 以下与花瓣贴生，并具缘毛，花药棒状，顶孔开裂；子房倒卵形，长约 1.5 mm，具柄，无毛，花柱扁平，弧曲，柱头 2，间隔排列。蒴果近圆形，直径约 4 mm，具阔翅，先端具缺刻，基部具宿存萼片；种子 2，卵形，直径约 1.5 mm，长约 2 mm，黑色，被白色细柔毛，种阜 3 裂，长为种子的 1/2。花期 5 ～ 6 月，果期 6 ～ 7 月。

| 生境分布 |　生于海拔 350 ～ 1 150 m 的岗地、丘陵岗地、低山、中山等。湖南各地均有分布。

| 资源情况 |　野生资源丰富。药材来源于野生。

| 功能主治 |　苦、辛，温。安神益智，散瘀，化痰，消肿。用于失眠，跌打损伤，咳喘，附骨疽，毒蛇咬伤。

远志科 Polygalaceae 远志属 Polygala

瓜子金 *Polygala japonica* Houtt.

| 药 材 名 | 瓜子金（药用部位：全草或根。别名：丁蒿）。

| 形态特征 | 多年生草本，高 15 ～ 20 cm。茎、枝直立或外倾，绿褐色或绿色，具纵棱，被卷曲短柔毛。单叶互生，叶片厚纸质或亚革质，卵形或卵状披针形，稀呈狭披针形，长 1 ～ 3 cm，宽（3 ～）5 ～ 9 mm，先端钝，具短尖头，基部阔楔形至圆形，全缘，叶正面绿色，叶背面淡绿色，两面无毛或被短柔毛，主脉在叶正面凹陷，在背面隆起，侧脉 3 ～ 5 对，在两面均凸起，并被短柔毛；叶柄长约 1 mm，被短柔毛。总状花序与叶对生，或腋外生，最上面 1 花序低于茎顶；花梗细，长约 7 mm，被短柔毛，基部具披针形苞片 1；萼片 5，宿存，外面 3 萼片披针形，长 4 mm，被短柔毛，里面 2 萼片花瓣状，卵形至长圆形，长约 6.5 mm，宽约 3 mm，先端圆形，具短尖头，基部

具爪；花瓣 3，白色至紫色，基部合生，侧瓣长圆形，长约 6 mm，基部内侧被短柔毛，龙骨瓣舟状，具鸡冠状附属物；雄蕊 8，花丝长 6 mm，全部合生成鞘，鞘 1/2 以下与花瓣贴生，且具缘毛，花药无柄，顶孔开裂；子房倒卵形，直径约 2 mm，具翅，花柱长约 5 mm，弯曲，柱头 2，间隔排列。蒴果圆形，直径约 6 mm，短于内萼片，先端凹陷，具喙状突尖，边缘有具横脉的阔翅，无缘毛；种子 2，卵形，长约 3 mm，直径约 1.5 mm，黑色，密被白色短柔毛，种阜 2 裂下延，疏被短柔毛。花期 4 ~ 5 月，果期 5 ~ 8 月。

| **生境分布** | 生于海拔 800 ~ 2 100 m 的丘陵岗地、岗地、低山、中山等。湖南各地均有分布。

| **资源情况** | 野生资源丰富。药材来源于野生。

| **采收加工** | 秋季采收，洗净，晒干。

| **药材性状** | 本品根呈圆柱形，稍弯曲，直径可达 4 mm，表面黄褐色，有纵皱纹，质硬，断面黄白色。茎分枝少，长 10 ~ 30 cm，灰绿色或灰棕色，被细柔毛。叶皱缩，展平后呈卵形或卵状披针形，长 1 ~ 3 cm，宽 0.5 ~ 1 cm，侧脉明显，先端短尖，基部圆形或楔形，全缘，灰绿色；叶柄短，被柔毛。总状花序腋生，最上面的花序低于茎的先端；花多皱缩。蒴果圆而扁，长约 7 mm，具宽翅，无缘毛，萼片宿存；种子扁卵形，褐色，密被柔毛，基部有长裂的种阜 3。气微，味微辛、苦。

| **功能主治** | 苦、微辛，平。归肺、肝、心经。祛痰止咳，散瘀止血，宁心安神，解毒消肿。用于咳嗽痰多，跌打损伤，风湿痹痛，吐血，便血，心悸，失眠，咽喉肿痛，痈肿疮疡，毒蛇咬伤。

| **用法用量** | 内服煎汤，6 ~ 15 g，鲜品 30 ~ 60 g；或研末；或浸酒。外用适量，捣敷；或研末调敷。

远志科 Polygalaceae 远志属 Polygala

曲江远志 *Polygala koi* Merr.

| **药材名** | 一包花（药用部位：全草。别名：红花倒水莲）。

| **形态特征** | 直立或平卧亚灌木，高 5 ～ 10 cm。茎木质，圆柱形，具半圆形叶痕，无毛或幼嫩部分被短柔毛。单叶互生，叶片或多或少肉质，椭圆形，长 1.5 ～ 4 cm，宽 0.6 ～ 1.5（～ 2）cm，先端钝或近圆形，具短尖头，基部楔形或近圆形，全缘，叶正面绿色，无毛或沿叶的边缘被白色短刚毛，背面淡绿色带紫色，无毛，主脉在叶正面微凹，在背面稍隆起，侧脉 3 对，不明显；叶柄长 5 ～ 10 mm，无毛。总状花序顶生，长 2.5 ～ 3 cm，花序轴被短柔毛，花多而密；花长约 10 mm；花梗长约 2 mm，无毛，基部具 1 苞片；苞片长圆状卵形，长约 2 mm，先端渐尖，具缘毛，花时不脱落；萼片 5，花后脱落，外面 3 萼片椭圆形，长约 3 mm，先端钝，无毛，内面 2 萼片椭圆状卵形，长

约 7 mm，宽约 3.5 mm，先端圆形，具 5 脉。花期 4 ~ 9 月，果期 6 ~ 10 月。

| **生境分布** | 生于中山、丘陵岗地。分布于湖南郴州（汝城）、永州（双牌）等。

| **资源情况** | 野生资源较少。药材来源于野生。

| **采收加工** | 春、夏季采收，晒干。

| **药材性状** | 本品无毛或幼茎被短绒毛。叶多为肉质，椭圆形，长 1.5 ~ 4 cm，宽 0.6 ~ 1.5 cm，先端钝或近圆形，基部楔形或近圆形，全缘，无毛或沿叶缘被小刚毛，背面淡紫色，无毛，侧脉不明显；叶柄长 5 ~ 10 cm。气微，味淡。

| **功能主治** | 辛、苦，平。化痰止咳，活血调经。用于咳嗽痰多，咽喉肿痛，疳积，跌打损伤，月经不调。

| **用法用量** | 内服煎汤，6 ~ 15 g；或研末。

远志科 Polygalaceae 远志属 Polygala

大叶金牛

Polygala latouchei Franch.

| 药 材 名 | 一包花（药用部位：全草。别名：岩生远志）。

| 形态特征 | 本种与曲江远志的区别在于：本种叶柄具狭翅；叶片卵状、倒卵状或椭圆状披针形，长 3.5 ~ 8 cm，宽 1.5 ~ 2.5 cm，基部偏斜，背面淡紫色；外萼片几相等，具鸡冠状附属物 2，先端 3 浅裂，花瓣3/4 以下合生；花果期 3 ~ 5 月。

| 生境分布 | 生于海拔 700 ~ 1 300 m 的林下岩石上或山坡草地。分布于湖南郴州（桂东）等。

| 资源情况 | 野生资源较少。药材来源于野生。

| 采收加工 | 春、夏季采收，晒干。

| **药材性状** | 本品茎细长，下部具凸起的圆形叶痕。叶纸质，密集于茎上部，完整叶片呈卵状、倒卵状或椭圆状披针形，长 3.5 ~ 8 cm，宽 1.5 ~ 2.2 cm，先端急尖，具骨质短尖头，基部偏斜，近圆形，上表面被小刚毛，背面暗紫色，无毛，侧脉弧曲；叶柄具狭翅，被短柔毛。气微，味淡。

| **功能主治** | 辛、苦，平。化痰止咳，活血调经。用于咳嗽痰多，咽喉肿痛，疳积，跌打损伤，月经不调。

| **用法用量** | 内服煎汤，6 ~ 15 g；或研末。

远志科 Polygalaceae 远志属 *Polygala*

西伯利亚远志 *Polygala sibirica* L.

| 药 材 名 | 远志（药用部位：根。别名：卵叶远志）、小草（药用部位：全草）。

| 形态特征 | 多年生草本，高 10 ~ 30 cm。根直立或斜生，木质。茎丛生，通常直立，被短柔毛。叶互生，纸质至亚革质，下部叶小，卵形，长约 6 mm，宽约 4 mm，先端钝，上部叶大，披针形或椭圆状披针形，长 1 ~ 2 cm，宽 3 ~ 6 mm，先端钝，具骨质短尖头，基部楔形，全缘，略反卷，绿色，两面被短柔毛，主脉在叶正面凹陷，在背面隆起，侧脉不明显，具短柄。总状花序腋外生或假顶生，通常高出茎顶，被短柔毛，具少数花；花长 6 ~ 10 mm，具小苞片 3，钻状披针形，长约 2 mm，被短柔毛；萼片 5，宿存，背面被短柔毛，具缘毛，外面 3 萼片披针形，长约 3 mm，里面 2 萼片花瓣状，近镰形，长约 7.5 mm，宽约 3 mm。花期 4 ~ 7 月，果期 5 ~ 8 月。

| 生境分布 | 生于海拔 1 100 ~ 2 100 m 的石砾、石灰岩山地灌丛、林缘或草地。分布于湖南常德（澧县、石门）、邵阳（隆回、洞口）、永州（祁阳、蓝山）、张家界（桑植、慈利）、湘西州（龙山）、郴州（安仁、宜章）、怀化（会同、靖州、芷江、洪江）等。

| 资源情况 | 野生资源稀少。药材来源于野生。

| 采收加工 | **远志：**栽种 3 ~ 4 年后，于秋季返苗后或春季出苗前采挖，除去杂质，用木棒敲打，使其松软，抽出木心，晒干。
小草：春、夏季采收，鲜用或晒干。

| 药材性状 | **远志：**本品长 4 ~ 18 cm，直径 2 ~ 8 mm，根头部茎基 2 ~ 5。表面粗糙，多数呈灰棕色或灰黑色，少数呈灰黄色，纵沟纹较多，横沟纹较少，支根多，长 2 ~ 5 cm。质较硬，不易折断，断面皮部薄，木心较大。味微苦。
小草：本品为不规则小段。茎细小，灰绿色，质脆易折断。叶线形，皱缩，多脱落。气微，味微苦。

| 功能主治 | **远志：**辛、苦，微温。归心、肺、肾经。宁心安神，祛痰开窍，解毒消肿。用于心神不安，惊悸，失眠，健忘，惊痫，咳嗽痰多，痈疽发背，乳房肿痛。
小草：辛、苦，平。归肺、心经。祛痰，安神，消痈。用于咳嗽痰多，虚烦，惊恐，梦遗失精，胸痹。

| 用法用量 | **远志：**内服煎汤，3 ~ 10 g；或浸酒；或入丸、散剂。外用适量，研末酒调敷。
小草：内服煎汤，3 ~ 10 g；或入丸、散剂。外用适量，捣敷。

远志科 Polygalaceae 远志属 Polygala

小扁豆
Polygala tatarinowii Regel

| 药 材 名 | 小扁豆（药用部位：根。别名：小远志）。

| 形态特征 | 一年生草本，高 10 ～ 50 cm。茎方形，基部分枝，被极短柔毛。小叶 4 ～ 12 对，倒卵形、倒卵状长圆形至倒卵状披针形，长 6 ～ 20 mm，宽 2 ～ 5 mm，全缘，两面被白色长柔毛，无柄；托叶斜披针形，长 3 ～ 7 mm，被白色长柔毛；叶轴被柔毛。总状花序腋生，有花 1 ～ 3，花序轴及总花梗密被白色柔毛，花梗长 1 ～ 3 cm；萼 5 裂，萼筒浅杯状，裂片线状披针形，长 3 ～ 5 mm，密被白色长柔毛；花冠白色或蓝紫色，长 4.5 ～ 6.5 mm；雄蕊（9+1）两体；旗瓣倒卵形，翼瓣、龙骨瓣有瓣柄和耳；子房无毛，具短柄，花柱顶扁平，近轴面有髯毛。蒴果长圆形，膨胀，黄色，长 1 ～ 1.5 cm，宽 0.4 ～ 0.8 cm，有种子 1 ～ 2；种子褐色，双凸透镜形。花期 5 ～ 8

月，果期 8 ~ 9 月。

| **生境分布** | 生于海拔 600 ~ 2 100 m 的丘陵岗地、低山。分布于湖南湘西州（凤凰、花垣）、
张家界（桑植）、怀化（洪江）、娄底（新化）等。

| **资源情况** | 野生资源较少。药材来源于野生。

| **采收加工** | 夏、秋季采收，切段，晒干。

| **功能主治** | 辛，温。祛风活血，止痛。用于跌打损伤，风湿关节痛。

| **用法用量** | 内服煎汤，9 ~ 15 g。外用适量，捣敷；或研末调敷。

远志科 Polygalaceae 远志属 Polygala

远志

Polygala tenuifolia Willd.

| 药 材 名 |

远志（药用部位：根）。

| 形态特征 |

多年生草本，高 15 ~ 50 cm。主根粗壮，韧皮部肉质，浅黄色，长超过 10 cm。茎多数丛生，直立或倾斜，具纵棱槽，被短柔毛。单叶互生，叶片纸质，线形至线状披针形，长 1 ~ 3 cm，宽 0.5 ~ 3 mm，先端渐尖，基部楔形，全缘，反卷，无毛或极疏被微柔毛，主脉在上面凹陷，在背面隆起，侧脉不明显，近无柄。总状花序呈扁侧状，生于小枝先端，细弱，长 5 ~ 7 cm，通常略俯垂，少花，稀疏；苞片 3，披针形，长约 1 mm，先端渐尖，早落；萼片 5，宿存，无毛，外面 3 萼片线状披针形，长约 2.5 mm，急尖，里面 2 萼片花瓣状，倒卵形或长圆形，长约 5 mm，宽约 2.5 mm，先端圆形，具短尖头，沿中脉绿色，周围膜质，带紫堇色，基部具爪；花瓣 3，紫色，侧瓣斜长圆形，长约 4 mm，基部与龙骨瓣合生，基部内侧具柔毛，龙骨瓣较侧瓣长，具流苏状附属物；雄蕊 8，花丝 3/4 以下合生成鞘，具缘毛，3/4 以上两侧各 3 合生，花药无柄，中间 2 分离，花丝丝状，具狭翅，花药长卵形；子房扁圆形，先端微缺，花柱弯曲，先端呈喇叭形，柱头内藏。蒴果圆形，直径约 4 mm，先端微凹，具狭翅，无缘毛；种子卵形，直径约 2 mm，黑色，密被白色柔毛，具发达的 2 裂下延的种阜。花果期 5 ~ 9 月。

| **生境分布** | 生于海拔 200 ~ 2 000 m 的草原、山坡草地、灌丛以及杂木林下。分布于湖南张家界（桑植）等。

| **资源情况** | 野生资源稀少。药材来源于野生。

| **采收加工** | 春、秋季采挖，去除须根和泥沙，晒干或抽取木心晒干。

| **药材性状** | 本品呈圆柱形，略弯曲，长 2 ~ 30 cm，直径 0.2 ~ 1 cm。表面灰黄色至灰棕色，有较密并深陷的横皱纹、纵皱纹及裂纹，老根的横皱纹较密更深陷，略呈结节状。质硬而脆，易折断，断面皮部棕黄色，木部黄白色，皮部易与木部剥离，抽取木心者中空。气微，味苦、微辛，嚼之有刺喉感。

| **功能主治** | 安神益智，交通心肾，祛痰，消肿。用于心肾不交引起的失眠多梦、健忘惊悸、神志恍惚，咳痰不爽，疮疡肿毒，乳房肿痛。

| **用法用量** | 内服煎汤，3 ~ 10 g。

远志科 Polygalaceae 远志属 Polygala

长毛籽远志
Polygala wattersii Hance

| 药 材 名 | 长毛籽远志（药用部位：根）。

| 形态特征 | 灌木或小乔木，高 1 ~ 4 m。小枝圆柱形，具纵棱槽，幼时被腺毛状短柔毛。叶密集地排列于小枝顶部；叶片近革质，椭圆形、椭圆状披针形或倒披针形，长 4 ~ 10 cm，宽 1.5 ~ 3 cm，先端渐尖至尾状渐尖，基部渐狭至楔形，全缘，波状，叶正面绿色，叶背面淡绿色，两面无毛，主脉在叶正面凹陷，在叶背面隆起，侧脉 8 ~ 9 对，在叶正面明显，在背面略凸起，于边缘附近网结，网脉不见；叶柄长 6 ~ 10 mm，上面具槽。2 ~ 5 总状花序成簇生于小枝近先端的数个叶腋内，长 3 ~ 7 cm，被白色腺毛状短细毛；花长 12 ~ 20 mm，疏松地排列于花序上；花梗长约 6 mm，基部具小苞片 3，中央苞片三角状渐尖，侧生者卵形，先端钝，早落。花期 4 ~ 6

月，果期 5 ～ 7 月。

| **生境分布** | 生于中山、丘陵岗地、低山。分布于湖南张家界（永定、武陵源）、湘西州（古丈、花垣、永顺）、郴州（汝城）、怀化（麻阳）。

| **资源情况** | 野生资源较少。药材来源于野生。

| **药材性状** | 本品小枝圆柱形，具纵棱槽，幼时被腺毛状短柔毛。

| **功能主治** | 清热解毒，滋补强壮，舒筋活血。

远志科 Polygalaceae　齿果草属 Salomonia

齿果草

Salomonia cantoniensis Lour.

| 药 材 名 | 吹云草（药用部位：全草。别名：吹魂草）。

| 形态特征 | 一年生直立草本，高 5 ～ 25 cm。根纤细，芳香。茎细弱，多分枝，无毛，具狭翅。单叶互生；叶片膜质，卵状心形或心形，长 5 ～ 16 mm，宽 5 ～ 12 mm，先端钝，具短尖头，基部心形，全缘或微波状，绿色，无毛，基出 3 脉；叶柄长 1.5 ～ 2 mm。穗状花序顶生，多花，长 1 ～ 6 cm，花后延长；花极小，长 2 ～ 3 mm，无梗，小苞片极小，早落；萼片 5，极小，线状钻形，基部连合，宿存；花瓣 3，淡红色，侧瓣长约 2.5 mm，龙骨瓣舟状，长约 3 mm，无鸡冠状附属物；雄蕊 4，花丝长约 2 mm，花丝几乎全部合生成鞘，并与花瓣基部贴生，鞘被蛛丝状柔毛，花药合生成块状；子房肾形，侧扁，直径约 1 mm，边缘具三角状长齿，2 室，每室具 1 胚珠。花

期 7 ~ 8 月，果期 8 ~ 10 月。

| **生境分布** | 生于海拔 600 ~ 1 450 m 的中山、丘陵岗地、低山等。分布于湖南张家界（武陵源）、郴州（宜章、汝城）、永州（江华）。

| **资源情况** | 野生资源较少。药材来源于野生。

| **采收加工** | 夏、秋季采收，洗净，鲜用或晒干。

| **药材性状** | 本品根纤细，芳香。茎细弱，无毛，具翅。

| **功能主治** | 微辛，平。解毒消肿，散瘀止痛。用于痈肿疮疡，无名肿痛，喉痹，毒蛇咬伤，跌打损伤，风湿关节痛，牙痛。

| **用法用量** | 内服煎汤，3 ~ 10 g。外用适量，捣敷；煎汤含漱或熏洗。

马桑科 Coriariaceae 马桑属 Coriaria

马桑

Coriaria nepalensis Wall.

| 药 材 名 | 马桑果（药用部位：果实）、马桑叶（药用部位：叶）、马桑根（药用部位：根。别名：乌龙须）、马桑树皮（药用部位：茎皮）。

| 形态特征 | 灌木，高 1.5 ~ 2.5 m。分枝水平开展，小枝四棱形或具 4 狭翅，幼枝疏被微柔毛，后无毛，常带紫色，老枝紫褐色，具显著凸起的圆形皮孔；芽鳞膜质，卵形或卵状三角形，长 1 ~ 2 mm，紫红色，无毛。叶对生，纸质至薄革质，椭圆形或阔椭圆形，长 2.5 ~ 8 cm，宽 1.5 ~ 4 cm，先端急尖，基部圆形，全缘，两面无毛或沿脉上疏被毛，基出 3 脉，弧形伸至先端，在叶正面微凹，在叶背面凸起；叶柄短，长 2 ~ 3 mm，疏被毛，紫色，基部具垫状突起物。总状花序生于二年生的枝条上，雄花序先叶开放，长 1.5 ~ 2.5 cm，多花密集，序轴被腺状微柔毛；苞片和小苞片卵圆形，长约 2.5 mm，宽

约 2 mm，膜质，半透明，内凹，上部边缘具流苏状细齿。

| **生境分布** | 生于海拔 400 ～ 2 100 m 的丘陵岗地、低山、岗地、中山。湖南各地均有分布。

| **资源情况** | 野生资源丰富。药材来源于野生。

| **采收加工** | 马桑果：4 ～ 5 月采收，鲜用或晒干。

马桑叶：4 ～ 5 月采收，鲜用或晒干。

马桑根：秋、冬季采挖，除净泥土，晒干。

| **功能主治** | 马桑果：用于手脚麻木，风火牙痛，痰饮，痞块，瘰疬，跌扑损伤，急性结膜炎，烫火伤。

马桑叶：辛、苦，寒；有毒。清热解毒，消肿止痛，杀虫。用于痈疽，肿毒，疥癣，黄水疮，烫火伤，痔疮，跌打损伤；外用于烫火伤，头癣，湿疹，疮疡肿毒。

马桑根：苦、酸，凉；有毒。祛风除湿，清热解毒。用于手脚麻木，风火牙痛，痰饮，痞块，瘰疬，跌扑损伤，急性结膜炎，烫火伤。

马桑树皮：敛疮，祛风除湿，镇痛，杀虫。

| **用法用量** | 马桑叶：外用适量，捣敷；或煎汤洗；或研末调敷。

马桑根：内服煎汤，3 ～ 9 g。外用适量，煎汤洗；或研末敷。

漆树科 Anacardiaceae 南酸枣属 Choerospondias

南酸枣
Choerospondias axillaris (Roxb.) B. L. Burtt et A. W. Hill

| 药 材 名 | 五眼果树皮（药用部位：树皮）、南酸枣（药用部位：果实或果核。别名：五眼果）。

| 形态特征 | 落叶乔木，高可达 20 m。树干挺直，树皮灰褐色。小枝粗壮，暗紫褐色，具皮孔，无毛。奇数羽状复叶互生，卵状椭圆形或长椭圆形。花杂性，异株；雄花和假两性花淡紫红色，排列成顶生或腋生的聚伞状圆锥花序，雌花单生于上部叶腋内。核果椭圆形或倒卵形，成熟时呈黄色，中果皮肉质，浆状。花期 4 月，果期 8 ~ 10 月。

| 生境分布 | 生于海拔 300 ~ 2 000 m 的山坡、丘陵和沟谷林中。

| 资源情况 | 野生资源一般。栽培资源丰富。药材来源于野生和栽培。

| 采收加工 | 五眼果树皮：全年均可采收，晒干。
南酸枣：9 ~ 10 月果实成熟时采收，鲜用；或取果核，晒干。

| 药材性状 | 南酸枣：本品果实呈椭圆形或卵圆形，长 2 ~ 3 cm，直径 1.4 ~ 2 cm，表面黑褐色或棕褐色，稍有光泽，具不规则折皱，基部有果柄痕，果肉棕褐色。果核近卵形，红棕色或黄棕色，先端有明显的小孔 5，质坚硬；种子 5，长圆形。无臭，味酸。

| 功能主治 | 五眼果树皮：酸、涩，凉。清热解毒，祛湿杀虫。用于疮疡，烫火伤，阴囊湿疹，痢疾，带下，疥癣。
南酸枣：甘、酸，平。行气活血，养心，安神。消食，解毒，醒酒，杀虫。用于胸痛，心悸气短，神经衰弱，失眠，支气管炎，食滞腹满，腹泻，疝气，烫火伤。

| 用法用量 | 五眼果树皮：内服煎汤，15 ~ 30 g。外用适量，煎汤洗；或熬膏涂。
南酸枣：内服煎汤，果实 30 ~ 60 g，果核 15 ~ 24 g；或嚼食，鲜果 2 ~ 3 枚。外用适量，果核煅炭，研末调敷。

漆树科 Anacardiaceae 黄栌属 Cotinus

黄栌

Cotinus coggygria Scop.

| 药 材 名 | 黄栌（药用部位：根、枝、叶）。

| 形态特征 | 小乔木，高达 8 m。嫩枝被毛，叶互生，叶柄细长，长约 1.5 cm；叶片宽卵形、近圆形或宽倒卵形，长 3 ~ 8 cm，宽 2.5 ~ 6 cm，先端微凹或钝，基部圆形或宽楔形，全缘，无毛或仅下面脉上有短柔毛，秋后变为红色，侧脉 6 ~ 11 对，平行，排列整齐。花小，黄绿色，组成大形顶生圆锥花序；花杂性，直径约 3 mm；萼片、花瓣及雄蕊各 5；子房具 2 ~ 3 侧生的短花柱。果序长 5 ~ 20 cm，不育花花梗宿存，紫绿色，细长羽毛状；核果小，肾形，直径 3 ~ 4 mm，成熟时红色。花期 5 ~ 7 月。

| 生境分布 | 生于海拔 700 ~ 1 620 m 的向阳山坡林中。分布于湖南张家界（桑

植）、常德（石门）等。

| **资源情况** | 野生资源稀少。药材来源于野生。

| **采收加工** | 根，全年均可采挖。枝、叶，夏季枝叶密茂时采收。

| **功能主治** | 清热解毒，散瘀止痛。

漆树科 Anacardiaceae 黄栌属 Cotinus

毛黄栌

Cotinus coggygria Scop. var. *pubescens* Engl.

|药材名|

黄栌根（药用部位：根）、黄栌枝叶（药用部位：枝叶）。

|形态特征|

落叶灌木或小乔木，高达 8 m。枝红褐色。单叶互生，卵圆形至倒卵形，长 4 ~ 8 cm，全缘。圆锥花序顶生。

|生境分布|

生于海拔 600 ~ 1 500 m 的丘陵岗地。分布于湖南湘西州（保靖、永顺）等。

|资源情况|

野生资源稀少。药材来源于野生。

|采收加工|

黄栌根：全年均可采挖，洗净，晒干。
黄栌枝叶：夏、秋季采收，扎成把，晒干。

|药材性状|

黄栌枝叶：本品叶片纸质，多皱缩、破碎，完整者展平后呈卵圆形至倒卵形，长 3 ~ 8 cm，宽 2.5 ~ 10 cm，灰绿色，两面均被白色短绒毛，下表面沿叶脉处毛较密；叶柄长 1.4 ~ 7.5 cm。气微香，味涩、微苦。

| 功能主治 | **黄栌根**：苦、辛，寒。清热利湿，散瘀解毒。用于胸痛，心悸气短，神经衰弱，失眠，支气管炎，食积腹满，腹泻，疝气，烫火伤。

黄栌枝叶：苦、辛，寒。清热解毒，活血止痛。用于黄疸性肝炎，丹毒，漆疮，烫火伤，结膜炎，跌打损伤。

| 用法用量 | **黄栌根**：内服煎汤，10 ~ 30 g。外用适量，煎汤洗。

黄栌枝叶：内服煎汤，9 ~ 15 g。外用适量，煎汤洗；或捣敷。

漆树科 Anacardiaceae 黄连木属 Pistacia

黄连木
Pistacia chinensis Bunge

| 药 材 名 | 黄楝树（药用部位：叶芽、叶、根、树皮。别名：凉茶树）。

| 形态特征 | 落叶乔木，高 25 ~ 30 m。树干扭曲。树皮暗褐色，鳞片状剥落。幼枝灰棕色，具细小皮孔，疏被微柔毛或近无毛。奇数羽状复叶互生，有小叶 5 ~ 6 对；叶轴具条纹，被微柔毛，叶柄上面平，被微柔毛；小叶对生或近对生，纸质，披针形、卵状披针形或线状披针形，长 5 ~ 10 cm，宽 1.5 ~ 2.5 cm，先端渐尖或长渐尖，基部偏斜，全缘，两面沿中脉和侧脉被卷曲微柔毛或近无毛，侧脉和细脉在两面均凸起；小叶柄长 1 ~ 2 mm。花单性异株，先花后叶，圆锥花序腋生，雄花序排列紧密，长 6 ~ 7 cm，雌花序排列疏松，长 15 ~ 20 cm，均被微柔毛；花小；花梗长约 1 mm，被微柔毛；苞片披针形或狭披针形，内凹，长 1.5 ~ 2 mm，外面被微柔毛，边缘具睫毛；子房球形，

无毛，直径约 0.5 mm，花柱极短，柱头 3，厚，肉质，红色。

| **生境分布** | 生于海拔 140 ～ 2 100 m 的丘陵岗地、岗地、低山等。湖南各地均有分布。

| **资源情况** | 野生资源一般。药材来源于野生。

| **采收加工** | 叶芽，春季采集，鲜用。叶，夏、秋季采收，鲜用或晒干。根、树皮，全年均可采收，洗净，切片，晒干。

| **功能主治** | 苦、涩，寒。清暑，生津，解毒，利湿。用于暑热口渴，咽喉肿痛，口舌糜烂，吐泻，痢疾，淋证，无名肿毒。

| **用法用量** | 内服煎汤，15 ～ 30 g；或腌食，叶芽适量。外用适量，捣汁涂；或煎汤洗。

漆树科 Anacardiaceae 盐肤木属 Rhus

盐肤木 _Rhus chinensis_ Mill.

| 药 材 名 | 盐肤子（药用部位：果实。别名：盐梅子）、盐肤叶（药用部位：叶）、盐肤木根（药用部位：根。别名：五倍根）、盐肤木根皮（药用部位：根皮）、盐肤木皮（药用部位：树皮。别名：盐麸树白皮）。

| 形态特征 | 落叶小乔木，高 2 ~ 10 m。小枝棕褐色，被锈色柔毛，具圆形小皮孔。奇数羽状复叶有小叶（2 ~）3 ~ 6 对，纸质，边缘具粗钝锯齿，背面密被灰褐色毛，叶轴具较宽叶状翅，小叶自下而上逐渐增大，叶轴和叶柄密被锈色柔毛；小叶呈卵形、椭圆状卵形或长圆形，长 6 ~ 12 cm，宽 3 ~ 7 cm，先端急尖，基部圆形，顶生小叶基部楔形，边缘具粗锯齿或圆齿，叶面暗绿色，叶背粉绿色，被白粉，叶面沿中脉疏被柔毛或近无毛，叶背被锈色柔毛，脉上毛较密，侧脉和细脉在叶正面凹陷，在叶背面凸起；小叶无柄。圆锥花序宽大，

多分枝，雄花序长 30 ~ 40 cm，雌花序较短，密被锈色柔毛；苞片披针形，长约 1 mm，被微柔毛，小苞片极小；花乳白色；花梗长约 1 mm，被微柔毛。花期 7 ~ 9 月，果期 10 ~ 11 月。

| **生境分布** | 生于海拔 350 ~ 2 300 m 的岗地、丘陵岗地、低山、中山。湖南各地均有分布。

| **资源情况** | 野生资源丰富。栽培资源较少。药材来源于野生和栽培。

| **采收加工** | 盐肤子：10 月果实成熟时采收，鲜用或晒干。
盐肤叶：夏、秋季采收，随采随用。
盐肤木根：全年均可采挖，鲜用，或切片晒干。
盐肤木根皮：全年均可采挖根，洗净，剥取根皮，鲜用或晒干。
盐肤木皮：夏、秋季剥取树皮，去掉栓皮层，留取韧皮部，鲜用或晒干。

| **功能主治** | 盐肤子：酸、咸，凉；无毒。生津润肺，降火化痰，敛汗，止痢。用于咳嗽，喉痹，黄疸，盗汗，痢疾，顽癣，痈毒，头风白屑。
盐肤叶：酸、微苦，凉。止咳，止血，收敛解毒。用于咳嗽，便血，血痢，盗汗，痈疽，疮疡，湿疹，蛇虫咬伤。
盐肤木根：酸、咸，平。祛风湿，利水消肿，活血，解毒。用于风湿痹痛，水肿，咳嗽，跌打肿痛，乳痈，癣疮。
盐肤木根皮：酸、咸，微寒。清热利湿，解毒散瘀。用于黄疸，水肿，风湿痹痛，疳积，疮疡肿毒，跌打损伤，毒蛇咬伤。
盐肤木皮：酸，微寒。清热解毒，活血止痢。用于血痢，痈肿，疮疥，蛇犬咬伤。

| **用法用量** | 盐肤子：内服煎汤，9 ~ 15 g；或研末。外用适量，煎汤洗；或捣敷；或研末调敷。
盐肤叶：内服煎汤，9 ~ 15 g，鲜品 30 ~ 60 g。外用适量，煎汤洗；或鲜品捣敷；或捣汁涂。
盐肤木根：内服煎汤，9 ~ 15 g，鲜品 30 ~ 60 g。外用适量，研末调敷；或煎汤洗；或鲜品捣敷。
盐肤木根皮：内服煎汤，15 ~ 60 g。外用适量，捣敷。
盐肤木皮：内服煎汤，15 ~ 60 g。外用适量，煎汤洗；或捣敷。

漆树科 Anacardiaceae 盐麸木属 *Rhus*

滨盐麸木 *Rhus chinensis* Mill. var. *roxburghii* (DC.) Rehd.

| 药 材 名 | 滨盐麸木（药用部位：根、叶、果实）。

| 形态特征 | 落叶小乔木或灌木，高 2 ~ 10 m。小枝棕褐色，被锈色柔毛，具圆形小皮孔。奇数羽状复叶有小叶 2 ~ 6 对，叶轴无翅，小叶自下而上逐渐增大，叶轴和叶柄密被锈色柔毛；小叶多形，卵形或椭圆状卵形或长圆形，长 6 ~ 12 cm，宽 3 ~ 7 cm，先端急尖，基部圆形，顶生小叶基部楔形，边缘具粗锯齿或圆齿，叶面暗绿色，叶背粉绿色，被白粉，叶面沿中脉疏被柔毛或近无毛，叶背被锈色柔毛，脉上较密，侧脉和细脉在叶面凹陷，在叶背凸起；小叶无柄。圆锥花序宽大，多分枝，雄花序长 30 ~ 40 cm，雌花序较短，密被锈色柔毛；苞片披针形，长约 1 mm，被微柔毛，小苞片极小，花白色，被

微柔毛；雄花：花萼外面被微柔毛，裂片长卵形，边缘具细睫毛；花瓣倒卵状长圆形，开花时外卷；雄蕊伸出，花丝线形，无毛，花药卵形；子房不育；雌花：花萼裂片较短，外面被微柔毛，边缘具细睫毛；花瓣椭圆状卵形，边缘具细睫毛，里面下部被柔毛；雄蕊极短；花盘无毛；子房卵形，密被白色微柔毛，花柱3，柱头头状。核果球形，略压扁，被具节柔毛和腺毛，成熟时红色。花期8～9月，果期10月。

| 生境分布 | 生于海拔300～2 000 m的山坡、沟谷疏林或灌丛中。分布于湖南张家界、邵阳（城步）、郴州（宜章）等。

| 资源情况 | 野生资源稀少。药材来源于野生。

| 功能主治 | 根，祛风，化湿，消肿，软坚。叶，化痰止咳，收敛，解毒。果实，生津润肺，降火化痰，敛汗，止痢。

漆树科 Anacardiaceae 盐肤木属 Rhus

红麸杨

Rhus punjabensis Stew. var. *sinica* (Diels) Rehd. et Wils

| 药 材 名 | 红麸杨（药用部位：根。别名：漆倍子）。

| 形态特征 | 落叶乔木或小乔木，高 4 ~ 15 m。树皮灰褐色。小枝被微柔毛。奇数羽状复叶有小叶 3 ~ 6 对，叶轴上部具极稀且不明显的狭翅；叶卵状长圆形或长圆形，长 5 ~ 12 cm，宽 2 ~ 4.5 cm，先端渐尖或长渐尖，基部圆形或近心形，全缘，叶背面疏被微柔毛或仅脉上被毛，侧脉较密，约 20 对，不达边缘，在叶背面明显凸起；叶无柄或近无柄。圆锥花序长 15 ~ 20 cm，密被微绒毛；苞片钻形，长 1 ~ 2 cm，被微绒毛；花小，直径约 3 mm，白色；花梗短，长约 1 mm；花萼外面疏被微柔毛，裂片狭三角形，长约 1 mm，宽约 0.5 mm，边缘具细睫毛；花瓣长圆形，长约 2 mm，宽约 1 mm，两面被微柔毛，边缘具细睫毛，开花时先端外卷；花丝线形，长约 2 mm，中下部被

微柔毛。花期 5 月，果期 9 ~ 10 月。

| **生境分布** | 生于海拔 460 ~ 2 100 m 的丘陵岗地、低山。分布于湖南张家界（桑植、永定）、湘西州（吉首、凤凰、龙山、保靖、古丈、花垣、永顺）、郴州（汝城）等。

| **采收加工** | 秋季采挖，洗净，切片，晒干。

| **功能主治** | 酸、涩，平。涩肠止泻。用于痢疾，腹泻。

| **用法用量** | 内服煎汤，9 ~ 15 g。

漆树科 Anacardiaceae 漆属 Toxicodendron

刺果毒漆藤

Toxicodendron radicans (L.) Kuntze subsp. *hispidum* (Engl.) Gillis

| 药 材 名 | 秦钩吻（药用部位：根。别名：野葛、毒根、除辛）。

| 形态特征 | 攀缘状灌木。具掌状 3 小叶；叶柄长 5 ～ 10 cm，被黄色柔毛，上面平或略具槽；侧生小叶长圆形或卵状椭圆形，长 6 ～ 13 cm，宽 3 ～ 7.5 cm，基部偏斜，圆形，全缘，顶生小叶倒卵状椭圆形或倒卵状长圆形，长 8 ～ 16 cm，宽 4 ～ 8.5 cm，最宽处在叶的中上部，先端急尖或短渐尖，基部渐狭；侧生小叶无柄或近无柄，顶生小叶柄长 0.5 ～ 2 cm，被柔毛。圆锥花序短，长约 5 cm，被黄褐色微硬毛；苞片长圆形；花黄绿色；花梗长约 2 mm，被毛；花萼裂片卵形，基部具褐色纵脉 3；花瓣长圆形，开花时外卷；雄蕊与花瓣等长，花丝线形，花药长圆形；子房球形。核果略偏斜，斜卵形，外果皮黄色，被刺毛，刺毛长达 1 mm，中果皮蜡质，果核黄色，坚硬。

| **生境分布** | 生于海拔 1 500 m 以上的林下。分布于湖南湘西州、张家界、永州（双牌）、衡阳（衡山）、株洲（炎陵）等。 |

| **资源情况** | 野生资源稀少。药材来源于野生。 |

| **采收加工** | 2 月或 8 月采挖，洗净，切片，晒干。 |

| **功能主治** | 辛，温；有大毒。温中。用于喉痹，咽中寒，声变，咳逆气。 |

| **附　　注** | 本品极毒，能引起漆疮。 |

漆树科 Anacardiaceae 漆属 Toxicodendron

野漆 *Toxicodendron succedaneum* (L.) O. Kuntze

| 药 材 名 | 野漆树根（药用部位：根或根皮。别名：林背子）、野漆树（药用部位：叶、树皮、果实。别名：染山红、漆树、山漆树）。

| 形态特征 | 落叶乔木或小乔木，高达 10 m。奇数羽状复叶互生，长 25 ~ 35 cm，有小叶 4 ~ 7 对；叶柄长 6 ~ 9 cm；小叶对生或近对生，坚纸质至薄革质，长圆状椭圆形、阔披针形或卵状披针形，长 5 ~ 16 cm，宽 2 ~ 5.5 cm，先端渐尖或长渐尖，基部稍偏斜，圆形或阔楔形，全缘，叶背常具白粉，侧脉 15 ~ 22 对；小叶柄长 2 ~ 5 mm。圆锥花序长 7 ~ 15 cm，多分枝，无毛；花黄绿色；花梗长约 2 mm；花萼裂片阔卵形；花瓣长圆形，中部具不明显的羽状脉或近无脉，开花时外卷；雄蕊伸出，花丝线形，花药卵形；花盘 5 裂；子房球形，花柱柱头 3 裂。核果大，偏斜，压扁，先端偏离中心，

外果皮薄，淡黄色，中果皮厚，蜡质，白色，果核坚硬，压扁。

| 生境分布 | 生于海拔 150 ～ 1 500 m 的林中。湖南各地均有分布。

| 资源情况 | 野生资源丰富。药材来源于野生。

| 采收加工 | **野漆树根**：全年均可采挖，洗净，鲜用，或切片，晒干。
　　　　　　野漆树：夏季采收，鲜用或晒干。

| 功能主治 | **野漆树根**：苦，寒；有小毒。散瘀止血，解毒。用于咯血，吐血，尿血，血崩，外伤出血，跌打损伤，疮毒疥癣，毒蛇咬伤。
　　　　　　野漆树：苦、涩，平；有小毒。平喘，解毒，散瘀消肿，止痛，止血。用于哮喘，急、慢性肝炎，胃痛，跌打损伤；外用于骨折，创伤出血。

| 用法用量 | **野漆树根**：内服煎汤，15 ～ 30 g。外用适量，鲜品捣敷，或干品研末调敷。
　　　　　　野漆树：内服煎汤，6 ～ 9 g。外用适量，捣敷。

漆树科 Anacardiaceae 漆属 Toxicodendron

木蜡树
Toxicodendron sylvestre (Siebold et Zucc.) Kuntze

| 药 材 名 |

木蜡树根（药用部位：根。别名：野漆树根）、木蜡树叶（药用部位：叶。别名：野漆树叶）。

| 形态特征 |

落叶乔木或小乔木，高达 10 m。奇数羽状复叶互生，有小叶 3 ~ 6 对，稀有小叶 7 对；叶柄长 4 ~ 8 cm；小叶对生，纸质，卵形、卵状椭圆形或长圆形，长 4 ~ 10 cm，宽 2 ~ 4 cm，先端渐尖或急尖，基部不对称，圆形或阔楔形，全缘，叶面中脉密被卷曲微柔毛，其余部位被平伏微柔毛，叶背面密被柔毛或仅脉上毛较密，侧脉 15 ~ 25 对，小叶无柄或具短柄。圆锥花序长 8 ~ 15 cm，密被锈色绒毛，总梗长 1.5 ~ 3 cm；花黄色；花梗长 1.5 mm，被卷曲微柔毛；花萼裂片卵形；花瓣长圆形，具暗褐色脉纹；雄蕊伸出，花丝线形，花药卵形，雌花雄蕊较短，花丝钻形；子房球形。核果极偏斜，压扁，先端偏于一侧，外果皮薄，具光泽，中果皮蜡质，果核坚硬。

| 生境分布 |

生于海拔 140 ~ 2 100 m 的山坡、山沟、灌木林中。湖南各地均有分布。

| 资源情况 | 野生资源丰富。药材来源于野生。

| 采收加工 | **木蜡树根**：夏、秋季采挖，洗净，切片，晒干。
木蜡树叶：夏、秋季采收，鲜用或晒干。

| 药材性状 | **木蜡树根**：本品呈类圆柱形、圆锥形或不规则块片状，直径 2 ～ 6 cm。表面多呈灰棕色至棕褐色，粗糙，具微突的红棕色斑点状或条状残余栓皮，有纵向皱纹；除去外皮呈灰黄色，光滑。质坚实，断面黄白色至灰黄色。气微，味微苦、涩。

| 功能主治 | **木蜡树根**：苦、涩，温；有小毒。祛瘀，止痛，止血。用于风湿腰痛，跌打损伤，刀伤出血，毒蛇咬伤。
木蜡树叶：辛，温；有小毒。祛瘀消肿，杀虫，解毒。用于跌打损伤，创伤出血，疥癣，钩虫病，疮毒，毒蛇咬伤。

| 用法用量 | **木蜡树根**：内服煎汤，9 ～ 15 g。外用适量，捣敷；或浸酒涂擦。
木蜡树叶：内服煎汤，9 ～ 15 g。外用适量，捣敷；或研末撒。

漆树科 Anacardiaceae 漆属 Toxicodendron

毛漆树 *Toxicodendron trichocarpum* (Miq.) Kuntze

| 药 材 名 | 毛漆树（药用部位：茎叶。别名：臭毛漆树、山黄树、刺果漆）、毛漆树根（药用部位：根或根皮）。

| 形态特征 | 落叶乔木或灌木。奇数羽状复叶互生，有小叶 4 ~ 7 对；叶柄长 5 ~ 7 cm；小叶纸质，卵形、倒卵状长圆形或椭圆形，自下而上逐渐增大，长 4 ~ 10 cm，宽 2.5 ~ 4.5 cm，先端渐尖，具钝头，基部略偏斜，圆形至截形，全缘，稀边缘具粗齿；小叶无柄或近无柄。圆锥花序长 10 ~ 20 cm，分枝总状花序式，长 1.5 ~ 3 cm；苞片狭线形，长约 1 mm；花黄绿色；花萼裂片狭三角形；花瓣倒卵状长圆形，长约 2 mm，开花时先端外卷；花丝线形，长约 1.5 mm，花药卵形；花盘 5 浅裂。核果扁圆形，长 5 ~ 6 mm，宽 7 ~ 8 mm，外果皮薄，黄色，疏被短刺毛，中果皮蜡质，具纵向褐色树脂道条纹，

果核坚硬，长 4 ~ 5 mm，宽约 6 mm。花期 6 月，果期 7 ~ 9 月。

| **生境分布** | 生于海拔 900 ~ 2 100 m 的山坡密林或灌丛中。分布于湖南湘西州（龙山、花垣）、张家界（慈利、桑植）、怀化（洪江、沅陵）、邵阳（绥宁）、永州（东安）、郴州（汝城）等。

| **资源情况** | 野生资源一般。药材来源于野生。

| **功能主治** | **毛漆树：** 苦，凉；有小毒。归肺经。解毒，祛风。用于痈疮，瘙痒。
毛漆树根： 止血，平喘，散瘀消肿，清热解毒。用于尿血，血崩，带下，哮喘，跌打损伤，急、慢性肝炎，胃痛，疮癣；外用于骨折，创伤出血。

漆树科 Anacardiaceae 漆属 Toxicodendron

漆树
Toxicodendron vernicifluum (Stokes) F. A. Barkley

| 药 材 名 |

干漆（药材来源：漆树树脂经加工而成的干燥品。别名：漆渣、漆底、漆脚）、漆树根（药用部位：根）、漆树木心（药用部位：心材）、漆树皮（药用部位：干皮或根皮）、漆叶（药用部位：叶）、漆子（药用部位：种子）。

| 形态特征 |

落叶乔木，高达 20 m。奇数羽状复叶互生，常螺旋状排列，有小叶 4 ~ 6 对；叶柄长 7 ~ 14 cm；小叶膜质至薄纸质，卵形、卵状椭圆形或长圆形，长 6 ~ 13 cm，宽 3 ~ 6 cm，先端急尖或渐尖，基部偏斜，圆形或阔楔形，全缘，侧脉 10 ~ 15 对；小叶柄长 4 ~ 7 mm。圆锥花序长 15 ~ 30 cm；花黄绿色；雄花梗细长，雌花梗短粗；花萼裂片卵形；花瓣长圆形，具细密的褐色羽状脉纹，先端钝，开花时外卷；雄蕊长约 2.5 mm，花丝线形，花药长圆形，花盘 5 浅裂；子房球形，花柱 3。果序稍下垂；核果肾形或椭圆形，略压扁，先端锐尖，基部截形，外果皮黄色，具光泽，中果皮蜡质，具树脂道条纹，果核棕色，坚硬。花期 5 ~ 6 月，果期 7 ~ 10 月。

| 生境分布 | 生于海拔 800 ~ 2 100 m 的向阳山坡林内。湖南各地均有分布。

| 资源情况 | 野生资源丰富。栽培资源丰富。药材来源于野生和栽培。

| 采收加工 | **干漆：** 取漆桶内用剩的漆脚，晒干，密闭保存，防火。

漆树根： 全年均可采挖，洗净，切片，鲜用或晒干。

漆树木心： 全年均可采收，砍碎，晒干。

漆树皮： 全年均可采收，鲜用。

漆叶： 夏、秋季采收，鲜用。

漆子： 9 ~ 10 月果实成熟时采摘，取出种子，晒干。

| 药材性状 | **干漆：** 本品呈不规则块状，黑褐色或棕褐色，表面粗糙，有蜂窝状细小孔洞或呈颗粒状。质坚硬，不易折断，断面不平坦。具特殊臭气。

| 功能主治 | **干漆：** 辛，温；有毒。归肝、脾经。破瘀通经，消积杀虫。用于瘀血经闭，癥瘕积聚，虫积腹痛。

漆树根： 辛，温；有毒。归肝经。活血散瘀，通经止痛。用于跌打肿痛，经闭腹痛。

漆树木心： 辛，温；有小毒。归肝、胃经。行气，活血，止痛。用于气滞血瘀所致胸胁胀痛，脘腹气痛。

漆树皮： 辛，温；有小毒。归肾经。接骨。用于骨折。

漆叶： 辛，温；有小毒。归肝、脾经。活血解毒，杀虫敛疮。用于面部紫肿，外伤瘀肿出血，疮疡溃烂，疥癣，漆中毒。

漆子： 辛，温；有毒。归肝、脾经。活血止血，温经止痛。用于夹瘀的便血，尿血，崩漏，瘀滞腹痛，闭经。

| 用法用量 | **干漆：** 内服入丸、散剂，2 ~ 5 g。

漆树根： 内服煎汤，6 ~ 15 g。外用 鲜品适量，捣敷。

漆树木心： 内服煎汤，3 ~ 6 g。

漆树皮： 外用适量，捣烂，用酒炒敷。

漆叶： 外用适量，捣敷；或捣汁搽；或煎汤洗。

漆子： 内服煎汤，6 ~ 9 g；或入丸、散剂。

三角槭 *Acer buergerianum* Miq.

| 药 材 名 |

三角槭根（药用部位：根及根茎）、三角槭皮（药用部位：根皮、茎皮）。

| 形态特征 |

落叶乔木。高 5 ~ 10 m，稀达 20 m。树皮褐色或深褐色，粗糙。小枝细瘦；当年生枝紫色或紫绿色，近无毛；多年生枝淡灰色或灰褐色，稀被蜡粉。冬芽小，褐色，长卵圆形，鳞片内侧被长柔毛。叶纸质，基部近圆形或楔形，椭圆形或倒卵形，长 6 ~ 10 cm，通常 3 浅裂，裂片向前延伸，稀全缘，中央裂片三角状卵形，急尖、锐尖或短渐尖，侧裂片短钝尖或甚小，以至于不发育，裂片通常全缘，稀具少数锯齿，裂片间的凹缺钝尖；叶片上面深绿色，下面黄绿色或淡绿色，被白粉，略被毛，叶脉上的毛较密，初生脉 3，稀基部叶脉亦发育良好，成 5 脉，在上面不显著，在下面显著，侧脉通常在两面都不显著；叶柄长 2.5 ~ 5 cm，淡紫绿色，细瘦，无毛。花多数常成顶生被短柔毛的伞房花序，直径约 3 cm；总花梗长 1.5 ~ 2 cm，开花在叶长大以后；萼片 5，黄绿色，卵形，无毛，长约 1.5 mm；花瓣 5，淡黄色，狭披针形或匙状披针形，先端钝圆，长约 2 mm；雄蕊

8，与萼片等长或微短于萼片；花盘无毛，微分裂，位于雄蕊外侧；子房密被淡黄色长柔毛，花柱无毛，很短，2 裂，柱头平展或略反卷；花梗长 5 ~ 10 mm，细瘦，嫩时被长柔毛，渐老近无毛。翅果黄褐色；小坚果特别凸起，直径 6 mm，翅与小坚果共长 2 ~ 2.5 cm，稀达 3 cm，宽 9 ~ 10 mm，中部最宽，基部狭窄，张开成锐角或近直立。花期 4 月，果期 8 月。

| 生境分布 | 生于海拔 300 ~ 1 000 m 的阔叶林中。栽培于公园、庭院、路旁等。分布于湖南衡阳（南岳、祁东）、邵阳（新宁）等。湖南各地均有栽培。

| 资源情况 | 野生资源较少，栽培资源较丰富。药材来源于野生和栽培。

| 功能主治 | **三角槭根：** 用于风湿关节痛。
三角槭皮： 清热解毒，消暑。

槭树科 Aceraceae 槭属 Acer

梓叶槭 *Acer catalpifolium* Rehd.

| 药 材 名 | 梓叶槭皮（药用部位：树皮）。

| 形态特征 | 落叶乔木。高达 25 m。树皮平滑，深灰色或灰褐色。小枝圆柱形，无毛，当年生的嫩枝绿色或紫绿色；多年生的老枝灰色或深灰色，皮孔圆形。冬芽小，卵圆形；鳞片 6，近无毛。叶纸质，卵形或长圆状卵形，长 10 ~ 20 cm，宽 5 ~ 9 cm，基部圆形，先端钝尖，具尾状尖尾，不分裂或在中段以下具 2 微发育的裂片，上面深绿色，无毛，下面除脉腋具黄色丛毛外，其余均无毛，初生脉和次生脉均在上面微凹下，在下面显著；叶柄无毛，长 5 ~ 14 cm。伞房花序长 6 cm，直径 20 cm，具长 2 ~ 3 mm 的总花梗；花黄绿色，杂性，雄花与两性花同株，4 月于叶初生时开放；萼片 5，长圆状卵形，先端钝，现凹

缺，无毛；花瓣 5，长圆状倒卵形或倒披针形，长 4 ～ 5 mm，宽 1.5 ～ 2 mm，无毛；雄蕊 8，在雄花中长 3 ～ 3.5 mm，两性花中的雄蕊较短，花丝细瘦，无毛，花药黄色，近球形；花盘盘状，无毛，位于雄蕊的外侧；子房无毛，花柱细瘦，2 裂柱头反卷。小坚果压扁状，卵形，长 1.5 cm，宽 6 ～ 8 mm，淡黄色，翅长 3.5 ～ 4 cm，上段宽 14 mm，下段宽 6 mm，连同小坚果长 5 ～ 5.5 cm，嫩时绿色，成熟时淡黄色，展开成锐角或近直角，果柄长 2 ～ 3 cm。花期 4 月上旬，果期 8 ～ 9 月。

| **生境分布** | 生于海拔 400 ～ 1 000 m 的阔叶林中。分布于湖南永州（双牌）、湘西州（古丈）等。

| **资源情况** | 野生资源稀少。药材来源于野生。

| **功能主治** | 清热解毒，解暑。

槭树科 Aceraceae 槭属 Acer

樟叶槭

Acer cinnamomifolium Hayata

| **药 材 名** | 樟叶槭（药用部位：根或根皮。别名：阿伯树）。

| **形态特征** | 常绿乔木，通常高 10 m，稀高达 20 m。叶革质，长圆状椭圆形或长圆状披针形，长 8 ～ 12 cm，宽 4 ～ 5 cm，基部圆形、钝形或阔楔形，先端钝形，具短尖头，全缘或近全缘，上面绿色，无毛，下面淡绿色或淡黄绿色，被白粉和淡褐色绒毛，长成时毛渐减少，主脉在上面凹下，在下面凸起，侧脉 3 ～ 4 对，在上面微凹下，在下面显著，最下面 1 对侧脉由叶的基部生出，与中肋在基部共成 3 脉；叶柄长 1.5 ～ 3.5 cm，淡紫色，被绒毛。花的特征不详。翅果淡黄褐色，常组成被绒毛的伞房果序；小坚果凸起，长 7 mm，宽 4 mm；翅和小坚果共长 2.8 ～ 3.2 cm，张开成锐角或近直角；果柄长 2 ～ 2.5 cm，细瘦，被绒毛。花期不明，果期 7 ～ 9 月。

| **生境分布** | 生于海拔 300 ~ 1 200 m 的潮湿阔叶林中。湖南各地均有分布。

| **资源情况** | 野生资源丰富。药材来源于野生。

| **采收加工** | 夏、秋季采挖根，洗净，切片，或剥皮，鲜用或晒干。

| **功能主治** | 辛、苦，温。祛风湿，止痛。用于风湿关节痛。

| **用法用量** | 内服煎汤，30 ~ 60 g，鲜品加倍。外用适量，鲜品捣敷。

槭树科 Aceraceae 槭属 Acer

紫果槭
Acer cordatum Pax

| 药 材 名 |

紫果槭（药用部位：花。别名：红翅膀、蝴蝶花、飞阳树）、紫果槭叶芽（药用部位：叶芽）。

| 形态特征 |

常绿乔木。常高 7 m，稀达 10 m。树皮灰色或淡黑灰色，光滑。小枝细瘦，无毛；当年生嫩枝紫色或淡紫绿色；多年生老枝绿色或淡绿灰色。叶纸质或近革质，卵状长圆形，稀卵形，长 6 ~ 9 cm，宽 3 ~ 4.5 cm，基部近心形，先端渐尖，除接近先端部分具稀疏的细锯齿外，其余部分全缘，上面深褐绿色，光滑，下面淡褐绿色，无毛，主脉及侧脉 4 ~ 5 对，在两面均显著，基出的侧脉长度约为叶片长度的 1/3，小的网脉在两面均显著，呈网状；叶柄紫色或淡紫色，长约 1 cm，细瘦，无毛。花 3 ~ 5，成长 4 ~ 5 cm 的伞房花序；总花梗细瘦，淡紫色，无毛，着生于有 2 叶的小枝先端；萼片 5，紫色，倒卵形或长圆状倒卵形，长 3 ~ 4 mm；花瓣 5，阔倒卵形，长 2 mm，宽 3 mm，淡白色或淡黄白色；雄蕊 8，和花瓣近等长，着生于花盘内侧的边缘；花盘无毛，微裂；子房无毛，花柱长 1 mm；花梗长 5 ~ 8 mm。翅果嫩时紫色，成熟时黄褐色；小坚果凸起，无毛，长 4 mm，宽 3 mm，翅宽 1 cm，张开成钝角或近水平，果柄长 1 ~ 2 cm，细瘦，无毛。花期 4 月下旬，果期 9 月。

| 生境分布 | 生于海拔 500 ~ 1 200 m 的山谷疏林中。栽培用于庭院、公园、广场、水系等处。湖南各地均有分布。

| 资源情况 | 野生资源较少，栽培资源较丰富。药材来源于栽培。

| 功能主治 | **紫果槭**：微苦，凉。归肺、胃经。凉血解毒，止咳化痰。用于肺痨，咯血，扁桃体炎，支气管炎。
紫果槭叶芽：清热明目。

槭树科 Aceraceae 槭属 Acer

青榨槭
Acer davidii Franch.

| 药 材 名 | 青榨槭（药用部位：根、树皮。别名：甲果树、光陈子、飞故子）。

| 形态特征 | 落叶乔木，高 10 ～ 15 m。叶纸质，长圆状卵形或近长圆形，长 6 ～ 14 mm，宽 4 ～ 9 mm，先端锐尖或渐尖，常有尖尾，基部近心形或圆形，边缘具不整齐钝圆齿，侧脉 11 ～ 12 对，呈羽状；叶柄长 2 ～ 8 cm。花黄绿色，雄花与两性花同株，组成下垂的总状花序，顶生于着叶的嫩枝，开花与嫩叶的生长大约同时；雄花花梗长 3 ～ 5 mm，通常 9 ～ 12 花组成长 4 ～ 7 cm 的总状花序，两性花的花梗长 1 ～ 1.5 cm，通常 15 ～ 30 花组成长 7 ～ 12 cm 的总状花序；萼片 5；花瓣 5，倒卵形；雄蕊 8，花药黄色；花柱无毛，柱头反卷。翅果成熟后呈黄褐色；翅宽 1 ～ 1.5 cm，连同小坚果长 2.5 ～ 3 cm，展开成钝角或几水平。花期 4 月，果期 9 月。

| **生境分布** | 生于海拔 500 ~ 1 200 m 的山谷疏林中。湖南各地均有分布。

| **资源情况** | 野生资源丰富。药材来源于野生。

| **采收加工** | 夏、秋季采收，洗净，切片，晒干。

| **功能主治** | 甘、苦，平。归脾、胃经。祛风除湿，散瘀止痛，消食健脾。用于风湿痹痛，肢体麻木，关节不利，跌打肿痛，泄泻，痢疾，小儿消化不良。

| **用法用量** | 内服煎汤，6 ~ 15 g；或研末，3 ~ 6 g；或浸酒。外用适量，研末调敷。

槭树科 Aceraceae 槭属 Acer

秀丽槭
Acer elegantulum Fang et P. L. Chin

| 药 材 名 | 秀丽槭（药用部位：根或根皮。别名：五角枫、丫角枫、五角槭）。

| 形态特征 | 落叶乔木，高 9 ～ 15 m。叶薄纸质或纸质，基部深心形或近心形，叶片宽 7 ～ 10 cm，长 5.5 ～ 8 cm，通常 5 裂，中央裂片与侧裂片卵形或三角状卵形，先端短急锐尖，尖尾长 8 ～ 10 mm，基部裂片小边缘具紧贴的细圆齿，裂片间的凹缺锐尖，初生脉 5，次生脉 10 ～ 11 对，约以 80° 角与初生脉叉分；叶柄长 2 ～ 4 cm。花序圆锥状，连同长 2 ～ 3 cm 的总花梗在内共长 7 ～ 8 cm；花梗长 1 ～ 1.2 cm；雄花与两性花同株，萼片 5；花瓣 5，深绿色，倒卵形或长圆状倒卵形；雄蕊 8，较花瓣长 2 倍，花药淡黄色；子房紫色，花柱长 3 mm，2 裂，柱头平展。翅果成熟后呈淡黄色；小坚果凸起，近球形；翅近水平张开，中段宽达 1 cm。花期 5 月，果期 9 月。

| **生境分布** | 生于海拔 700 ~ 1 000 m 的疏林中。分布于湖南郴州（永兴）、永州（江永、江华）等。 |

生境分布 | 生于海拔 700 ~ 1 000 m 的疏林中。分布于湖南郴州（永兴）、永州（江永、江华）等。

资源情况 | 野生资源稀少。药材来源于野生。

采收加工 | 夏、秋季采挖根，洗净，切片，或剥取根皮，鲜用或晒干。

功能主治 | 辛、苦，平。归肝经。祛风除湿，止痛接骨。用于风湿关节痛，骨折。

用法用量 | 内服煎汤，30 ~ 60 g，鲜品加倍。外用适量，鲜品捣敷。

罗浮槭
Acer fabri Hance

| **药 材 名** | 蝴蝶果（药用部位：果实。别名：红蝴蝶、红翅槭）。

| **形态特征** | 常绿乔木，高达 10 m。树皮灰褐色或灰黑色。小枝圆柱形，当年生枝紫绿色或绿色，多年生枝绿色或绿褐色。单叶对生；叶柄长 1 ~ 1.5 cm，无毛；叶片革质，披针形、长圆披针形或长圆状倒披针形，长 7 ~ 11 cm，宽 2 ~ 3 cm，全缘，先端锐尖或短锐尖，基部楔形或钝形，上面深绿色，下面淡绿色，无毛或脉腋疏被丛毛，主脉在下面凸起，侧脉 4 ~ 5 对。花杂性，雄花和两性花同株，组成紫色伞房花序；萼片 5，紫色，微被短柔毛；花瓣 5，白色，略短于萼片；雄蕊 8；子房无毛，花柱短，柱头平展。翅果嫩时呈紫色，成熟时呈黄褐色或淡褐色；翅与小坚果共长 3 ~ 3.4 cm，宽 8 ~ 10 mm，张开成钝角；果柄长 1 ~ 1.5 cm，无毛。花期 3 ~ 4 月，

果期 9 月。

| **生境分布** | 生于海拔 500 ～ 1 800 m 的山地疏林中。分布于湖南湘西州、张家界、邵阳（邵阳、洞口、隆回、新宁、绥宁）、怀化（中方、麻阳、洪江、沅陵）、永州（东安、双牌、道县）、郴州（汝城、宜章）等。

| **资源情况** | 野生资源较丰富。栽培资源较丰富。药材来源于野生和栽培。

| **采收加工** | 夏季采收，晒干。

| **药材性状** | 本品为单粒种子的果实，果皮一端向外延伸成翅状，平展，类匙形，长 25 ～ 30 mm，宽 6 ～ 10 mm，黄褐色或淡棕色，偶见 2 带翅果实并排于 1 纤细果柄上，张开成钝角，形似蝴蝶的翅膀。小坚果凸起，呈卵形，直径约 4 mm。破碎后气微，味微苦、涩。

| **功能主治** | 甘、微苦，凉。清热解毒，利咽开音。用于咽喉炎，扁桃体炎，声音嘶哑，肝炎，肺结核，胸膜炎。

| **用法用量** | 内服煎汤，15 ～ 30 g。

槭树科 Aceraceae 槭属 Acer

建始槭 *Acer henryi* Pax

| 药 材 名 | 三叶槭根（药用部位：根。别名：三叶鸦枫、三叶槭）。

| 形态特征 | 落叶乔木，高约 10 m。由 3 小叶组成的复叶对生；总叶柄长 4 ~ 8 cm；小叶薄纸质，椭圆形或长圆状椭圆形，长 6 ~ 12 cm，宽 3 ~ 5 cm，先端渐尖，基部楔形或近圆形，全缘或近先端有稀疏钝齿 3 ~ 5；顶生小叶柄长约 1 cm，侧生小叶柄长 2 ~ 3 mm，均被短柔毛。穗状花序下垂，长 7 ~ 9 cm，被短柔毛，生于二年生或三年生的老枝上；花雌雄异株；萼片 5；花瓣 5，短小或不发育；雄蕊 4 ~ 6；花盘微发育；子房无毛，花柱短，柱头反卷。翅果成熟时呈黄褐色；小坚果长圆形，长约 1 cm，凸起，脊纹显著，翅宽约 5 mm，连同小坚果长 2 ~ 2.5 cm，张开成锐角或近直立；果柄长约 2 mm。花期 4 ~ 5 月，果期 9 ~ 10 月。

| **生境分布** | 生于海拔 500 ～ 1 500 m 的疏林中。分布于湖南湘西州（龙山、永顺、古丈、保靖）、张家界（桑植、慈利、武陵源）、怀化（沅陵、辰溪）等。

| **资源情况** | 野生资源一般。药材来源于野生。

| **采收加工** | 夏、秋季采挖，洗净，切片，晒干。

| **功能主治** | 辛、微苦，平。接骨，利关节，祛风，活络止痛。用于跌打损伤，骨折，关节酸痛，风湿痹痛，腰扭伤。

| **用法用量** | 内服煎汤，10 ～ 30 g。

桂林槭 *Acer kweilinense* Fang et Fang f.

| 药 材 名 | 桂林槭（药用部位：果实）。

| 形态特征 | 落叶乔木，高 6 ~ 8 m。树皮灰色或灰褐色，平滑。小枝细瘦，圆柱形，无毛；当年生枝绿色或紫绿色，多年生枝淡灰色或灰绿色。叶纸质，椭圆形，长 5 ~ 8 cm，宽 7 ~ 11 cm，基部截形或近心形，5 裂，稀基部具小的裂片，裂片三角状卵形或长圆状卵形，先端尾状锐尖，边缘具紧贴的锐尖锯齿，裂片间凹缺锐尖，上面深绿色，无毛，下面绿色，沿主脉被淡黄色长柔毛，其余部分无毛；主脉在上面显著，在下面凸起，侧脉在上面显著，在下面微显著；叶柄细瘦，长 4 ~ 5 cm，被淡黄色长柔毛，近先端更密。花杂性，雄花与两性花同株，生成长 4 ~ 5 cm 的直立的圆锥花序；总花梗长 3 cm；萼

片 5，紫绿色，长圆状卵形，长 1.5 mm；花瓣 5，淡绿白色，长圆形，与萼片等长；雄蕊 8；花盘位于雄蕊的外侧，无毛，微裂；子房密被淡黄色长柔毛，花柱无毛，长 1.5 mm，2 裂，柱头反卷。翅果嫩时淡紫红色，成熟时淡黄褐色；小坚果凸起，近球形，直径 4 mm，翅镰形，宽 6 ~ 8 mm，连同小坚果长 2.3 ~ 2.5 cm，张开成钝角。花期 4 月，果期 9 月。

| **生境分布** | 生于海拔 1 000 ~ 1 500 m 的疏林中。分布于湖南邵阳（绥宁）等。

| **资源情况** | 野生资源稀少。药材来源于野生。

| **功能主治** | 用于咽喉炎。

槭树科 Aceraceae 槭属 Acer

光叶槭 *Acer laevigatum* Wall.

| 药 材 名 | 光叶槭（药用部位：根皮、树皮。别名：赶鱼木、假枫杨树）、光叶槭果（药用部位：果实）。

| 形态特征 | 常绿乔木，高10 m。叶革质，全缘或近先端有稀疏细锯齿，披针形或长圆状披针形，长10 ~ 15 cm，宽4 ~ 5 cm，基部楔形或阔楔形，先端渐尖或短渐尖，侧脉7 ~ 8对，在下面显著；叶柄长1 ~ 1.5 cm。雄花与两性花同株且组成伞房花序，无毛，顶生于着叶的小枝上，嫩叶长出后始开花；萼片5；花瓣5，白色，倒卵形，先端凹缺，比萼片长；雄蕊6 ~ 8，长6 mm，花药长圆形；花盘紫色，位于雄蕊外侧；子房紫色，花柱无毛；花梗长约6 cm，细瘦，无毛。翅果嫩时呈紫色，成熟时呈淡黄褐色；小坚果明显凸起，椭圆形或长椭圆形，长6 mm，宽4 mm；翅连同小坚果长3 ~ 3.7 cm，宽1 cm，直

伸或内弯，张开成锐角至钝角。花期4月，果期8～9月。

| **生境分布** | 生于海拔1 000～2 000 m的溪边或山谷林中。分布于湖南湘西州（龙山、永顺、保靖、古丈、泸溪）、怀化（沅陵）、常德（石门）、永州（东安）、衡阳（南岳）等。

| **资源情况** | 野生资源稀少。栽培资源较丰富。药材来源于野生和栽培。

| **采收加工** | 光叶槭：夏季采收，晒干。
光叶槭果：8～9月采收成熟果实，晒干。

| **功能主治** | 光叶槭：祛风除湿，活血。用于劳伤。
光叶槭果：清热利咽，补益脾胃。用于咽喉肿痛，病后体弱。

槭树科 Aceraceae 槭属 Acer

疏花槭
Acer laxiflorum Pax

| 药 材 名 | 疏花槭（药用部分：果实）。

| 形态特征 | 落叶乔木，高 5 ~ 10 m。叶纸质，长圆状卵形，长 7 ~ 12 cm，宽 5 ~ 8 cm，边缘具紧贴的细锯齿，基部心形，常 3 裂，稀 5 裂，中央裂片细长，呈三角状卵形，先端尾状锐尖，两侧裂片较小，钝尖，主脉与 9 ~ 11 对侧脉均在上面微现，在下面显著；叶柄长 4 ~ 7 cm。花淡黄绿色；雄花与两性花同株且组成下垂而无毛的总状花序，总花梗长 2 cm，生于着叶的小枝先端，发叶后花始开放；萼片 5；花瓣 5，倒卵形，先端钝形，长 4 mm，宽 2 mm；花盘无毛，微裂，位于雄蕊的内侧；雄蕊 8，花药黄色；花柱柱头反卷。翅果成熟时呈黄绿色或黄褐色，长 2.5 ~ 2.7 cm；小坚果稍扁平，直径 6 ~ 8 cm；翅张开成钝角或近水平；果柄细瘦。花期 4 月，果期 9 月。

| **生境分布** | 生于海拔 1 350 ～ 2 100 m 的林边或疏林中。分布于湖南郴州（宜章）、张家界（永定）等。

| **资源情况** | 野生资源稀少。栽培资源较丰富。药材来源于野生和栽培。

| **采收加工** | 秋季采收成熟果实，晒干。

| **功能主治** | 清热解毒，行气止痛。

槭树科 Aceraceae 槭属 Acer

飞蛾槭

Acer oblongum Wall. ex DC.

| 药 材 名 | 飞蛾槭（药用部位：根皮）。

| 形态特征 | 常绿乔木，高 10 m。叶革质，长圆状卵形，长 5 ~ 7 cm，宽 3 ~
4 cm，全缘，基部钝形或近圆形，先端渐尖或钝尖，下面有白粉，
侧脉 6 ~ 7 对，基部 1 对侧脉较长，其长度为叶片的 1/3 ~ 1/2，小
叶脉显著，呈网状；叶柄长 2 ~ 3 cm。花绿色或黄绿色，雄花与两
性花同株，常组成被短毛的伞房花序，顶生于具叶的小枝；萼片 5；
花瓣 5，倒卵形，长 3 mm；雄蕊 8，花药圆形；花盘微裂，位于雄
蕊外侧；子房被短柔毛，在雄花中不发育，花柱短，2 裂，柱头反卷；
花梗长 1 ~ 2 cm。翅果成熟时呈淡黄褐色；小坚果凸起，呈四棱形，
长 7 mm，宽 5 mm；翅与小坚果共长 1.8 ~ 2.5 cm，宽 8 mm，张开
时几成直角；果柄长 1 ~ 2 cm。花期 4 月，果期 9 月。

| **生境分布** | 生于海拔 1 000 ～ 1 800 m 的阔叶林中。分布于湖南株洲（茶陵）、邵阳（洞口、新宁）、郴州（永兴、苏仙）、永州（江华）、怀化（沅陵）、湘西州（永顺、古丈）、张家界（永定、慈利）、常德（石门）等。

| **资源情况** | 野生资源较丰富。药材来源于野生。

| **功能主治** | 祛风除湿。

槭树科 Aceraceae 槭属 Acer

五裂槭 *Acer oliverianum* Pax

| 药 材 名 | 五裂槭（药用部位：枝、叶）。

| 形态特征 | 落叶小乔木，高 4 ~ 7 m。叶纸质，长 4 ~ 8 cm，宽 5 ~ 9 cm，基部近心形或近截形，5 裂，裂片三角状卵形或长圆状卵形，先端锐尖，边缘有紧密细锯齿，裂片间的凹缺锐尖，深达叶片的 1/3 或 1/2；叶柄长 2.5 ~ 5 cm。雄花与两性花同株，组成伞房花序，开花与叶的生长同时；萼片 5，紫绿色，卵形或椭圆状卵形，先端钝圆；花瓣 5，淡白色，卵形，先端钝圆，长 3 ~ 4 mm；雄蕊 8，生于雄花者比花瓣稍长，花丝无毛，花药黄色，雌花的雄蕊很短；花盘微裂，位于雄蕊外侧；花柱 2 裂，柱头反卷。伞房果序常下垂；小坚果凸起；翅嫩时呈淡紫色，成熟时呈黄褐色，镰形，连同小坚果共长 3 ~ 3.5 cm，宽 1 cm，张开时近水平。花期 5 月，果期 9 月。

| 生境分布 | 生于海拔 1 500 ～ 2 000 m 的林边或疏林中。分布于湖南长沙（天心、浏阳）、郴州（宜章、汝城、永兴）、永州（东安）、邵阳（洞口）、怀化（靖州）、衡阳（衡东、南岳）、湘西州（永顺、保靖、古丈）、张家界（永定）等。 |

| 资源情况 | 野生资源丰富。栽培资源较丰富。药材来源于野生和栽培。 |

| 采收加工 | 夏季采收，切段，晒干。 |

| 功能主治 | 辛、苦，凉。清热解毒，理气止痛。用于背疽，痈疮，气滞腹痛。 |

| 用法用量 | 内服煎汤，15 ～ 30 g。外用适量，煎汤洗。 |

槭树科 Aceraceae 槭属 Acer

鸡爪槭 *Acer Palmatum* Thunb.

| 药 材 名 | 鸡爪槭（药用部位：枝、叶。别名：半枫荷、鸡爪枫、七角槭）。

| 形态特征 | 落叶小乔木。叶纸质，圆形，直径 7 ～ 10 cm，基部呈心形或近心形，稀呈截形，5 ～ 9 掌状分裂，通常 7 裂，裂片长圆卵形或披针形，先端锐尖或长锐尖，边缘具紧贴的尖锐锯齿，裂片间的凹缺钝尖或锐尖，深达叶片直径的 1/3 或 1/2；叶柄长 4 ～ 6 cm。花紫色，雄花与两性花同株且组成伞房花序，总花梗长 2 ～ 3 cm，叶发出以后才开花；萼片 5；花瓣 5，椭圆形或倒卵形，先端钝圆，长约 2 mm；雄蕊 8，较花瓣略短而藏于其内；花盘位于雄蕊外侧，微裂；子房无毛，花柱长，2 裂，柱头扁平；花梗长约 1 cm。翅果嫩时呈紫红色，成熟时呈淡棕黄色；小坚果球形，脉纹显著；翅与小坚果共长 2 ～ 2.5 cm，宽约 1 cm，张开时成钝角。花期 5 月，果期 9 月。

| **生境分布** | 生于海拔 200 ~ 1 200 m 的林边或疏林中。湖南各地均有分布。

| **资源情况** | 野生资源较丰富。栽培资源较丰富。药材来源于野生和栽培。

| **采收加工** | 夏季采收，切段，晒干。

| **功能主治** | 辛、微苦，平。行气止痛，解毒消痈。用于气滞腹痛，痈疮。

| **用法用量** | 内服煎汤，5 ~ 10 g。外用适量，煎汤洗。

| **附　　注** | 本种的幼芽可代茶饮，有退热明目、祛风除湿、活血化瘀等功效。

槭树科 Aceraceae　槭属 Acer

中华槭 *Acer sinense* Pax

| 药 材 名 |

五角枫根（药用部位：根或根皮。别名：华槭、丫角槭、五角枫）。

| 形态特征 |

落叶乔木，高 3 ~ 5 m。叶近革质，基部心形，长 10 ~ 14 cm，宽 12 ~ 15 cm，常 5 裂，裂片长圆状卵形或三角状卵形，先端锐尖，除近基部外其余部位的边缘有紧贴的圆齿状细锯齿，裂片间的凹缺锐尖，深达叶片的 1/2，被白粉；叶柄长 3 ~ 5 cm。雄花与两性花同株，多花组成下垂的顶生圆锥花序，花序长 5 ~ 9 cm，总花梗长 3 ~ 5 cm；萼片 5；花瓣 5，白色，长圆形或阔椭圆形；雄蕊 5 ~ 8，长于萼片，在两性花中很短，花药黄色；子房有白色疏柔毛，花柱 2 裂，柱头平展或反卷；花梗细瘦。翅果淡黄色，圆锥果序下垂；小坚果椭圆形，特别凸起；翅宽 1 cm，连同小坚果长 3 ~ 3.5 cm，张开成直角，稀成锐角或钝角。花期 5 月，果期 9 月。

| 生境分布 |

生于海拔 1 200 ~ 2 000 m 的混交林中。湖南各地均有分布。

| **资源情况** | 野生资源较丰富。栽培资源较丰富。药材来源于野生和栽培。 |

| **采收加工** | 夏、秋季采收，洗净，鲜用或晒干。 |

| **功能主治** | 辛、苦，平。祛风除湿，利关节，接骨，止痛。用于风湿关节痛，骨折，扭伤。 |

| **用法用量** | 内服煎汤，10 ~ 15 g，鲜品 60 g。外用适量，鲜品捣敷。 |

槭树科 Aceraceae 槭属 Acer

元宝槭
Acer truncatum Bunge

药材名

元宝槭（药用部位：根皮。别名：五角枫、色树、元宝树）。

形态特征

落叶乔木，高 8 ~ 10 m。叶纸质，长 5 ~ 10 cm，宽 8 ~ 12 cm，常 5 裂，基部截形，稀近心形，裂片三角状卵形或披针形，先端锐尖或尾状锐尖，全缘，长 3 ~ 5 cm，宽 1.5 ~ 2 cm，有时中央裂片的上段再 3 裂，主脉 5；叶柄长 3 ~ 5 cm。花黄绿色，雄花与两性花同株且组成伞房花序，总花梗长 1 ~ 2 cm；萼片 5；花瓣 5，淡黄色或淡白色，长圆状倒卵形；雄蕊 8，生于雄花者长 2 ~ 3 mm，生于两性花者较短；子房嫩时有黏性，花柱 2 裂，柱头反卷；花梗细瘦。翅果成熟时呈淡黄色或淡褐色，伞房果序常下垂；小坚果压扁状，长 1.3 ~ 1.8 cm，宽 1 ~ 1.2 cm；翅长圆形，两侧平行，常与小坚果等长，张开成锐角或钝角。花期 4 月，果期 8 月。

生境分布

生于海拔 400 ~ 1 000 m 的疏林中。分布于湖南长沙（望城）、株洲（荷塘、芦淞、石

峰)、岳阳 (岳阳楼)、益阳 (赫山)、张家界 (武陵源)、怀化 (新晃、靖州、
溆浦) 等。

| **资源情况** | 野生资源一般。栽培资源较丰富。药材来源于野生和栽培。

| **采收加工** | 夏、秋季采收，洗净，切片，晒干。

| **功能主治** | 辛、微苦，微温。祛风除湿，舒筋活络。用于风湿腰背痛。

| **用法用量** | 内服煎汤，15 ~ 30 g；或浸酒，9 ~ 15 g。

伯乐树科 Bretschneideraceae　伯乐树属 Bretschneidera

伯乐树 *Bretschneidera sinensis* Hemsl.

| 药 材 名 | 山桃树皮（药用部位：树皮。别名：钟萼木、大青）。

| 形态特征 | 乔木，高 10 ~ 20 m。羽状复叶长 25 ~ 45 cm；叶柄长 10 ~ 18 cm；小叶 7 ~ 15，纸质或革质，狭椭圆形、菱状长圆形、长圆状披针形或卵状披针形，长 6 ~ 26 cm，宽 3 ~ 9 cm，全缘，先端渐尖或急短渐尖，基部钝圆、短尖或楔形，叶背面粉绿色或灰白色；小叶柄长 2 ~ 10 mm。花序长 20 ~ 36 cm；总花梗、花梗、花萼外面有棕色短绒毛；花淡红色，直径约 4 cm；花梗长 2 ~ 3 cm；花萼先端具较短 5 齿；花瓣阔匙形或倒卵楔形，先端浑圆，长 1.8 ~ 2 cm，宽 1 ~ 1.5 cm，内面有红色纵条纹；花丝长 2.5 ~ 3 cm；花柱有柔毛。果实椭圆状球形、近球形或阔卵形，被极短的棕褐色毛并常混生稀疏白色小柔毛；种子椭圆状球形。花期 3 ~ 9 月，果期 5 月

至翌年 4 月。

| **生境分布** | 生于山地林中。分布于湖南郴州（宜章）、永州（东安、江华）、衡阳（南岳）、邵阳（绥宁、武冈）、长沙（浏阳）、株洲（炎陵）、怀化（会同、沅陵）、张家界（桑植）、湘西州（古丈）等。

| **资源情况** | 野生资源较丰富。栽培资源较丰富。药材来源于栽培。

| **采收加工** | 春、夏季植株生长旺盛时采收，鲜用或晒干。

| **功能主治** | 祛风活血。用于筋骨痛。

| **用法用量** | 内服煎汤，6 ~ 9 g。外用适量，鲜品捣敷。

| **附　　注** | 在《国家重点保护野生植物名录》中，本种被列为国家二级重点保护野生植物。

倒地铃
Cardiospermum halicacabum L.

| 药 材 名 | 倒地铃（药用部位：全草。别名：草胡椒、灯笼泡、风船藤）。

| 形态特征 | 草质攀缘藤本。茎、枝有5棱或6棱及同数的直槽，棱上被皱曲柔毛。二回三出复叶；叶柄长3～4cm；小叶近无柄，薄纸质，顶生小叶斜披针形或近菱形，长3～8cm，宽1.5～2.5cm，先端渐尖，侧生小叶稍小，卵形或长椭圆形，边缘有疏锯齿或羽状分裂，背面中脉和侧脉被稀疏柔毛。圆锥花序，总花梗长4～8cm，卷须螺旋状；萼片4，外面2萼片卵圆形，内面2萼片长椭圆形，比外面2萼片长约1倍；花瓣乳白色，倒卵形；雄蕊与花瓣近等长或较花瓣稍长，花丝被稀疏长柔毛；子房倒卵形或近球形。蒴果梨形、陀螺状倒三角形或近长球形，高1.5～3cm，宽2～4cm，褐色，被短柔毛；种子黑色，种脐心形。花期夏秋，果期秋季至初冬。

| **生境分布** | 生于田野、灌丛、路边和林缘。分布于湖南长沙、郴州（桂阳）、永州（江永、江华）、邵阳（武冈）、娄底（涟源）、湘西州（凤凰）等。

| **资源情况** | 野生资源一般。药材来源于野生。

| **采收加工** | 夏、秋季采收，晒干。

| **药材性状** | 本品茎直径 2 ~ 4 mm，黄绿色，有深纵沟槽，分枝纤细，多少被毛；质脆，易折断，断面粗糙。叶多脱落或破碎而仅存叶柄；二回三出复叶；小叶卵形或卵状披针形，暗绿色。花淡黄色，干枯，与未成熟的三角形蒴果附于花序梗先端，下方有卷须。气微，味稍苦。

| **功能主治** | 苦、微辛，寒。归肝、肾经。清热利湿，凉血解毒，消肿止痛。用于黄疸，淋证，湿疹，疔疮肿毒，毒蛇咬伤，跌打损伤。

| **用法用量** | 内服煎汤，9 ~ 15 g，鲜品 30 ~ 60 g。外用适量，鲜品捣敷；或煎汤洗。孕妇忌服。

无患子科 Sapindaceae 车桑子属 Dodonaea

车桑子 *Dodonaea viscosa* (L.) Jacq.

| 药 材 名 | 车桑子根（药用部位：根）、车桑子叶（药用部位：叶。别名：破故纸）。

| 形态特征 | 灌木或小乔木，高 1 ~ 3 m。小枝扁，有狭翅或棱角，具胶状黏液。单叶，纸质，线形、线状匙形、线状披针形、倒披针形或长圆形，长 5 ~ 12 cm，宽 0.5 ~ 4 cm，先端短尖、钝或圆，全缘或呈不明显浅波状，两面有黏液，无毛，侧脉多而密；叶柄短或近无柄。花序顶生或在小枝上部腋生，主轴和分枝均有棱角；花梗纤细；萼片 4，披针形或长椭圆形，先端钝；雄蕊 7 或 8，花丝长不及 1 mm，花药内屈，有腺点；子房椭圆形，外面有胶状黏液，2 或 3 室，花柱先端 2 或 3 深裂。蒴果倒心形或扁球形，2 或 3 翅，高 1.5 ~ 2.2 cm，连翅宽 1.8 ~ 2.5 cm，种皮膜质或纸质，有脉纹；种子每室

1 或 2，透镜状，黑色。花期秋末，果期冬末春初。

| **生境分布** | 生于干旱山坡、旷地或海边。分布于湖南长沙（长沙）、株洲（石峰、攸县）、衡阳（衡山、衡东）等。

| **资源情况** | 野生资源稀少。药材来源于野生。

| **采收加工** | **车桑子根**：全年均可采挖，鲜用或晒干。
车桑子叶：全年均可采收，鲜用或晒干。

| **功能主治** | **车桑子根**：苦，寒。泻火解毒。用于牙痛，风毒流注。
车桑子叶：微苦、辛，平。利湿，解毒消肿。用于淋证，癃闭，皮肤瘙痒，痈肿疮疖，烫火伤。

| **用法用量** | **车桑子根**：内服煎汤，15 ~ 30 g，鲜品 30 ~ 60 g。
车桑子叶：内服煎汤，6 ~ 15 g，鲜品 15 ~ 30 g。外用适量，鲜品捣敷。

复羽叶栾树

Koelreuteria bipinnata Franch.

| 药 材 名 | 摇钱树根（药用部位：根或根皮。别名：响炮树根、腰径树根、山峦树根）、摇钱树（药用部位：花、果实。别名：响炮树果、腰径树果、山峦树果）。

| 形态特征 | 乔木，高可达 20 m。叶平展，二回羽状复叶，长 45 ~ 70 cm；小叶 9 ~ 17，互生，纸质或近革质，斜卵形，长 3.5 ~ 7 cm，宽 2 ~ 3.5 cm，先端短尖至短渐尖，基部阔楔形或圆形，边缘有内弯小锯齿，近无柄。圆锥花序长 35 ~ 70 cm，分枝广展；萼 5 裂，裂片阔卵状三角形或长圆形，有短而硬的缘毛及流苏状腺体；花瓣 4，长圆状披针形，瓣片先端钝或短尖，瓣爪被长柔毛，鳞片 2 深裂；雄蕊 8，花丝被白色长柔毛，花药被稀疏短毛；子房三棱状长圆形，被柔毛。蒴果椭圆形或近球形，具 3 棱，幼时呈淡紫红色，老时呈褐色，先端钝

或圆，有小凸尖，果瓣椭圆形至近圆形，外面具网状脉纹；种子近球形。花期
7 ~ 9 月，果期 8 ~ 10 月。

| 生境分布 | 生于山地疏林中。湖南各地均有分布。

| 资源情况 | 野生资源较丰富。栽培资源丰富。药材来源于栽培。

| 采收加工 | **摇钱树根：**全年均可采收，洗净，晒干。
摇钱树：花，7 ~ 9 月采摘，晾干。果实，9 ~ 10 月采收，晒干。

| 功能主治 | **摇钱树根：**微苦，平。归肝经。祛风清热，散瘀止痛。用于风湿热痹，跌打
肿痛。
摇钱树：苦，寒。归肝经。清热，泻肝，明目，行气，消肿，止痛。用于目痛
泪出，疝气疼痛，腰痛。

| 用法用量 | **摇钱树根：**内服煎汤：6 ~ 15 g。
摇钱树：内服煎汤，9 ~ 15 g。

无患子科 Sapindaceae 栾属 Koelreuteria

全缘叶栾树

Koelreuteria bipinnata var. integrifoliola

| 药 材 名 |

摇钱树根（药用部位：根或根皮。别名：响炮树根、腰径树根、山峦树根）、摇钱树（药用部位：花、果实。别名：响炮树果、腰径树果、山峦树果）。

| 形态特征 |

乔木，高可达 20 m。叶平展，二回羽状复叶，长 45 ~ 70 cm；小叶 9 ~ 17，互生，斜卵形，长 3.5 ~ 7 cm，宽 2 ~ 3.5 cm，先端短尖至短渐尖，基部阔楔形或圆形，小叶通常全缘，有时一侧近顶部边缘有锯齿，近无柄。圆锥花序长 35 ~ 70 cm，分枝广展；萼 5 裂，裂片阔卵状三角形或长圆形，有短而硬的缘毛及流苏状腺体；花瓣 4，长圆状披针形，瓣片先端钝或短尖，瓣爪被长柔毛，鳞片 2 深裂；雄蕊 8，花丝被白色长柔毛，花药有稀疏短毛；子房三棱状长圆形，被柔毛。蒴果椭圆形或近球形，具 3 棱，幼时呈淡紫红色，老时呈褐色，先端钝或圆，有小凸尖，果瓣椭圆形至近圆形，外面具网状脉纹；种子近球形。花期 7 ~ 9 月，果期 8 ~ 10 月。

| 生境分布 |

生于海拔 100 ~ 300 m 的丘陵地、村旁或疏林中。分布于湘西、湘西北、湘西南、湘中、湘东北。

| 资源情况 | 野生资源丰富。药材来源于野生。

| 采收加工 | 摇钱树根：全年均可采收，洗净，晒干。

摇钱树：花，7～9月采摘，晾干。果实，9～10月采收，晒干。

| 功能主治 | 摇钱树根：微苦，平。归肝经。祛风清热，散瘀止痛。用于风湿热痹，跌打肿痛。

摇钱树：苦，寒。归肝经。清热，泻肝，明目，行气，消肿，止痛。用于目痛泪出，疝气疼痛，腰痛。

| 用法用量 | 摇钱树根：内服煎汤：6～15 g。

摇钱树：内服煎汤，9～15 g。

无患子科 Sapindaceae 栾属 Koelreuteria

栾树
Koelreuteria paniculata Laxm.

| 药 材 名 |

栾华（药用部位：花。别名：栾花、木栾、石栾树）。

| 形态特征 |

落叶灌木或乔木，高可达 10 m。小枝暗黑色，被柔毛。奇数羽状复叶互生，有时为二回或不完全的二回羽状复叶；小叶 7 ~ 15，纸质，卵形或卵状披针形，长 3.5 ~ 7.5 cm，宽 2.5 ~ 3.5 cm，基部钝形或截头形，先端短尖或短渐尖，边缘锯齿状或分裂，有时羽状深裂达基部而成二回羽状复叶。圆锥花序顶生且大，长 25 ~ 40 cm；花淡黄色，中心紫色；萼片 5，有小睫毛；花瓣 4，被稀疏长毛；雄蕊 8，花丝被稀疏长毛；雌蕊 1，花盘有波状齿。蒴果长椭圆状卵形，边缘有膜质薄翅 3；种子圆形，黑色。花期 7 ~ 8 月，果期 10 月。

| 生境分布 |

生于杂木林或灌木林中。湖南各地均有分布。

| 资源情况 |

野生资源一般。栽培资源丰富。药材来源于野生和栽培。

| **采收加工** | 6 ~ 7 月采摘，阴干或晒干。

| **功能主治** | 苦、寒。归肝、胆经。清肝明目。用于目赤肿痛，多泪。

| **用法用量** | 内服煎汤，3 ~ 6 g。

无患子科 Sapindaceae 无患子属 *Sapindus*

无患子

Sapindus mukorossi Gaertn.

药材名

无患子（药用部位：种子。别名：木患子、菩提子、洗衣子）、无患子皮（药用部位：果皮。别名：圆皂角、皮皂子、木患子）、无患子中仁（药用部位：种仁。别名：木槵子仁）、无患树皮（药用部位：树皮）、无患树叶（药用部位：叶）、无患子蘵（药用部位：根）。

形态特征

落叶大乔木，高可达 20 m。叶连柄长 25 ～ 45 cm，叶轴稍扁，上面两侧有直槽；小叶 5 ～ 8 对，通常近对生，叶片薄纸质，长椭圆状披针形或稍呈镰形，长 7 ～ 15 cm，宽 2 ～ 5 cm，先端短尖或短渐尖，基部楔形，侧脉纤细而密，15 ～ 17 对，近平行；小叶柄长约 5 mm。花序顶生，圆锥形；花小，辐射对称；花梗常很短；萼片卵形或长圆状卵形，外面基部被稀疏柔毛；花瓣 5，披针形，有长爪，长约 2.5 mm，外面基部被长柔毛或近无毛，鳞片 2，小耳状；花盘碟状；雄蕊 8，伸出，花丝长约 3.5 mm，中部以下密被长柔毛；子房无毛。分果爿近球形，直径 2 ～ 2.5 cm，橙黄色，干时变黑。花期春季，果期夏、秋季。

| 生境分布 | 生于山坡疏林或较肥沃的向阳地区。湖南各地均有分布。

| 资源情况 | 野生资源较丰富。栽培资源较丰富。药材来源于野生和栽培。

| 采收加工 | 无患子：秋季采摘成熟果实，除去果肉和果皮，取种子，晒干。

无患子皮：秋季果实成熟时采收，剥取果皮，晒干。

无患子中仁：秋季果实成熟时采收，剥取种子，除去种皮，留取种仁，晒干。

无患树皮：全年均可采收，晒干。

无患树叶：夏、秋季采收，鲜用或晒干。

无患子蔃：全年均可采挖，洗净，鲜用，或切片晒干。

| 药材性状 | 无患子：本品球形或椭圆形，直径约 1.5 cm。表面黑色，光滑，种脐线形，被白色绒毛。质坚硬，剖开后可见子叶 2，黄色，肥厚，叠生，背面的 1 子叶较大，另 1 子叶半抱腹面；胚粗短，稍弯曲。气微，味苦。

无患子皮：本品呈不规则团块状，展开后有因不发育果脱落而留下的疤痕。疤痕近圆形，淡棕色，中央有 1 纵棱，边缘稍凸起，纵棱与边缘连接的一端有 1 极短的果柄残基。外果皮黄棕色或淡褐色，具蜡样光泽，皱缩；中果皮肉质，柔韧，黏似胶质；内果皮膜质，半透明，内面种子着生处有白色绒毛。质软韧。气微，味苦。

| 功能主治 | 无患子：苦、辛，寒；有小毒。归心、肺经。利咽，清热，化痰，消积，杀虫止痒。用于咽喉肿痛，咳嗽气喘，食滞，带下，疳积，疮癣，肿毒。

无患子皮：苦，平；有毒。归心、肝、脾经。清热化痰，止痛，消积。用于喉痹，心胃气痛，疝气疼痛，风湿病，虫积，食滞，肿毒。

无患子中仁：辛，平。归脾、胃、大肠经。消积，辟秽，杀虫。用于疳积，腹胀，口臭，蛔虫病。

无患树皮：苦、辛，平。解毒，利咽，祛风杀虫。用于白喉，疥癞，疳疮。

无患树叶：苦，平。归心、肺经。解毒，镇咳。用于毒蛇咬伤，百日咳。

无患子蔃：苦、辛，凉。归心、肺、肾经。宣肺止咳，解毒化湿。用于外感发热，咳喘，白浊，带下，咽喉肿痛，毒蛇咬伤。

| 用法用量 | 无患子：内服煎汤，10 ~ 30 g，或研末；或煨熟食。外用烧灰，吹喉或擦牙；或煎汤洗；或熬膏涂。

无患子皮：内服煎汤，6 ~ 9 g；或捣汁；或研末。外用适量，捣涂；或煎汤洗。

无患子中仁：内服煎汤，6 ~ 9 g。

无患树皮：外用适量，煎汤洗；或熬膏贴；或研末撒；或煎汤含漱。

无患树叶：内服煎汤，6 ~ 15 g。外用适量，捣敷。

无患子蔃：内服煎汤，10 ~ 30 g。外用适量，煎汤含漱。

无患子科 Sapindaceae 七叶树属 *Aesculus*

七叶树
Aesculus chinensis Bunge

药材名

娑罗子（药用部位：种子。别名：天师栗、娑婆子、梭椤子）。

形态特征

落叶乔木，高达 20 m，树冠宽广。掌状复叶对生；叶柄长 5 ~ 16 cm；小叶片 5 ~ 7，长椭圆形或卵状披针形，长 8 ~ 18 cm，宽 2 ~ 6.5 cm，先端窄尖，基部楔形，边缘有细锯齿；小叶柄疏生细柔毛。圆锥花序顶生，尖塔形，长 18 ~ 28 cm，总花梗长 6 ~ 10 cm；花梗疏生细柔毛；雄花和两性花同株而密生：花小，白色，长约 1.2 cm；花萼筒形，具不整齐 5 浅裂，外被短柔毛；花瓣 4，椭圆形，上面 2 花瓣较下面 2 花瓣窄而长；雄蕊 6 ~ 8；两性花的子房上位，有细柔毛。蒴果近圆球形，先端扁平或微尖突，密生黄褐色斑点，3 瓣裂；种子 1，圆球形，直径 2.5 ~ 4 cm，种脐阔大，占底部的 1/2 左右。花期 5 ~ 7 月，果期 8 ~ 9 月。

生境分布

生于谷地或路旁，亦常栽培于村旁或庭园。分布于湖南张家界（桑植）、岳阳（华容）等。

| **资源情况** | 野生资源一般。有作为观赏树种栽培。药材主要来源于野生。

| **采收加工** | 秋季果实成熟时采收，除去果皮，晒干或低温干燥。

| **药材性状** | 本品呈扁球形或类球形，似板栗，直径 1.5 ～ 4 cm。表面棕色或棕褐色，多皱缩，凹凸不平，略具光泽。种脐色较浅，近圆形，其面积为种子面积的 1/4 ～ 1/2，一侧有凸起的种脊 1，有的种脊不甚明显。种皮硬而脆。子叶 2，肥厚，坚硬，形似栗仁，黄白色或淡棕色，粉性。气微，味先苦而后甜。

| **功能主治** | 甘，温。归肝、胃经。理气宽中，和胃止痛。用于肝胃气痛，脘腹胀痛，经前腹痛，乳胀，疳积虫痛，痢疾。

| **用法用量** | 内服煎汤，3 ～ 9 g；或烧灰，冲酒。

无患子科 Sapindaceae 七叶树属 Aesculus

天师栗

Aesculus chinensis var. *wilsonii* Rehder Turland et. N. H. Xia

| 药 材 名 | 天师栗（药用部位：种子。别名：娑婆子、梭椤子）。

| 形态特征 | 落叶乔木，高达 25 m。掌状复叶对生；叶柄长 6 ~ 15 cm，被短柔毛；小叶片 5 ~ 7，倒卵状长椭圆形或卵状披针形，长 10 ~ 20 cm，宽 3 ~ 8.5 cm，先端窄尖，基部宽楔形或近圆形，边缘有细锯齿，上面主脉疏生细柔毛，下面主脉密生细柔毛；小叶柄有短柔毛。圆锥花序顶生，长达 35 cm，总花梗长 10 cm；雄花和两性花同株而疏生；花白色，长 1 ~ 1.5 cm；花萼筒形，不整齐 5 浅裂，裂片近圆形，外面密生细柔毛；花瓣 4，椭圆形，上面 2 花瓣较窄且长，外面和边缘密生细柔毛；雄蕊 6 ~ 8；两性花子房上位，卵形。蒴果卵形或倒卵形，先端凸起而尖，外表面密生黄褐色斑点；种子 1 ~ 2，圆球状，种脐面积约为底部面积的 1/3。花期 5 ~ 7 月，果期 7 ~ 9 月。

| **生境分布** | 生于海拔 400 ～ 1 800 m 的阔叶林中。分布于湖南邵阳（武冈、绥宁、新宁）、常德（桃源、石门）、张家界（桑植、武陵源）、湘西州（吉首、花垣）等。

| **资源情况** | 野生资源稀少。栽培资源较丰富。药材来源于栽培。

| **采收加工** | 秋季果实成熟时采收，取出种子，晒干或低温干燥。

| **药材性状** | 本品呈扁球形或类球形，似板栗，直径 1.5 ～ 4 cm。表面棕色或棕褐色，多皱缩，凹凸不平，略具光泽。种脐颜色较浅，近圆形，其面积为种子面积的 1/4 ～ 1/2，一侧有凸起的种脊 1，有的种脊不甚明显。种皮硬而脆。子叶 2，肥厚，坚硬，形似栗仁，黄白色或淡棕色，粉性。气微，味先苦而后甜。

| **功能主治** | 甘，温。归肝、胃经。疏肝理气，和胃止痛。用于肝胃气滞，胸腹胀闷，胃脘疼痛。

| **用法用量** | 内服煎汤，3 ～ 9 g；或烧灰，冲酒。

光叶泡花树

Meliosma cuneifolia Franch. var. *glabriuscula* Cufod.

| 药 材 名 | 光叶泡花树（药用部位：根皮）。

| 形态特征 | 落叶灌木或乔木，高可达 9 m；树皮黑褐色。小枝暗黑色，无毛。叶为单叶，纸质，倒卵状楔形或狭倒卵状楔形，长 10 ~ 24 cm，宽 4 ~ 10 cm，基部下延至叶柄成狭翅，叶面近无毛，侧脉每边 20 ~ 30；叶柄长 2 ~ 15 mm，无毛或被稀疏细柔毛。圆锥花序较大，长 16 ~ 30 cm；花梗长 1 ~ 2 mm；萼片 5，宽卵形，长约 1 mm，外面 2 较狭小，具缘毛；外面 3 花瓣近圆形，宽 2.2 ~ 2.5 mm，有缘毛，内面 2 花瓣长 1 ~ 1.2 mm，2 裂达中部，裂片狭卵形，锐尖，外边缘具缘毛；雄蕊长 1.5 ~ 1.8 mm；花盘具 5 细尖齿；雌蕊长约 1.2 mm，子房高约 0.8 mm。核果扁球形，直径 6 ~ 7 mm，核三角状卵形，顶基扁，腹部近三角形，不规则纵条凸起或近平滑，

中肋在腹孔一边显著隆起并延至另一边，腹孔稍下陷。花期 6 ~ 7 月，果期 9 ~ 11 月。

| **生境分布** | 生于海拔 600 ~ 1 800 m 的林间。分布于湖南怀化（沅陵）等。

| **资源情况** | 野生资源稀少。药材来源于野生。

| **功能主治** | 利水，解毒。用于水肿，腹水；外用于痈疔肿毒，毒蛇咬伤。

清风藤科 Sabiaceae 泡花树属 Meliosma

垂枝泡花树

Meliosma flexuosa Pamp.

| 药 材 名 | 垂枝泡花树（药用部位：叶。别名：紫珠草）。

| 形态特征 | 小乔木，高达 5 m。芽、嫩枝、嫩叶中脉、花序轴均被淡褐色长柔毛，腋芽常 2 枚并生。单叶，叶膜质，倒卵形或倒卵状椭圆形，长 6 ~ 20 cm，宽 3 ~ 10 cm，先端渐尖或骤狭渐尖，中部以下渐狭并下延，边缘具疏离、侧脉伸出成凸尖的粗锯齿，中脉伸出成凸尖，侧脉每边 12 ~ 18；叶柄长 0.5 ~ 2 cm，上面具宽沟，基部稍膨大并包裹腋芽。圆锥花序顶生，向下弯垂，主轴及侧枝在果时呈"之"字形弯曲；花白色，直径 3 ~ 4 mm；萼片 5，外面 1 萼片极小；外面 3 花瓣近圆形，宽 2.5 ~ 3 cm，内面 2 花瓣长 0.5 mm，2 裂或 3 裂。果实近卵形，长 5 mm，核极扁斜，具凸起的细网纹，中肋锐凸起。花期 5 ~ 6 月，果期 7 ~ 9 月。

| 生境分布 | 生于路边、林缘及灌丛中。分布于湖南湘西州、张家界、株洲（炎陵）、衡阳（南岳）、邵阳（新宁、绥宁）、岳阳（平江）等。

| 资源情况 | 野生资源一般。药材来源于野生。

| 采收加工 | 夏、秋季采收，洗净，鲜用或晒干。

| 功能主治 | 甘、辛，平。归肝、肾、胃经。清热解毒，镇痛，利水。用于水肿，腹水；外用于痈疮肿毒，毒蛇咬伤。

| 用法用量 | 内服煎汤，15 ~ 30 g。外用适量，捣敷。

清风藤科 Sabiaceae 泡花树属 *Meliosma*

香皮树 *Meliosma fordii* Hemsl.

| 药 材 名 | 香皮树（药用部位：树皮、叶）。

| 形态特征 | 乔木，高可达 10 m；树皮灰色，小枝、叶柄、叶背及花序被褐色平伏柔毛。单叶，具长 1.5 ～ 3.5 cm 的叶柄；叶近革质，倒披针形或披针形，长 9 ～ 25 cm，宽 2.5 ～ 8 cm，先端渐尖，稀钝，基部狭楔形，下延，全缘或近顶部有数枚锯齿，叶面有光泽，中脉及侧脉在叶面微凸起或否，被短伏毛，侧脉每边 11 ～ 20，无髯毛。圆锥花序宽广，顶生或近顶生，3 或 5 回分枝，总轴细而有圆棱；花直径 1 ～ 1.5 mm，花梗长 1 ～ 1.5 mm；萼片 4 或 5，宽卵形，长 0.5 mm，背面疏被柔毛，有缘毛；外面 3 花瓣近圆形，直径约 1.5 mm，无毛，内面 2 花瓣长约 0.5 mm，2 裂达中部，裂片线形，广叉开；雄蕊长约 0.7 mm；雌蕊长约 0.8 mm，子房无毛，约与花柱等长。果实近

球形或扁球形，直径 3 ～ 5 mm，核具明显的网纹状突起，中肋隆起，从腹孔一边延至另一边，腹部稍平，腹孔小，不张开。花期 5 ～ 7 月，果期 8 ～ 10 月。

| **生境分布** | 生于海拔 1 000 m 以下的热带、亚热带常绿林中。分布于湖南怀化（洪江、通道）、邵阳（城步）、永州（江华、江永、道县）等。

| **资源情况** | 野生资源稀少。药材来源于野生。

| **采收加工** | 树皮，秋、冬季剥取，洗净，切片，晒干。叶，夏、秋季采收，洗净，鲜用或晒干。

| **功能主治** | 滑肠通便。用于肠燥便秘。

清风藤科 Sabiaceae 泡花树属 Meliosma

多花泡花树

Meliosma myriantha Sieb. et Zucc.

| **药 材 名** | 多花泡花树（药用部位：根皮。别名：青风树）。 |

| **形态特征** | 落叶乔木。高可达 20 m。树皮灰褐色，呈小块状脱落；幼枝及叶柄被褐色平伏柔毛。叶为单叶，膜质或薄纸质，倒卵状椭圆形、倒卵状长圆形或长圆形，长 8 ~ 30 cm，宽 3.5 ~ 12 cm，先端锐渐尖，基部圆钝，基部至先端有侧脉伸出的刺状锯齿，嫩叶叶面被疏短毛，后毛脱落至无毛，叶背被开展的疏柔毛，侧脉每边 20 ~ 25（~ 30），直达齿端，脉腋有髯毛；叶柄长 1 ~ 2 cm。圆锥花序顶生，直立，被开展柔毛，分枝细长，主轴具 3 棱，侧枝扁；花直径约 3 mm，具短梗；萼片 4 或 5，卵形或宽卵形，长约 1 mm，先端圆，有缘毛；外面 3 花瓣近圆形，宽约 1.5 mm，内面 2 花瓣披针形，约与外花瓣 |

等长；发育雄蕊长 1 ~ 1.2 mm；雌蕊长约 2 mm，子房无毛，花柱长约 1 mm。核果倒卵形或球形，直径 4 ~ 5 mm；核中肋稍钝隆起，从腹孔一边不延至另一边，两侧具细网纹，腹部不凹入也不伸出。花期夏季，果期 5 ~ 9 月。

| 生境分布 | 生于海拔 600 m 以下的湿润山地落叶阔叶林中。分布于湖南衡阳（衡山）、邵阳（新邵、洞口、绥宁、新宁）、张家界（永定、桑植）、郴州（宜章）、永州（祁阳、宁远）、湘西州（永顺）等。

| 资源情况 | 野生资源稀少。药材来源于野生。

| 功能主治 | 利水，解毒。用于水肿，小便淋痛，热毒肿痛。

清风藤科 Sabiaceae 泡花树属 Meliosma

红柴枝 *Meliosma oldhamii* Maxim.

药材名

红柴枝（药用部位：根皮。别名：羽叶泡花树）。

形态特征

落叶乔木。高可达 20 m。腋芽球形或扁球形，密被淡褐色柔毛。羽状复叶连柄长 15 ~ 30 cm，有小叶 7 ~ 15；叶总轴、小叶柄及叶两面均被褐色柔毛；小叶薄纸质，下部的卵形，长 3 ~ 5 cm，中部的长圆状卵形或狭卵形，先端 1 小叶倒卵形或长圆状倒卵形，长 5.5 ~ 8（~ 10）cm，宽 2 ~ 3.5 cm，先端急尖或锐渐尖，具中脉伸出的尖头，基部圆形、阔楔形或狭楔形，边缘具疏离的锐尖锯齿，侧脉每边 7 ~ 8，弯拱至近叶缘开叉网结，脉腋有髯毛。圆锥花序顶生，直立，3 次分枝，长和宽均为 15 ~ 30 cm，被褐色短柔毛；花白色；花梗长 1 ~ 1.5 mm；萼片 5，椭圆状卵形，长约 1 mm，外面 1 萼片较狭小，具缘毛；外面 3 花瓣近圆形，直径约 2 mm，内面 2 花瓣稍短于花丝，2 裂达中部，有时 3 裂而中间裂片微小，侧裂片狭倒卵形，先端有缘毛；发育雄蕊长约 1.5 mm；子房被黄色柔毛，花柱约与子房等长。核果球形，直径 4 ~ 5 mm；核具明显凸起的网纹，中肋明显隆起,从腹孔一边延至另一边,腹部稍突出。花期5～6月,果期8～9月。

| 生境分布 | 生于海拔300～1 300 m的湿润山坡、山谷林间。分布于湖南长沙(浏阳)、株洲(茶陵)、衡阳(衡山)、邵阳(洞口、绥宁、新宁、城步)、岳阳(平江)、张家界(桑植)、郴州(宜章)、永州(江华)、怀化(沅陵、新晃)、湘西州(保靖、古丈、永顺)等。

| 资源情况 | 野生资源一般。药材主要来源于野生。

| 功能主治 | 利水解毒。

笔罗子
Meliosma rigida Sieb. et Zucc.

| 药 材 名 | 笔罗子（药用部位：果实。别名：山枇杷、毛鼻良）、灵寿茨（药用部位：根皮。别名：野枇杷、粗糠柴）。

| 形态特征 | 乔木，高达 7 m。芽、幼枝、叶背中脉、花序均被锈色长绒毛。单叶，革质；叶柄长 1.5 ~ 4 cm；叶片倒披针形或狭倒卵形，长 8 ~ 25 cm，宽 2.5 ~ 4.5 cm，先端渐尖或尾状渐尖，基部狭楔形，全缘或中部以上有数个尖锯齿，叶背被锈色柔毛，侧脉每边 9 ~ 18。花两性，圆锥花序顶生，主轴具 3 棱；萼片 5 或 4，卵形或近圆形，有缘毛；花瓣 5，白色，外面 3 花瓣近圆形，直径 2 ~ 2.5 mm，内面 2 花瓣长约为花丝之半，2 裂，先端具数缘毛；发育雄蕊长 1.2 ~ 1.5 mm；子房无毛。核果球形，直径 5 ~ 8 mm；核球形，稍偏斜，具凸起的细网纹。花期夏季，果期 9 ~ 10 月。

| 生境分布 | 生于海拔 1 500 m 以下的阔叶林中。分布于湖南郴州（宜章）、衡阳（衡南）、永州（冷水滩）、邵阳（洞口）、怀化（中方）、湘西州（古丈、永顺）等。

| 资源情况 | 野生资源稀少。药材来源于野生。

| 采收加工 | **笔罗子：** 秋季果实成熟时采收，晒干。
灵寿茨： 秋、冬季采挖根，洗净泥土，剥取根皮，鲜用或晒干。

| 药材性状 | **笔罗子：** 本品球形，直径 5 ~ 8 mm；核球形，稍偏斜，具凸起的细网纹，中肋稍隆起。干后果实表面显棕绿色。气微。

| 功能主治 | **笔罗子：** 苦，平。归肺经。解表，止咳。用于感冒，咳嗽。
灵寿茨： 甘、微辛，平。归心、脾、胃经。利水，解毒。用于水肿，臌胀，无名肿毒，毒蛇咬伤。

| 用法用量 | **笔罗子：** 内服煎汤，6 ~ 9 g。
灵寿茨： 内服煎汤，6 ~ 15 g；外用适量，鲜品捣敷。

清风藤科 Sabiaceae 清风藤属 Sabia

鄂西清风藤
Sabia campanulata Wall. ex Roxb. subsp. *ritchieae* (Rehd. et Wils.) Y. F. Wu

| 药 材 名 |

清风藤（药用部位：茎、叶。别名：四月黄、散血风、乌龙藤）。

| 形态特征 |

落叶攀缘木质藤本。小枝淡绿色，有褐色斑点、斑纹及纵条纹。叶膜质，嫩时呈披针形或狭卵状披针形，成长叶呈长圆形或长圆状卵形，长 3.5 ~ 8 cm，宽 3 ~ 4 cm，先端尾状渐尖或渐尖，叶正面深绿色，叶背面灰绿色，侧脉每边 4 ~ 5，在离叶缘 4 ~ 5 mm 处开叉网结；叶柄长 4 ~ 10 mm，被长柔毛。花深紫色，直径 1 ~ 1.5 cm；花梗长 1 ~ 1.5 cm，单生于叶腋；萼片 5，半圆形；花瓣 5，宽倒卵形或近圆形，长 5 ~ 6 mm，宽 4 ~ 7 mm，果时不增大，不宿存而早落；雄蕊 5，花丝扁平，花药外向开裂；花盘肿胀，高大于宽，基部最宽，边缘环状。分果爿阔倒卵形；果核有中肋，中肋两边有蜂窝状凹穴，两侧面具块状或长块状凹穴。花期 5 月，果期 7 月。

| 生境分布 |

生于海拔 500 ~ 1 200 m 的山坡及湿润山谷林中。分布于湖南湘西州、张家界、邵阳（绥宁、武冈）、永州（东安、江永）、郴州（宜章）、衡阳（南岳）、株洲（炎陵）、岳阳（平江）等。

| **资源情况** | 野生资源较丰富。药材来源于野生。

| **采收加工** | 藤茎，春、夏季割取，切段，晒干。叶，夏、秋季采收，鲜用。

| **药材性状** | 本品茎呈圆柱形，灰黑色，光滑，外表面有纵皱纹及叶柄残基。断面皮部较薄，灰黑色，木部黄白色。气微，味微苦。

| **功能主治** | 苦、辛，温。归肝经。祛风利湿，活血解毒。用于风湿痹痛，鹤膝风，水肿，脚气，跌打肿痛，骨折，骨髓炎，化脓性关节炎，脊椎炎，疮疡肿毒，皮肤瘙痒。

| **用法用量** | 内服煎汤，9 ~ 15 g，大剂量可用 30 ~ 60 g；或浸酒。外用适量，鲜品捣敷；或煎汤熏。

灰背清风藤 *Sabia discolor* Dunn.

| **药 材 名** | 广藤根（药用部位：根、藤茎。别名：大发散）。

| **形态特征** | 常绿攀缘木质藤本。老枝深褐色，具白蜡层，嫩枝具纵条纹。单叶
互生；叶柄长 0.7 ~ 1.5 cm；叶片纸质，卵形、椭圆状卵形或椭圆形，
长 4 ~ 7 cm，宽 2 ~ 4 cm，先端尖或钝，基部圆形或阔楔形，叶上
面呈绿色，干后呈黑色，叶下面呈苍白色，侧脉每边 3 ~ 5。花两
性，聚伞花序呈伞状，有花 4 ~ 5，总花梗长 1 ~ 1.5 cm；花梗长
4 ~ 7 mm；萼片 5，三角状卵形，具缘毛；花瓣 5，卵形或椭圆
状卵形，有脉纹；雄蕊 5，花药外向开裂；花盘杯状；子房无毛。
分果爿红色，倒卵状圆形或倒卵形；核中肋显著凸起，呈翅状。花
期 3 ~ 4 月，果期 5 ~ 8 月。

| **生境分布** | 生于海拔 1 000 m 以下的山地灌木林中。分布于湖南郴州（苏仙、汝城、安仁）、永州（道县、蓝山）、怀化（辰溪）等。

| **资源情况** | 野生资源较少。药材来源于野生。

| **采收加工** | 根，秋、冬季采挖，洗净，切片，鲜用或晒干。藤茎，夏、秋季采收，洗净，切片，鲜用或晒干。

| **药材性状** | 本品根呈圆锥形，粗糙，具纵沟纹，灰褐色，直径 0.5 ~ 2 cm；质坚硬，不易折断，断面黄白色，纤维性。茎呈圆柱形，表面灰绿色或灰褐色，略粗糙，具纵皱纹，直径 0.5 ~ 3 cm；质坚硬，不易折断，断面纤维性，皮部棕褐色，木部棕黄色或黄白色，粗者可见多数直达皮部的放射状车轮纹，髓部明显。气微，味淡。

| **功能主治** | 甘、苦，平。归肝经。祛风除湿，活血止痛。用于风湿痹痛，跌打损伤，肝炎。

| **用法用量** | 内服煎汤，6 ~ 9 g。外用适量，捣敷；或煎汤洗。

清风藤科 Sabiaceae 清风藤属 Sabia

凹萼清风藤
Sabia emarginata Lec.

| 药 材 名 | 凹萼清风藤（药用部位：全株。别名：凹叶清风藤）。

| 形态特征 | 落叶木质攀缘藤本。小枝黄绿色，老枝褐色，有纵条纹，无毛。叶纸质，长圆状狭卵形、长圆状狭椭圆形或卵形，长 5 ~ 11 cm，宽 1.5 ~ 4 cm，先端渐尖或急尖，基部楔形或圆形，叶正面绿色，叶背面苍白色，两面均无毛，侧脉每边 4 ~ 5；叶柄长 0.5 ~ 1 cm。聚伞花序有 2 花，稀有 3 花，长 1.5 ~ 1.8 cm，总花梗长 1 ~ 1.2 cm；萼片 5，稍不等大，近倒卵形或长圆形，长 2 ~ 3 mm，宽 1 ~ 1.2 mm，最大萼片通常先端有明显微缺，其他萼片先端圆形；花瓣 5，近圆形或倒卵形；雄蕊 5，花丝细，长约 2 mm，花药卵圆形，长约 0.8 mm，内向开裂；花盘肿胀，高大于宽，基部最宽，有不明显的肋状突起 2 ~ 3，其上有不明显小腺点；雌蕊长约 4 mm，子房卵形，无毛。

分果爿近圆形，直径 7 ~ 9 mm，基部有宿存萼片；核中肋明显，两边各有 2 行蜂窝状凹穴。花期 4 月，果期 6 ~ 7 月。

| 生境分布 | 生于海拔 400 ~ 1 500 m 的灌木林中。分布于湖南邵阳（邵阳）、怀化（中方、会同）、娄底（新化）、湘西州（花垣、保靖、龙山）等。

| 资源情况 | 野生资源一般。药材来源于野生。

| 采收加工 | 全年均可采收，除去杂质，切段，晒干。

| 药材性状 | 本品小枝呈黄绿色，老枝呈褐色，有纵条纹，无毛。叶纸质，长圆状狭卵形、长圆状狭椭圆形或卵形，长 5 ~ 11 cm，宽 1.5 ~ 4 cm，先端渐尖或急尖，基部楔形或圆形，侧脉每边 4 ~ 5；叶柄长 0.5 ~ 1 cm。聚伞花序有 2 花，稀有 3 花，总花梗长 1 ~ 1.2 cm；萼片 5，近倒卵形或长圆形，最大萼片通常先端有明显微缺，其他萼片先端圆形；花瓣 5，近圆形或倒卵形；雄蕊 5，花丝细；花盘肿胀，高大于宽，基部最宽，有不明显的肋状突起 2 ~ 3，其上有不明显小腺点。分果爿近圆形，直径 7 ~ 9 mm，基部有宿存萼片；核中肋明显，两边各有 2 行蜂窝状凹穴。

| 功能主治 | 祛风，除湿，止痛。用于风湿关节痛。

清风藤科 Sabiaceae 清风藤属 Sabia

清风藤
Sabia japonica Maxim.

| 药 材 名 | 清风藤（药用部位：藤茎。别名：寻风藤、青藤、过山龙）。

| 形态特征 | 落叶攀缘木质藤本。嫩枝绿色，被细柔毛，老枝紫褐色，具白蜡层，常留有木质化且呈单刺状或双刺状的叶柄基部。芽鳞阔卵形，具缘毛。叶近纸质，卵状椭圆形、卵形或阔卵形，长 3.5 ~ 9 cm，宽 2 ~ 4.5 cm，叶正面深绿色，中脉有疏毛，叶背面带白色，脉上被稀疏柔毛，侧脉每边 3 ~ 5；叶柄长 2 ~ 5 mm，被柔毛。花先于叶开放，单生于叶腋，基部有苞片 4；苞片倒卵形，长 2 ~ 4 mm；花梗长 2 ~ 4 mm，果时增至 2 ~ 2.5 cm；萼片 5，近圆形或阔卵形，长约 0.5 mm，具缘毛；花瓣 5，淡黄绿色，倒卵形或长圆状倒卵形，长 3 ~ 4 mm，具脉纹；雄蕊 5，花药狭椭圆形，外向开裂；花盘杯状，有 5 裂齿；子房卵形，被细毛。分果爿近圆形或肾形，直

径约 5 mm；核有明显中肋，两侧具蜂窝状凹穴，腹部平。花期 2 ~ 3 月，果期 4 ~ 7 月。

| 生境分布 | 生于海拔 800 m 以下的山谷、林缘或灌木林中。湖南各地均有分布。

| 资源情况 | 野生资源较丰富。栽培资源一般。药材来源于野生和栽培。

| 采收加工 | 春、夏季割取藤茎，切段，晒干。

| 药材性状 | 本品呈圆柱形，灰黑色，光滑，外表面有纵皱纹及叶柄残基，呈短刺状。断面皮部较薄，灰黑色，木部黄白色。气微，味微苦。

| 功能主治 | 苦、微辛，微温。归肝经。活血解毒，祛风利湿。用于风湿痹痛，鹤膝风，水肿，跌打肿痛，化脓性关节炎。

| 用法用量 | 内服煎汤，9 ~ 15 g，大剂量可用 30 ~ 60 g；或浸酒。外用适量，鲜品捣敷；或煎汤熏洗。

清风藤科 Sabiaceae 清风藤属 Sabia

四川清风藤

Sabia schumanniana Diels

| 药 材 名 | 铁牛钻石（药用部位：根、藤茎。别名：钻石风、石钻子、青木香）。

| 形态特征 | 落叶攀缘木质藤本，长 2 ~ 3 m。单叶互生；叶柄长 2 ~ 10 mm；叶片纸质，长圆状卵形，长 3 ~ 13 cm，宽 1.5 ~ 3.5 cm，先端急尖或渐尖，基部圆形或阔楔形，两面均无毛，侧脉每边 3 ~ 5。聚伞花序有花 1 ~ 3；花淡绿色；萼片 5，三角状卵形；花瓣 5，长圆形或阔倒卵形，长 4 ~ 5 mm，有 7 ~ 9 脉纹；雄蕊 5，长 3 ~ 5 mm；花盘肿胀，圆柱状，边缘波状；子房无毛，花柱长约 4 mm。分果爿倒卵形或近圆形，长约 6 mm，宽约 7 mm，无毛；核的中肋呈狭翅状。花期 3 ~ 4 月，果期 6 ~ 8 月。

| 生境分布 | 生于海拔 1 200 ~ 2 100 m 的山谷、山坡、溪旁和阔叶林中。分布于湖南衡阳（衡山）、邵阳（隆回）、郴州（临武）、湘西州（永顺、

龙山）等。

| **资源情况** | 野生资源一般。药材来源于野生。

| **采收加工** | 根，秋、冬季采挖，洗净，切片，晒干。藤茎，6 ~ 9 月割取，洗净，切片，晒干。

| **药材性状** | 本品根呈圆锥形，有须根，黄褐色，直径 0.3 ~ 2 cm；表面粗糙，灰色；质坚实，不易折断，断面黄白色，纤维性。茎呈圆柱形，直径 0.3 ~ 1.5 cm；表面灰色，粗糙，有纵沟；质坚实，不易折断，断面不平，纤维性，黄白色，皮部较窄，木质部较宽，有车轮状纹理，髓部明显。

| **功能主治** | 辛，温。止咳，祛痰，祛风，活血。用于风湿痹痛，跌打损伤，腰痛，慢性咳嗽等。

| **用法用量** | 内服煎汤，50 ~ 100 g；或研末；或浸酒。

清风藤科 Sabiaceae 清风藤属 Sabia

多花清风藤

Sabia schumanniana Diels subsp. *pluriflora* (Rehd. et Wils.) Y. F. Wu

药材名

多花清风藤（药用部位：根、茎）。

形态特征

落叶攀缘木质藤本，长 2 ~ 3 m。单叶互生；叶柄长 2 ~ 10 mm；叶片纸质，狭椭圆形或线状披针形，长 3 ~ 8 cm，宽 0.8 ~ 2 cm。聚伞花序有花 6 ~ 20；花淡绿色；萼片 5，三角状卵形；花瓣 5，长圆形或阔倒卵形，长 4 ~ 5 mm，有 7 ~ 9 脉纹；雄蕊 5，长 3 ~ 5 mm；花盘肿胀，圆柱状，边缘波状；子房无毛，花柱长约 4 mm。萼片、花瓣、花丝及花盘中部均有红色腺点。分果爿倒卵形或近圆形，长约 6 mm，宽约 7 mm，无毛；核的中肋呈狭翅状。花期 3 ~ 4 月，果期 6 ~ 8 月。

生境分布

生于海拔 600 ~ 1 300 m 的林中。分布于湖南湘西州（龙山）等。

资源情况

野生资源稀少。药材来源于野生。

| **采收加工** | 根，秋、冬季采挖，洗净，切片，晒干。藤茎，6～9 月割取，洗净，切片，晒干。

| **功能主治** | 辛，温。止咳，祛痰，祛风，活血。用于风湿痹痛，跌打损伤，腰痛，慢性咳嗽等。

| **用法用量** | 内服煎汤，50～100 g；或研末；或浸酒。

清风藤科 Sabiaceae 清风藤属 Sabia

尖叶清风藤

Sabia swinhoei Hemsl. ex Forb. et Hemsl.

| 药 材 名 | 尖叶清风藤（药用部位：全株。别名：卵叶清风藤、陇瑞清风藤）。

| 形态特征 | 常绿攀缘木质藤本。小枝纤细，被长而垂直的柔毛。叶纸质，椭圆形、卵状椭圆形、卵形或宽卵形，长 5 ~ 12 cm，宽 2 ~ 5 cm，先端渐尖或尾状尖，基部楔形或圆形，叶正面除嫩叶中脉被毛外其余部位无毛，叶背面被短柔毛或仅脉上有柔毛，每边具侧脉 4 ~ 6，网脉稀疏；叶柄长 3 ~ 5 mm，被柔毛。聚伞花序有花 2 ~ 7，被稀疏长柔毛，长 1.5 ~ 2.5 cm，总花梗长 0.7 ~ 1.5 cm；花梗长 2 ~ 4 mm；萼片 5，卵形，长 1 ~ 1.5 mm，外面有不明显的红色腺点，有缘毛；花瓣 5，浅绿色，卵状披针形或披针形，长 3.5 ~ 4.5 mm；雄蕊 5，花丝稍扁，花药内向开裂；花盘浅杯状；子房无毛。分果片深蓝色，近圆形或倒卵形，基部偏斜，长 8 ~ 9 mm，宽 6 ~ 7 mm；

核的中肋不明显，两侧有不规则条块状凹穴，腹部凸出。花期 3 ~ 4 月，果期 7 ~ 9 月。

| 生境分布 | 生于海拔 400 ~ 2 100 m 的山谷林间。湖南各地均有分布。

| 资源情况 | 野生资源较丰富。药材来源于野生。

| 采收加工 | 夏、秋季采收，洗净，鲜用或晒干。

| 药材性状 | 本品根呈圆柱形，弯曲，土灰色，有纵沟和须根，直径约 1 cm；质较脆，易折断，断面不平，黄白色，皮部较窄，木质部宽，有多层整齐、环状排列的针状小孔。藤茎圆柱形，略弯曲，粗糙，土灰色，有纵沟纹及少数横皱纹，直径 0.2 ~ 1.5 cm；质坚实，不易折断，断面不平，纤维性，黄白色，有多层整齐、环状排列的针状小孔，髓部不明显。叶纸质，椭圆形、卵状椭圆形、卵形或宽卵形，长 5 ~ 12 cm，宽 2 ~ 5 cm，先端渐尖或尾状尖，基部楔形或圆形，叶正面除嫩叶中脉被毛外其余部位无毛，叶背面被短柔毛或仅脉上有柔毛，每边具侧脉 4 ~ 6，网脉稀疏。

| 功能主治 | 苦，平。归肝、脾经。除风湿，止痹痛，活血化瘀，舒筋活络。用于风湿关节痛，筋骨不利。

凤仙花科 Balsaminaceae 凤仙花属 Impatiens

凤仙花 *Impatiens balsamina* L.

| 药 材 名 | 急性子（药用部位：种子。别名：金凤花子、凤仙子）、凤仙透骨草（药用部位：茎。别名：透骨草、凤仙梗、凤仙花梗）、凤仙花（药用部位：花。别名：金凤花、灯盏花、指甲花）。

| 形态特征 | 一年生草本，高 60 ~ 100 cm。茎粗壮，肉质，直立。叶互生，叶片披针形、狭椭圆形或倒披针形，长 4 ~ 12 cm、宽 1.5 ~ 3 cm，先端尖或渐尖，基部楔形，边缘有锐锯齿，向基部常有数对无柄的黑色腺体，两面无毛或被疏柔毛，侧脉 4 ~ 7 对；叶柄长 1 ~ 3 cm，两侧具数对具柄的腺体。花单生或 2 ~ 3 花簇生于叶腋，无总花梗，白色、粉红色或紫色，单瓣或重瓣；花梗密被柔毛；侧生萼片 2，卵形；唇瓣深舟状，被柔毛，基部急尖成长 1 ~ 2.5 cm 且内弯的距，旗瓣圆形，兜状，先端微凹，背面中肋具狭龙骨状突起，先端具小

尖，翼瓣具短柄，2 裂，下部裂片小，上部裂片近圆形，先端 2 浅裂，外缘近基部具小耳；雄蕊 5，花丝线形；子房纺锤形，密被柔毛。蒴果宽纺锤形，两端尖，密被柔毛；种子多数，圆球形，黑褐色。花期 7 ～ 10 月。

| **生境分布** | 湖南各地均有栽培。

| **资源情况** | 栽培资源丰富。药材来源于栽培。

| **采收加工** | **急性子**：夏、秋季果实即将成熟时采收，取出种子，晒干，除去杂质。
凤仙透骨草：夏、秋季植株生长茂盛时割取地上部分，除去叶、花、果实，洗净，晒干。
凤仙花：夏、秋季花开时采收，鲜用或阴干、烘干。

| **药材性状** | **急性子**：本品呈椭圆形、扁圆形或卵圆形，长 2 ～ 3 mm，宽 1.5 ～ 2.5 mm。表面棕褐色或灰褐色，粗糙，有稀疏的白色或浅黄棕色小点。种脐位于狭端，稍突出。种皮薄。子叶灰白色，半透明，油质。气微，味淡、微苦。
凤仙透骨草：本品呈长柱形，有少数分枝，长 30 ～ 60 cm，直径 3 ～ 8 mm，下端直径可达 2 cm。表面黄棕色至红棕色，干瘪皱缩，具明显纵沟，节部膨大，叶痕深棕色。体轻质脆，易折断，断面中空，或有白色膜质髓部。气微，味微酸。
凤仙花：本品花瓣呈白色、粉红色或紫色，单瓣或重瓣。萼片 2，宽卵形，有稀疏短柔毛。旗瓣圆形，先端凹，有小尖头，背面中肋有龙骨突；翼瓣宽大，有短柄，2 裂，基部裂片近圆形，上部裂片近圆形，先端 2 浅裂；唇瓣舟形，被稀疏短柔毛，基部突然延长成细而内弯的距；花药钝。气微，味微酸。

| **功能主治** | **急性子**：微苦、辛，温；有小毒。归肺、肝经。破血，软坚，消积。用于癥瘕痞块，闭经，噎膈，外疡坚肿，骨鲠不下。

凤仙透骨草：辛、苦，平；有小毒。归肝、肾经。祛风湿，活血，解毒。用于风湿痹痛，跌打肿痛，闭经，痛经，痈肿，丹毒，鹅掌风，蛇虫咬伤。

凤仙花：甘、微苦，温。归肝、胆、脾经。祛风除湿，活血止痛，解毒杀虫。用于肢体痿废，腰胁疼痛，闭经，产后瘀血未尽，跌打损伤，骨折，痈疽疮毒，毒蛇咬伤，带下，鹅掌风，灰指甲。

| **用法用量** | **急性子**：内服煎汤，3 ~ 5 g；或入丸、散剂。外用研末，吹喉、点牙、调敷或熬膏贴。

凤仙透骨草：内服煎汤，6 ~ 9 g；或鲜品捣汁。外用适量，鲜品捣敷；或煎汤熏洗。

凤仙花：内服煎汤，1.5 ~ 3 g，鲜品可用 3 ~ 9 g；或研末；或浸酒。外用适量，鲜品研烂涂；或煎汤洗。

凤仙花科 Balsaminaceae 凤仙花属 Impatiens

睫毛萼凤仙花 *Impatiens blepharosepala Pritz. ex E. Pritz. ex Diels*

| 药 材 名 | 睫萼凤仙花（药用部位：根。别名：建始凤仙花、透明麻）。

| 形态特征 | 一年生草本，高 30 ~ 60 cm。茎直立，不分枝或基部有分枝。叶互生，常密生于茎或分枝上部，矩圆形或矩圆状披针形，长 7 ~ 12 cm，宽 3 ~ 4 cm，先端渐尖或尾状渐尖，基部楔形，有球状腺体 2，边缘有圆齿，齿端具小尖，侧脉 7 ~ 9 对。总花梗腋生；花 1 ~ 2；花梗中上部有 1 条形苞片；花紫色；侧生萼片 2，卵形，先端突尖，边缘有睫毛，有时有稀疏小齿；旗瓣近肾形，先端凹，背面中肋有狭翅，翅端具喙，翼瓣无柄，2 裂，基部裂片矩圆形，上部裂片大，斧形，唇瓣宽漏斗状，基部突然延长成内弯、长达 3.5 cm 的距；花药钝。蒴果条形。

| **生境分布** | 生于海拔 500 ~ 1 600 m 的山谷溪水旁、沟边林缘或山坡阴湿处。分布于湘东、湘北等。

| **资源情况** | 野生资源一般。药材来源于野生。

| **采收加工** | 夏、秋季采挖，洗净，鲜用或晒干。

| **药材性状** | 本品茎不分枝或基部有分枝。叶互生，常密生于茎或分枝上部，边缘有圆齿。总花梗腋生；花 1 ~ 2，紫色；侧生萼片卵形；旗瓣近肾形，翼瓣无柄，唇瓣宽漏斗状；花药钝。蒴果条形。

| **功能主治** | 用于贫血，外伤出血。

凤仙花科 Balsaminaceae 凤仙花属 Impatiens

华凤仙 *Impatiens chinensis* L.

| **药 材 名** | 水凤仙（药用部位：全草。别名：华凤仙、水边指甲花、象鼻花）。

| **形态特征** | 一年生草本，高 30 ~ 60 cm。茎纤细，上部直立，下部横卧，有不定根。叶对生，无柄或几无柄；叶片硬纸质，线形或线状披针形，稀倒卵形，长 2 ~ 10 cm，宽 0.5 ~ 1 cm，先端尖或稍钝，基部近心形或截形，有托叶状的腺体，边缘疏生刺状锯齿。花较大，单生或 2 ~ 3 花簇生于叶腋，无总花梗，紫红色或白色；花梗长 2 ~ 4 cm；苞片线形，位于花梗的基部；侧生萼片 2，线形，先端尖，唇瓣漏斗状，基部渐狭成内弯或旋卷的长距；旗瓣圆形，先端微凹，背面中肋具狭翅，先端具小尖，翼瓣无柄，2 裂，下部裂片小，近圆形，上部裂片宽倒卵形至斧形，先端圆钝，外缘近基部具小耳；雄蕊 5，花丝线形；子房纺锤形。蒴果椭圆形，中部膨大；种子数粒，

黑色，有光泽。

| **生境分布** | 生于海拔 100 ~ 1 200 m 的池塘、水沟旁、田边或沼泽地。分布于湖南郴州（宜章、临武、汝城）、永州（江永、蓝山）、怀化（沅陵）等。

| **资源情况** | 野生资源较少。药材来源于野生。

| **采收加工** | 7 ~ 9 月采集，洗净泥沙，除去杂质，鲜用或晒干。

| **药材性状** | 本品茎呈圆柱形，直径 1 ~ 4 cm，棕紫色，有明显纵条纹；质脆，断面中心有髓。叶对生，多皱缩，灰绿色至黄棕色，展平后呈线形、线状长圆形至倒卵形，长 2 ~ 10 cm，宽 0.5 ~ 1 cm，先端短尖或钝，基部近心形或截形，边缘疏生刺状锯齿或钝锯齿；叶柄极短或无。花皱缩，粉红色或白色，腋生，单生或数花聚生，展开后直径为 1 ~ 2 cm；花梗长；萼片延伸或呈细尾状，并向内弯曲成钩状；旗瓣圆形，翼瓣半边倒卵形，基部一侧有耳。蒴果椭圆形。味微苦、辛。

| **功能主治** | 苦、辛，平。清热解毒，活血散瘀，拔脓消痈。用于小儿肺炎，咽喉肿痛，热痢，蛇头疔，痈疮肿毒，肺结核。

| **用法用量** | 内服煎汤，15 ~ 30 g。外用鲜品适量，捣敷。

凤仙花科 Balsaminaceae 凤仙花属 Impatiens

绿萼凤仙花
Impatiens chlorosepala Hand.-Mazz.

| 药 材 名 | 金耳环（药用部位：茎、叶）。

| 形态特征 | 一年生草本，高 30 ～ 40 cm。茎肉质，直立，不分枝或稀分枝，无毛。叶常密集于茎上部，互生，具柄；叶片膜质，长圆状卵形或披针形，长 7 ～ 11 cm，宽 2.5 ～ 4.5 cm，先端渐尖，基部楔状狭成长 1 ～ 3.5 cm 的叶柄，具指状托叶腺，边缘具圆齿状齿，齿间具小尖，上面深绿色，被白色疏生伏毛，下面淡绿色，无毛，侧脉 5 ～ 6 对，弧状弯，向基部具少数腺体。总花梗生于上部叶腋，长于叶柄，长 3.5 ～ 6 cm，具 1 ～ 2 花；花梗长 10 ～ 15 mm，中部以上有苞片；苞片披针形或线状披针形，长 3 ～ 4 mm，宿存；花大，淡红色，长 3.5 ～ 4 cm；侧生萼片 2，绿色，斜宽卵形或近圆形，长 8 ～ 10 mm，

宽 5 ～ 6 mm，背面中肋不增厚；旗瓣圆形，长 7 ～ 12 mm，兜状，背面中肋增厚，具狭龙骨状突起；翼瓣具短柄，长 2.5 cm，2 裂，基部裂片半圆形，上部裂片较长，长圆形，先端钝，背部具明显的小耳；唇瓣檐部漏斗状，长 1.5 cm，口部平，宽 15 mm，先端具小尖，基部急狭成长 2 ～ 2.5 cm、内弯、先端内卷的距，具粉红色纹条；花丝线形，先端稍大，花药卵圆形，先端钝；子房纺锤形，直立，先端喙尖。蒴果披针形，长 1.5 ～ 2 cm，先端喙尖。花期 10 ～ 12 月。

| 生境分布 | 生于海拔 300 ～ 1 300 m 的山谷水旁阴处或疏林溪旁。分布于湖南张家界（桑植）、郴州（汝城）、永州（江华）等。

| 资源情况 | 野生资源较少。药材主要来源于野生。

| 功能主治 | 清热消肿。用于疥疮。

| 用法用量 | 外用适量，鲜品捣敷；或洗。

凤仙花科 Balsaminaceae 凤仙花属 Impatiens

鸭跖草状凤仙花 *Impatiens commelinoides* Hand.-Mazz.

| **药 材 名** | 鸭跖草状凤仙花（药用部位：全草）。

| **形态特征** | 一年生草本，高 20 ~ 40 cm。茎纤细，平卧，有分枝，有多数纤维状根。叶互生；叶片卵形或卵状菱形，长 2.5 ~ 6 cm，宽 1 ~ 3 cm，先端急尖或短渐尖，基部楔形，边缘具稀疏锯齿，有糙缘毛，侧脉 5 ~ 7 对，弧状弯曲；叶柄长可达 2 cm。总花梗连同花梗长 2 ~ 4 cm，被短糙毛，仅具 1 花，中上部有苞片 1；苞片草质，披针形或线状披针形，宿存；花蓝紫色；侧生萼片 2，宽卵形，先端突尖；旗瓣圆形，先端微凹，背面中肋有绿色狭龙骨状突起，先端具小尖，翼瓣具柄，2 裂，裂片近圆形，上部裂片较大，外缘无明显的小耳，唇瓣宽漏斗状，基部渐狭成长约 15 mm、内弯或呈螺旋状卷曲的距；雄蕊 5，花丝线形，扁平；子房纺锤形，直立，先端具 5 齿裂。蒴

果线状圆柱形，先端短尖；种子 5 ～ 6，长圆状球形，褐色，平滑。花期 8 ～ 10
月，果期 11 月。

| 生境分布 | 生于海拔 300 ～ 900 m 的田边或沟旁。分布于湘东、湘北等。

| 资源情况 | 野生资源较少。药材来源于野生。

| 采收加工 | 夏、秋季采收，除去杂质，晒干。

| 药材性状 | 本品茎纤细。叶互生；叶片卵形或卵状菱形。总花梗被短糙毛，仅具 1 花；苞
片草质，披针形或线状披针形，花蓝紫色；侧生萼片宽卵形；旗瓣圆形，翼瓣
具柄，唇瓣宽漏斗状，基部渐狭成长约 15 mm、内弯或呈螺旋状卷曲的距；花
丝线形；子房纺锤形。蒴果线状圆柱形；种子褐色，长圆状球形。

| 功能主治 | 祛风，活血，消肿，止痛。

凤仙花科 Balsaminaceae 凤仙花属 Impatiens

蓝花凤仙花 *Impatiens cyanantha* Hook. f.

| 药 材 名 | 蓝花凤仙花（药用部位：全草）。

| 形态特征 | 一年生草本，高 20 ~ 70 cm。茎直立，粗壮，有分枝。单叶互生；叶片椭圆形或披针形，长 5 ~ 10 cm，宽 2 ~ 4 cm，先端渐尖或尾尖，基部长楔形，边缘具粗且圆的锯齿，齿间具小刚毛，侧脉每边 5 ~ 6，叶基部具 2 腺体；叶柄短，长 1 ~ 3 cm。总花梗细弱，长约 1 cm；苞片小，脱落；花大，长 2 ~ 5 cm，蓝色或紫蓝色，侧生；萼片 2，革质，斜圆形，两边不等侧，基部具 1 囊状凹陷；旗瓣小，圆形，中肋纤细；翼瓣 2 裂，上裂片斧形，先端钝圆，下裂片小，圆形；唇瓣囊状基部下延为细长且内弯的长距，长 10 ~ 16 mm；花药钝。蒴果狭纺锤形，长约 2 cm；种子长圆形，长 3 ~ 5 mm。花期 7 ~ 9 月，果期 8 ~ 10 月。

| 生境分布 | 生于海拔 1 000 ~ 2 100 m 的林下、沟边、路旁等阴湿处。分布于湖南常德（桃源）、永州（东安）、怀化（沅陵）等。

| 资源情况 | 野生资源稀少。药材来源于野生。

| 采收加工 | 夏、秋季采收，洗净，鲜用或晒干。

| 药材性状 | 本品茎有分枝。单叶互生；叶片椭圆形或披针形。总花梗细弱；花大，蓝色或紫蓝色，侧生；萼片革质，斜圆形；翼瓣 2 裂，唇瓣囊状；花药钝。蒴果狭纺锤形；种子长圆形。

| 功能主治 | 活血化瘀，舒筋活络，解毒消肿。用于跌打肿痛，蛇咬伤。

| 用法用量 | 内服煎汤，9 ~ 15 g；或浸酒。外用适量，捣敷。

凤仙花科 Balsaminaceae 凤仙花属 Impatiens

牯岭凤仙花 Impatiens davidii Franch.

| 药 材 名 | 牯岭凤仙花（药用部位：全草或根。别名：野凤仙）。

| 形态特征 | 一年生草本，高 40 ~ 90 cm。茎细瘦，直立，分枝。叶互生；叶片卵状长圆形或卵状披针形，长 5 ~ 10 cm，宽 3 ~ 4 cm，先端尾状渐尖，基部楔形，边缘有粗且圆的齿，齿端有小尖，侧脉 5 ~ 7 对。花梗腋生，长约 2 cm，中上部有近对生的披针形苞片 2；花单生，黄色或橙黄色；萼片 2，宽卵形，长约 4 mm，先端有小尖，全缘；旗瓣近圆形，背面中肋有宽翅，先端具短喙，翼瓣具柄，2 裂，基部裂片长圆形，先端有长丝，上部裂片大，斧形，唇瓣囊状，基部延成钩状短距，距端 2 裂；雄蕊 5，花药钝。蒴果长椭圆形。花果期夏、秋季。

| **生境分布** | 生于沟边草丛中或山谷阴湿处。分布于湖南株洲（攸县）、张家界（武陵源）、郴州（北湖）、永州（蓝山）、娄底（新化）、益阳（安化）等。

| **资源情况** | 野生资源较少。药材来源于野生。

| **采收加工** | 夏、秋季采收，鲜用或晒干。

| **药材性状** | 本品根呈灰黑色，肉质，侧根直径 0.1～0.4 cm，短小。茎肉质，粗壮，下部 3～4 节长有浅灰色的气根。叶互生；叶片膜质。具 1 花，花淡黄色；苞片草质，卵状披针形；旗瓣近圆形，翼瓣具柄，唇瓣囊状，具黄色条纹。蒴果线状圆柱形。

| **功能主治** | 辛，温。消积，止痛。用于疳积，腹痛，牙龈溃烂。

| **用法用量** | 内服煎汤，6～9 g。外用适量，老花梗腌后炙成炭，调油，涂牙龈。

凤仙花科 Balsaminaceae 凤仙花属 Impatiens

齿萼凤仙花 *Impatiens dicentra* Franch. ex Hook. F

药材名

水兰叶（药用部位：全草）。

形态特征

一年生草本，高 60 ~ 90 cm。茎直立，有分枝。叶互生；叶片卵形或卵状披针形，长 8 ~ 15 cm，宽 3 ~ 7 cm，先端尾状渐尖，基部楔形，边缘有圆锯齿，齿端有小尖，基部边缘有数个具柄腺体，侧脉 6 ~ 8 对；叶柄长 2 ~ 5 cm。花梗较短，腋生，中上部有卵形苞片，仅具 1 花；花大，长达 4 cm，黄色；侧生萼片 2，宽卵状圆形，渐尖，边缘有粗齿，少有全缘者，背面中肋有狭龙骨突；旗瓣圆形，背面中肋龙骨突呈喙状；翼瓣无柄，2 裂，裂片披针形，先端有细丝，背面有小耳；唇瓣囊状，基部延长成内弯的短距，距 2 裂；花药钝。蒴果条形，先端有长喙。

生境分布

生于海拔 1 000 ~ 2 100 m 的山沟溪边、林下草丛中。分布于湖南邵阳（绥宁）、张家界（武陵源、桑植、慈利）、益阳（桃江）、永州（蓝山）、怀化（麻阳、洪江、沅陵）、湘西州（花垣、龙山、凤凰、保靖）、株洲（渌口）等。

| **资源情况** | 野生资源一般。药材来源于野生。

| **采收加工** | 夏、秋季采收，鲜用或晒干。

| **药材性状** | 本品茎具分枝。叶片卵形或椭圆形，长 7 ~ 15 cm，宽 3 ~ 7 cm；叶柄长 2 ~ 5 cm。总花梗具 1 ~ 2 花；翼瓣 2 裂，翼瓣裂片先端具丝状长芒。

| **功能主治** | 苦、辛，温。祛瘀消肿，止痛渗湿。用于风湿筋骨疼痛，跌扑瘀肿，阴囊湿疹，疥癞疮癣。

| **用法用量** | 内服煎汤，10 ~ 15 g。外用适量，鲜品捣敷；或煎汤洗。

凤仙花科 Balsaminaceae 凤仙花属 Impatiens

毛凤仙花 *Impatiens lasiophyton* Hook. f.

| 药 材 名 | 毛凤仙花（药用部位：全草）。

| 形态特征 | 一年生草本，高 30 ~ 60 cm，全株有开展的绒毛。茎粗壮，直立，
分枝。叶互生，椭圆形、卵形或卵状披针形，长 3 ~ 8 cm，宽 1.5 ~
4 cm，先端急尖或渐尖，基部尖，边缘有粗圆齿或圆齿状锯齿，侧
脉 7 ~ 8 对，两面有粗毛；叶柄长 1 ~ 3 cm。总花梗长 2 ~ 3 cm，
腋生，具 2 花，花梗纤细，花下部有 1 披针形苞片；花黄色或白色；
侧生萼片 2，稀 4，半卵形，长 5 ~ 8 mm，先端突尖，外面有硬柔毛；
旗瓣圆形，基部 2 裂，背面中肋有厚翅，先端有宽喙，翼瓣无柄，
2 裂，基部裂片小或退化，上部裂片宽斧形或半月形，背面有明显
的小耳，唇瓣宽漏斗状，基部延长成内弯的距；花药钝。蒴果条状

纺锤形。

| **生境分布** | 生于海拔 1 700 ~ 2 100 m 的山谷阴湿处、水沟边、密林中。分布于湖南湘西州（吉首、花垣）等。

| **资源情况** | 野生资源稀少。药材来源于野生。

| **采收加工** | 夏、秋季采收，洗净，鲜用或晒干。

| **药材性状** | 本品全株有开展的绒毛。茎粗壮，分枝。叶互生，椭圆形、卵形或卵状披针形，长 3 ~ 8 cm，宽 1.5 ~ 4 cm，先端急尖或渐尖，基部尖，边缘有粗圆齿或圆齿状锯齿，侧脉 7 ~ 8 对，两面有粗毛。旗瓣圆形，基部 2 裂；翼瓣无柄，2 裂，基部裂片小或退化，上部裂片宽斧形或半月形，背面有明显的小耳；唇瓣宽漏斗状，基部延长成内弯的距；花药钝。蒴果条状纺锤形。

| **功能主治** | 消炎，散瘀，解毒。用于跌打损伤，蛇咬伤。

| **用法用量** | 内服煎汤，9 ~ 15 g。外用适量，捣敷。

凤仙花科 Balsaminaceae 凤仙花属 Impatiens

细柄凤仙花 *Impatiens leptocaulon* Hook. f.

| 药 材 名 | 白冷草（药用部位：根及根茎。别名：痨伤药、冷水七、冷水丹）。

| 形态特征 | 一年生草本，高 30 ~ 50 cm。茎纤弱，直立，不分枝或分枝，节和上部生褐色柔毛。叶互生，卵形或卵状披针形，长 5 ~ 10 cm，宽 2 ~ 3 cm，先端尖或渐尖，基部狭楔形，有几个腺体，边缘有小圆齿或小锯齿，无毛，叶脉 5 ~ 8 对；叶柄长 0.5 ~ 1.5 cm。总花梗细，有 1 或 2 花；花梗短，中上部有披针形苞片；花红紫色；侧生萼片 2，半卵形，长突尖，不等侧，一边透明，有细齿；旗瓣圆形，中肋龙骨状，先端有小喙，翼瓣无柄，基部裂片小，圆形，上部裂片倒卵状矩圆形，背面有钝小耳，唇瓣舟形，下延成内弯的长距；花药钝。蒴果条形。

| 生境分布 | 生于海拔 1 200 ~ 2 000 m 的山坡草丛中、阴湿处或林下沟边。分布

于湖南湘西州（龙山）、邵阳（绥宁）、张家界（桑植）、常德（石门）等。

| **资源情况** | 野生资源稀少。药材来源于野生。

| **采收加工** | 夏、秋季采挖，洗净，鲜用或切段，晒干。

| **药材性状** | 本品根茎呈疙瘩形，常连接成结节状，上部残留长短不等的茎痕，下部簇生多数圆柱形细根，弯曲，长 5 ~ 10 cm，直径 2 ~ 4 mm。表面灰棕色或灰褐色，皱缩，具细纵纹。质稍松泡，海绵样，易折断，断面棕红色，有亮晶小点。气微，味微咸，嚼之无渣而稍刺喉。

| **功能主治** | 辛、苦，微温。理气活血止痛。用于风湿性关节炎，跌打肿痛。

| **用法用量** | 内服煎汤，9 ~ 15 g；或浸酒。外用适量，捣敷。

凤仙花科 Balsaminaceae 凤仙花属 Impatiens

水金凤 *Impatiens noli-tangere* L.

药材名

水金凤（药用部位：全草或根。别名：野凤仙、白辣草、水凤仙）。

形态特征

一年生草本，高 40 ~ 70 cm。茎较粗壮，直立，分枝。叶互生；叶片卵形或卵状椭圆形，长 3 ~ 8 cm，宽 1.5 ~ 4 cm，先端钝，稀急尖，基部圆钝或宽楔形，边缘有粗且圆的齿状齿，齿端具小尖，两面无毛；叶柄细，长 2 ~ 5 cm。总状花序，总花梗长 1 ~ 1.5 cm，具 2 ~ 4 花；花梗长 1.5 ~ 2 mm，中上部有 1 苞片；苞片草质，宿存；花黄色；侧生 2 萼片卵形或宽卵形，先端急尖；旗瓣圆形或近圆形，先端微凹，先端具短喙尖；翼瓣无柄，2 裂，上部裂片宽斧形，近基部散生橙红色斑点，外缘近基部具钝角状的小耳；唇瓣宽漏斗状，喉部散生橙红色斑点，基部渐狭成内弯的长距；雄蕊 5，花丝线形，花药卵球形，先端尖；子房纺锤形，具短喙尖。蒴果线状圆柱形；种子多数，长圆球形，褐色，光滑。花期 7 ~ 9 月。

生境分布

生于海拔 900 ~ 2 100 m 的山坡林下、林缘草地或沟边。分布于湖南邵阳（新邵、新宁）、岳阳（岳阳）、张家界（桑植）、怀化（沅陵）等。

| **资源情况** | 野生资源稀少。药材来源于野生。

| **采收加工** | 7～9月采收，鲜用或晒干。

| **药材性状** | 本品茎肉质。叶片卵形或卵状椭圆形，边缘有粗且圆的齿状齿；叶柄纤细。总状花序；苞片草质，披针形；花黄色；侧生萼片卵形或宽卵形；旗瓣圆形或近圆形，翼瓣无柄，唇瓣宽漏斗状；花丝线形，花药卵球形，先端尖；子房纺锤形。蒴果线状圆柱形；种子多数。

| **功能主治** | 甘，温。活血调经，祛风除湿。用于月经不调，痛经，闭经，跌打损伤，风湿痹痛，脚气肿痛，阴囊湿疹，癣疮，癞疮。

| **用法用量** | 内服煎汤，9～15 g。外用适量，煎汤洗；或鲜品捣敷。

凤仙花科 Balsaminaceae 凤仙花属 Impatiens

块节凤仙花 *Impatiens pinfanensis* Hook. f.

| 药 材 名 | 串铃（药用部位：茎基部膨大的节。别名：万年、小羊芋）。

| 形态特征 | 一年生草本，高 20 ~ 40 cm。茎细弱，直立，茎上疏被白色微绒毛，基部匍匐，匍匐茎节膨大，形成球状块茎，上面着生不定根。单叶互生；叶片卵形、长卵形或披针形，长 3 ~ 6 cm，宽 1.5 ~ 2.5 cm，先端渐尖，基部楔形，边缘具粗锯齿，齿尖有小刚毛，侧脉 4 ~ 5 对，叶面沿叶脉疏被极小肉刺；下部叶柄长，上部叶柄极短，长 0.3 ~ 2 cm。总花梗腋生，长 4 ~ 5 cm，仅具 1 花，中上部具 1 狭长披针形小苞片；花红色，中等大，长约 3 cm；侧生萼片 2，椭圆形，长约 0.5 cm，先端具喙；旗瓣圆形或倒卵形，背面中肋有龙骨突，先端具小尖头，翼瓣 2 裂，上裂片斧形，先端圆，下裂片圆形，先端钝，唇瓣漏斗状，基部下延为弯曲的细距；花药尖。蒴果线形，

具条纹；种子近球形，直径约 0.3 cm，褐色，光滑。花期 6 ~ 8 月，果期 7 ~ 10 月。

| 生境分布 | 生于海拔 900 ~ 2 000 m 的林下、沟边等潮湿处。分布于湖南张家界（武陵源、桑植）、郴州（宜章）、永州（道县）、怀化（中方、麻阳）、湘西州（花垣、永顺、凤凰）等。

| 资源情况 | 野生资源较少。药材来源于野生。

| 采收加工 | 秋季采收，洗净，鲜用或晒干。

| 功能主治 | 辛，温。祛风除湿，活血止痛。用于风寒感冒，喉蛾，风湿关节痛，闭经，骨折。

| 用法用量 | 内服煎汤，9 ~ 15 g。外用适量，捣敷；或煎汤熏洗。

| 附　　注 | 在《中国植物志》中本种的拉丁学名被修订为 *Impatiens piufanensis* J. D. Hooker。

凤仙花科 Balsaminaceae 凤仙花属 Impatiens

多脉凤仙花 Impatiens polyneura K. M. Liu

| 药 材 名 | 多脉凤仙花（药用部位：全草）。

| 形态特征 | 一年生草本，高 40 ~ 70 cm，无毛。茎肉质，直立粗壮，不分枝，黄绿色，常具紫色斑点。叶互生，具柄，密集着生在茎上端；叶片厚膜质，椭圆形或长圆状椭圆形，长 9 ~ 18 cm，宽 5 ~ 7 cm，先端短渐尖，基部楔形，具 1 对无柄、卵球形的腺体，边缘有细锯齿；叶柄有紫色斑点。总花梗短，单生于上部叶腋，具 2 花，近叉状；花梗基部有三角状卵形苞片，苞片小薄膜质；花淡紫色；侧生萼片 4，有紫色斑点；旗瓣倒卵状长圆形，先端凹，背面中肋具龙骨状突起，翼瓣具柄，2 裂，唇瓣宽漏斗状，具紫色斑点，基部具狭长内弯、先端 2 裂的距；花丝线形，极短；花药卵形，先端钝；子房纺锤形。蒴果纺锤形，稍弯，具 4 棱，先端喙尖；种子 7 ~ 8，长圆形，褐色，

被乳头突状微毛。

| **生境分布** | 生于海拔 400 ～ 600 m 的山谷溪流边。分布于湖南郴州（资兴、苏仙、汝城、宜章）、永州（宁远、双牌）等。

| **资源情况** | 野生资源稀少。药材来源于野生。

| **功能主治** | 理气活血止痛。用于风湿性关节炎，跌打肿痛。

凤仙花科 Balsaminaceae 凤仙花属 Impatiens

翼萼凤仙花

Impatiens pterosepala Hook. f.

| 药 材 名 | 翼萼凤仙花（药用部位：全草）。

| 形态特征 | 一年生草本，高 30 ~ 60 cm。茎纤细，直立，有分枝。叶互生，卵形或矩圆状卵形，长 3 ~ 10 cm，宽 2.5 ~ 4 cm，先端渐尖，基部楔形，具 2 球形腺体，边缘有圆齿，侧脉 5 ~ 7 对；叶柄长 1.5 ~ 2 cm。总花梗腋生，长约 4 cm，中上部有 1 披针形苞片，仅具 1 花；花淡紫色或紫红色；侧生萼片 2，长卵形，先端渐尖，有时一侧有细齿，背面中肋有狭翅；旗瓣圆形，先端微凹，基部心形，背面中肋全缘或有波状狭翅，翅的先端有短喙，翼瓣近无柄，2 裂，基部裂片矩圆形，上部裂片较大，宽斧形，背面有小耳，唇瓣狭漏斗状，基部延成细长且内弯的距；花药尖。蒴果条形。

| 生境分布 | 生于海拔 1 500 ～ 1 700 m 的山坡灌丛或林下阴湿处、沟边。分布于湖南邵阳（新邵、洞口）、郴州（北湖、临武）、永州（东安、双牌）、怀化（辰溪、麻阳、洪江）、湘西州（吉首、凤凰）等。

| 资源情况 | 野生资源较少。药材来源于野生。

| 采收加工 | 7 ～ 9 月采收，鲜用或晒干。

| 药材性状 | 本品茎纤细。叶互生，卵形或矩圆状卵形，边缘有圆齿。总花梗腋生，仅具 1 花；花淡紫色或紫红色；侧生萼片长卵形；旗瓣圆形，翼瓣近无柄，唇瓣狭漏斗状。蒴果条形。

| 功能主治 | 用于跌打损伤。

凤仙花科 Balsaminaceae 凤仙花属 Impatiens

黄金凤
Impatiens siculifer Hook. f.

| 药 材 名 |　黄金凤（药用部位：全草。别名：水指甲、岩胡椒、纽子七）。

| 形态特征 |　一年生草本，高 30 ～ 60 cm。茎细弱，不分枝或有少数分枝。叶互生，通常生于茎或分枝的上部；叶片卵状披针形或椭圆状披针形，长 5 ～ 13 cm，宽 2.5 ～ 5 cm，先端急尖或渐尖，基部楔形，边缘有粗圆齿，齿间有小刚毛，侧脉 5 ～ 11 对；下部叶的叶柄长 1.5 ～ 3 cm，上部叶近无柄。总花梗生于上部叶腋，5 ～ 8 花排成总状花序；花梗纤细，基部有 1 披针形苞片宿存；花黄色；侧生萼片 2，窄矩圆形，先端突尖；旗瓣近圆形，背面中肋增厚成狭翅；翼瓣无柄，2 裂，基部裂片近三角形，上部裂片条形；唇瓣狭漏斗状，先端有喙状短尖，基部延长成内弯或下弯的长距；花药钝。蒴果棒状。

| **生境分布** | 生于海拔 800 ～ 2 100 m 的山坡草地、草丛、水沟边、山谷潮湿地或密林中。湖南各地均有分布。

| **资源情况** | 野生资源丰富。药材来源于野生。

| **采收加工** | 夏、秋季采收，洗净，鲜用或晒干。

| **药材性状** | 本品茎细弱，肉质，干品茎皱缩，不分枝或有少数分枝，长 30 ～ 60 cm，下部节上有须状根，表面淡绿色或淡紫色。叶互生，通常生于茎或分枝的上部，下部叶有柄，上部叶无柄；完整叶片展平后呈卵状披针形或椭圆状披针形，长 5 ～ 13 cm，宽 2.5 ～ 5 cm，绿色，先端急尖或渐尖，基部楔形，边缘有粗圆齿。总状花序，总花梗具 5 ～ 8 花；花黄色；花萼 2；翼瓣 2 裂。气微，味淡。

| **功能主治** | 辛，温。祛风除湿，活血消肿，清热解毒。用于风湿关节痛，肢体麻木，跌打损伤，烫火伤。

| **用法用量** | 内服煎汤，9 ～ 15 g。外用适量，捣敷；或煎汤熏洗。

凤仙花科 Balsaminaceae 凤仙花属 Impatiens

紫花黄金凤
Impatiens siculifer Hook. f. var. *porphyea* Hook. f.

| 药 材 名 | 紫花黄金凤（药用部位：全草）。

| 形态特征 | 一年生草本，高 30 ~ 60 cm。茎细弱，不分枝或有少数分枝。叶互生，通常密集于茎或分枝的上部，卵状披针形或椭圆状披针形，长 5 ~ 13 cm，宽 2.5 ~ 5 cm，先端急尖或渐尖，基部楔形，边缘有粗圆齿，齿间有小刚毛，侧脉 5 ~ 11 对；下部叶的叶柄长 1.5 ~ 3 cm，上部叶近无柄。总花梗生于上部叶腋，花 5 ~ 8 排成总状花序；花梗纤细，长达 17 cm，基部有 1 宿存披针形苞片；花紫红色；侧生萼片 2，窄矩圆形，先端突尖；旗瓣近圆形，背面中肋增厚成狭翅，翼瓣无柄，2 裂，基部裂片近三角形，上部裂片条形，唇瓣狭漏斗状，先端有喙状短尖，基部延长成内弯或下弯的长距；花药钝。蒴果棒状。

| **生境分布** | 生于草坡。分布于湖南株洲（炎陵）、湘西州（保靖、古丈、永顺）等。

| **资源情况** | 野生资源稀少。药材来源于野生。

| **功能主治** | 清热解毒，消肿，止痛。用于风湿病，跌打损伤，烫伤。

凤仙花科 Balsaminaceae 凤仙花属 Impatiens

窄萼凤仙花

Impatiens stenosepala Pritz. ex Diels

| 药 材 名 | 窄萼凤仙花（药用部位：全草）。

| 形态特征 | 一年生草本，高 20 ~ 70 cm，直立。茎和枝上有紫色或红褐色斑点。叶互生，常生于茎上部；叶片矩圆形或矩圆状披针形，长 6 ~ 15 cm，宽 2.5 ~ 5.5 cm，先端尾状渐尖，基部楔形，边缘有圆锯齿，基部有少数缘毛状腺体，侧脉 7 ~ 9 对；叶柄长 2.5 ~ 4.5 cm。总花梗腋生，有 1 ~ 2 花；花梗纤细，基部有 1 条形苞片；花大，紫红色；侧生萼片 4，外面 2 萼片条状披针形，内面 2 萼片条形；旗瓣宽肾形，先端微凹，背面中肋有龙骨突，中上部有小喙，翼瓣无柄，2 裂，基部裂片椭圆形，上部裂片矩圆状斧形，背面有近圆形的耳，唇瓣囊状，基部圆形，有内弯的短距；花药钝。蒴果条形。

| 生境分布 | 生于海拔 800 ～ 1 800 m 的山坡林下、山沟旁或草丛中。分布于湖南益阳（桃江）、怀化（洪江）、张家界（慈利）等。 |

| 资源情况 | 野生资源稀少。药材来源于野生。 |

| 采收加工 | 夏、秋季采收，洗净，鲜用或晒干。 |

| 药材性状 | 本品茎和枝上有紫色或红褐色斑点。叶互生，基部楔形，边缘有圆锯齿。总花梗腋生；花大，紫红色；翼瓣无柄，唇瓣囊状，基部圆形。蒴果条形。 |

| 功能主治 | 解毒，祛腐。用于恶疮溃疡。 |

凤仙花科 Balsaminaceae 凤仙花属 Impatiens

管茎凤仙花 Impatiens tubulosa Hemsl.

| 药 材 名 | 管茎凤仙花（药用部位：根及根茎）。

| 形态特征 | 一年生草本，高 30 ～ 40 cm。茎较粗壮，肉质，直立，不分枝，无毛，下部节膨大。叶互生，下部叶在花期凋落，上部叶常密集；叶片披针形或长圆状披针形，长 6 ～ 13 cm，宽 2 ～ 3 cm，先端渐尖或长渐尖，基部狭楔形下延，边缘具圆齿状齿，齿端具胼胝状小尖。总花梗和花序轴粗壮，劲直，3 ～ 5 花排列成总状花序；花梗基部有 1 苞片，苞片膜质，卵状披针形，果期脱落；花黄色；侧生萼片 4；唇瓣囊状，基部渐狭成长约 20 mm 上弯的距，旗瓣倒卵状椭圆形，背面中肋具绿色狭龙骨状突起，先端具小喙尖，翼瓣具短柄，2 裂；雄蕊 5，花丝线形，花药卵球形，先端钝；子房纺锤形，先端具 5 细齿裂。蒴果棒状，上部膨大，具喙尖；种子 3 ～ 4，长圆球形，

淡褐色，光滑。

| **生境分布** | 生于海拔 500 ～ 700 m 的林下或沟边阴湿处。分布于湖南怀化（靖州）、郴州（桂东）等。

| **资源情况** | 野生资源较少。药材来源于野生。

| **功能主治** | 辛、苦，微温。理气活血止痛。用于风湿性关节炎，跌打肿痛。

冬青科 Aquifoliaceae 冬青属 *Ilex*

满树星

Ilex aculeolata Nakai

| 药 材 名 | 满树星（药用部位：根皮、叶。别名：鼠李冬青、秤星木、天星木）。

| 形态特征 | 落叶灌木，高 2 m。有长枝和短枝，枝灰褐色，长枝被柔毛，并有皮孔。叶互生；叶柄长 1 ~ 1.2 cm，有短毛；叶片薄纸质，倒卵形，长 2 ~ 8 cm，宽 1 ~ 3 cm，先端渐尖，基部楔形，边缘具锯齿，两面有短柔毛，侧脉 3 ~ 4 对，网脉不明显。花序单生于长枝、短枝叶腋或鳞片腋内；花 4 或 5 基数，白色，有香气；雄花序具 1 ~ 3 花，花梗无毛，花萼直径 2.5 mm，裂片三角形，花瓣圆卵形，雄蕊与花冠等长；雌花序具单花，花梗稍短，花萼、花冠似雄花，子房卵形，柱头厚盘状。果实球形，直径 7 mm，有网状条纹和槽，内果皮骨质。花期 6 月，果期 7 月。

| **生境分布** | 生于海拔 100 ～ 1 200 m 的山谷、路旁疏林或灌丛中。湖南各地均有分布。

| **资源情况** | 野生资源较丰富。栽培资源一般。药材来源于野生和栽培。

| **采收加工** | 根皮，冬季采挖根，洗去泥土，剥取根皮，晒干。叶，夏、秋季采收，晒干。

| **药材性状** | 本品根皮外表面呈灰黄棕色或浅褐棕色，粗糙，纵皱纹明显，皮孔粗且明显凸出，内表面棕褐色；切面皮部稍厚，褐棕色；味微苦而涩。叶片薄纸质，倒卵形，长 2 ～ 5 cm，宽 1 ～ 3 cm，先端急尖或渐尖，稀钝，基部楔形且渐尖，边缘具锯齿，疏被短柔毛或近无毛，主脉在叶面稍凹陷，在背面凸起，侧脉 4 ～ 5 对，在上面平坦，在背面隆起，于叶缘附近网结，网状脉不明显；叶柄长 5 ～ 11 mm，被短柔毛；托叶微小，三角形，宿存。味微苦。

| **功能主治** | 微苦、甘，凉。疏风化痰，清热解毒。用于感冒，咳嗽，牙痛，烫伤，湿疹。

| **用法用量** | 内服煎汤，9 ～ 15 g。

冬青科 Aquifoliaceae 冬青属 Ilex

秤星树

Ilex asprella (Hook. et Arn.) Champ. ex Benth.

| 药 材 名 |

岗梅（药用部位：根、茎。别名：槽楼星、金包银、土甘草）、岗梅叶（药用部位：叶）。

| 形态特征 |

落叶灌木，高 3 m。小枝无毛，绿色，干后呈褐色，长枝纤细，有白色皮孔。叶互生；叶柄长 3 ~ 8 mm；叶片膜质，卵形或卵状椭圆形，长 3 ~ 7 cm，宽 1.5 ~ 3 cm，先端渐尖成尾状，基部宽楔形，边缘具钝锯齿，上面或仅脉上有微毛，下面无毛。花白色，雌雄异株；2 ~ 3 雄花簇生或单生于叶腋，花 4 或 5 基数，花萼直径 2.5 ~ 3 mm，无毛，裂片阔三角形或圆形，基部接合；雌花单生于叶腋，花梗长 2 ~ 2.5 cm，果时长可达 3 cm，无毛，花 4 ~ 6 基数，花萼直径 2.5 ~ 3 mm，花瓣基部接合，子房球状卵形，花柱明显，柱头盘状。果实球形，成熟时呈黑紫色，分核 4 ~ 6。花期 4 ~ 5 月，果期 7 ~ 8 月。

| 生境分布 |

生于海拔 400 ~ 1 000 m 的山地疏林或路旁灌丛中。湖南各地均有分布。

| **资源情况** | 野生资源较丰富。栽培资源一般。药材来源于野生和栽培。

| **采收加工** | 岗梅：全年均可采收，洗净，趁鲜时切或劈成片、块或段，干燥。

岗梅叶：全年均可采收，洗净，鲜用。

| **药材性状** | 岗梅：本品根表面浅棕褐色、灰黄棕色或灰黄白色，稍粗糙，有的有不规则的纵皱纹或龟裂纹；茎表面灰棕色或棕褐色，散有多数灰白色的类圆形点状皮孔，似秤星。外皮稍薄，可剥落，剥去外皮处显灰白色或灰黄色，可见较密的点状或短条状突起。质坚硬，不易折断，断面黄白色或淡黄白色，有的略显淡蓝色，有放射状及不规则纹理。气微，味先微苦而后甘。

岗梅叶：本品叶柄长 3 ~ 8 mm；叶片膜质，卵形或卵状椭圆形，长 3 ~ 7 cm，宽 1.5 ~ 3 cm，先端渐尖成尾状，基部宽楔形，边缘具钝锯齿，中脉上面稍凹下，侧脉 6 ~ 8 对，网脉不明显，上面或仅脉上有微毛，下面无毛。

| **功能主治** | 岗梅：苦、甘，寒。归肺、肝、大肠经。清热，生津，散瘀，解毒。用于感冒，头痛，眩晕，热病烦渴，痧气，热泻，肺痈，百日咳，咽喉肿痛，痔血，淋病，疔疮肿毒，跌打损伤。

岗梅叶：苦、甘，凉。发表清热，消肿解毒。用于感冒，跌打损伤，痈肿疔疮。

| **用法用量** | 岗梅：内服煎汤，15 ~ 30 g。外用适量，捣敷。

岗梅叶：内服煎汤，鲜品 30 ~ 60 g。外用适量，捣敷。

刺叶冬青

Ilex bioritsensis Hayata

| 药 材 名 | 刺叶冬青（药用部位：根、枝、叶。别名：双子冬青、壮刺冬青、耗子刺）。

| 形态特征 | 常绿灌木或小乔木，高 1.5 ~ 10 m。小枝近圆形，灰褐色，顶芽圆锥形，被微柔毛，芽鳞具缘毛。叶片革质，卵形至菱形，长 2.5 ~ 5 cm，宽 1.5 ~ 2.5 cm，先端渐尖，且具 1 长 3 mm 的刺，基部圆形或截形，边缘波状，具 3 对或 4 对硬刺齿，叶正面具光泽，叶背面无毛，主脉在叶正面凹陷，在叶背面隆起，叶正面的主脉被微柔毛，叶背面的主脉无毛，侧脉 4 ~ 6 对；叶柄长约 3 mm，被短柔毛；托叶小，卵形，急尖。花簇生于二年生枝的叶腋；花梗长约 2 mm；花 2 ~ 4 基数，淡黄绿色；雄花近顶部具卵形小苞片 2，花萼盘状，直径约 3 mm，裂片宽三角形，具缘毛，花瓣阔椭圆形，雄蕊长于

花瓣，花药长圆形；雌花近基部具 2 小苞片，无毛，花萼似雄花，花瓣分离。果实椭圆形，长 8 ～ 10 mm；分核 2。花期 4 ～ 5 月，果期 8 ～ 10 月。

| 生境分布 | 生于海拔 1 800 ～ 2 100 m 的山地常绿阔叶林或杂木林中。分布于湖南郴州（嘉禾）、张家界（桑植）、怀化（溆浦）等。

| 资源情况 | 野生资源稀少。药材来源于野生。

| 采收加工 | 根，9 ～ 10 月采挖，晒干。枝、叶，夏、秋季采收，晒干。

| 药材性状 | 本品小枝近圆形，灰褐色，顶芽有短柔毛。单叶，厚革质，卵形至菱形，长 2.5 ～ 5 cm，宽 1.5 ～ 2.5 cm，先端尖刺状，边缘有大刺齿 1 ～ 3 对，上面有光泽，无毛或沿中脉有毛，侧脉 4 ～ 6 对。

| 功能主治 | 甘，平。归肝、脾经。滋阴，补肾，清热，止血，活血。用于风湿痹痛，跌打损伤。

| 用法用量 | 内服煎汤，6 ～ 9 g。外用适量，捣敷。

冬青科 Aquifoliaceae 冬青属 Ilex

华中枸骨
Ilex centrochinensis S. Y. Hu

| **药 材 名** | 华中枸骨（药用部位：根、叶。别名：华中冬青）。

| **形态特征** | 常绿灌木。小枝细弱，褐色或灰褐色，被微柔毛或无毛，无皮孔。叶片革质，椭圆状披针形，稀卵状椭圆形，长 4 ~ 9 cm，宽 1.5 ~ 2.8 cm，先端渐尖，具刺状尖头，边缘具 3 ~ 10 对刺状牙齿，长 2 ~ 4 mm；叶柄长 5 ~ 8 mm。雄花序簇生于叶腋内，花 4 基数，黄色，花梗长 1 ~ 2 mm，中部具 2 小苞片，花萼盘状，直径约 2.5 mm，深裂，裂片卵形或三角形，具缘毛，花冠辐状，直径约 6 mm，花瓣长圆形，基部稍合生，雄蕊与花瓣互生，较花瓣长，花药长圆状卵形，退化子房近球形，先端圆形；雌花未见。1 ~ 3 果实为 1 束且生于叶腋内；果柄长约 2 mm，近基部有具缘毛的小苞片 2。果实球形，直径 6 ~ 7 mm；分核 4，长圆状三棱形，长约 6 mm，

背部宽约 3 mm，具 1 中央纵脊，内果皮石质。花期 3 ～ 4 月，果期 8 ～ 9 月。

| **生境分布** | 生于海拔（500 ～）700 ～ 1 000 m 的路旁、溪边灌丛中或林缘。分布于湖南衡阳（衡山）、郴州（桂阳、永兴）、永州（东安、道县）、怀化（辰溪、靖州）、湘西州（泸溪、古丈、永顺、花垣）。

| **资源情况** | 野生资源较丰富。药材来源于野生。

| **采收加工** | 根，9 ～ 10 月采挖，晒干。叶，夏、秋季采收，晒干。

| **功能主治** | 甘、凉。祛风除湿。用于风湿关节痛。

冬青科 Aquifoliaceae 冬青属 Ilex

冬青 *Ilex chinensis* Sims

| **药 材 名** | 四季青（药用部位：叶。别名：冬青叶、四季青叶、一口血）、冬青子（药用部位：果实）、冬青皮（药用部位：树皮、根皮）。 |

| **形态特征** | 常绿乔木，高可达 13 m。树皮灰黑色，无毛。叶互生；叶柄长 0.8 ~ 1 cm；叶片革质，通常呈狭长椭圆形，长 5 ~ 11 cm，宽 2 ~ 4 cm，先端渐尖，基部楔形，稀圆形，边缘疏生浅锯齿，上面深绿色而有光泽，冬季变为紫红色，中脉在下面隆起。花单性，雌雄异株，聚伞花序着生于叶腋外或叶腋内；花萼 4 裂；花瓣 4，淡紫色；雄蕊 4；子房上位。核果椭圆形，长 6 ~ 10 mm，成熟时呈红色，内含 4 核；果柄长约 5 mm。花期 5 月，果熟期 10 月。 |

| **生境分布** | 生于海拔 500 ~ 1 000 m 的山坡常绿阔叶林中和林缘。湖南各地均有分布。 |

| **资源情况** | 野生资源较丰富。湖南有栽培。药材来源于野生和栽培。

| **采收加工** | **四季青**：秋、冬季采收，晒干。

冬青子：冬季果实成熟时采摘，晒干。

冬青皮：全年均可采收，晒干或鲜用。

| **药材性状** | **四季青**：本品呈椭圆形或狭长椭圆形，长 5 ~ 11 cm，宽 2 ~ 4 cm，先端急尖或渐尖，基部楔形，边缘具稀疏浅锯齿，上表面棕褐色或灰绿色，有光泽，下表面颜色较浅；叶柄长 0.8 ~ 1 cm。革质。气微清香，味苦、涩。

冬青子：本品呈椭圆形，长 0.6 ~ 1 cm，直径 0.6 ~ 0.8 mm，棕褐色而光亮，具细小疣状突起。外果皮质坚而脆，中果皮稍厚而松软，内果皮黄棕色。分核多数为 4，少数为 5，窄披针形，背面平滑，凹陷，断面呈三棱形。气微，味苦而涩。

冬青皮：本品树皮呈灰青色，具细棱和不明显的小皮孔，叶痕新月形，凸起，平滑不裂。

| **功能主治** | **四季青**：苦、涩，凉。归肺、大肠、膀胱经。清热解毒，消肿祛瘀。用于肺热咳嗽，咽喉肿痛，痢疾，胁痛，热淋；外用于烫火伤，皮肤溃疡。

冬青子：甘、苦，凉。归肝、肾经。补肝肾，祛风湿，止血敛疮。用于须发早白，风湿痹痛，消化性溃疡，痔疮，溃疡不敛。

冬青皮：甘、苦，凉。凉血解毒，止血止带。用于烫伤，月经过多，带下。

| **用法用量** | **四季青**：内服煎汤，15 ~ 60 g。外用适量，煎汤涂。

冬青子：内服煎汤，4.5 ~ 9 g；或浸酒。

冬青皮：内服煎汤，15 ~ 30 g。外用适量，捣敷。

冬青科 Aquifoliaceae 冬青属 Ilex

珊瑚冬青
Ilex corallina Franch.

| 药 材 名 | 红果冬青（药用部位：叶、根。别名：毛枝珊瑚冬青、大果珊瑚冬青、野白蜡叶）。

| 形态特征 | 常绿乔木，高达 10 m。小枝无毛，有纵沟纹。叶互生；叶柄长 4 ~ 9 mm；叶片革质，卵形、卵状椭圆形或卵状披针形，长 5 ~ 13 cm，宽 1.5 ~ 5 cm，边缘有钝锯齿，齿端刺状，上面有光泽。花 4 基数，近无梗；雌雄异株，花序簇生于二年生小枝的叶腋内；雄花序的分枝具 1 ~ 3 花；雌花序的分枝具单花；雄花花萼直径约 2 mm，花冠直径 6 ~ 7 mm。果实近球形，直径约 4 mm，紫红色；分核 4。

| 生境分布 | 生于海拔 400 ~ 2 100 m 的山坡灌丛或杂木林中。分布于湖南永州（双牌、新田）、湘西州（花垣）等。

| **资源情况** | 野生资源稀少。药材来源于野生。

| **采收加工** | 全年均可采收，叶鲜用或晒干，根洗净，晒干。

| **药材性状** | 本品叶呈卵形、卵状椭圆形或卵状披针形，长 5 ~ 13 cm，宽 1.5 ~ 5 cm，边缘具钝锯齿，齿端刺状，黄绿色，上表面有光泽。革质。气微，味苦。

| **功能主治** | 甘，凉。活血镇痛，清热解毒。用于劳伤疼痛，烫伤，头癣。

| **用法用量** | 内服煎汤，9 ~ 15 g；或浸酒。外用适量，鲜叶捣敷；或研末调搽。

冬青科 Aquifoliaceae 冬青属 Ilex

枸骨

Ilex cornuta Lindl. et Paxt.

| 药 材 名 | 枸骨叶（药用部位：老叶。别名：功劳叶、羊角刺、老鼠刺）、苦丁茶（药用部位：嫩叶）、枸骨子（药用部位：果实）、枸骨树皮（药用部位：树皮）、枸骨根（药用部位：根）。

| 形态特征 | 常绿乔木，通常呈灌木状。树皮灰白色，平滑。单叶互生；叶片硬革质，长椭圆状直方形，长 3 ~ 7.5 cm，宽 1 ~ 3 cm，先端具 3 硬刺，中央的刺尖向下反曲，基部圆形或近截形，两侧各具 1 ~ 2 刺齿，老树上的叶基部呈圆形，无刺，叶上面绿色，有光泽，叶下面黄绿色，具叶柄。花白色，腋生，多数，排列成伞形；雄花与两性花同株；花萼杯状，4 裂，裂片三角形，外面有短柔毛；花瓣 4，倒卵形，基部愈合；雄蕊 4，着生在花冠裂片基部，与花瓣互生，花药纵裂；雌蕊 1。核果椭圆形，鲜红色；种子 4。花期 4 ~ 5 月，果期 9 ~ 10 月。

| **生境分布** | 生于海拔 150 ~ 1 900 m 的山坡、丘陵等的灌丛、疏林中以及路边、溪旁和村舍附近。湖南各地均有分布。 |

| **资源情况** | 野生资源丰富。栽培资源丰富。药材来源于野生和栽培。 |

| **采收加工** | 枸骨叶：秋季采收，除去杂质，晒干。 |
| | 苦丁茶：清明前后摘取嫩叶，头轮多采，次轮少采，长梢多采，短梢少采，采 |

摘后放在竹筛上通风，晾干或晒干。

枸骨子：冬季采摘成熟的果实，拣去杂质，晒干。

枸骨树皮：全年均可采剥，去净杂质，晒干。

枸骨根：全年均可采挖，洗净，切片，晒干。

| **药材性状** | **枸骨叶**：本品呈类长方形或矩圆状长方形，偶呈长卵圆形，长 3 ～ 7.5 cm，宽 1 ～ 3 cm，先端具较大的硬刺齿 3，先端 1 刺齿常反曲，基部平截或宽楔形，两侧有时各具刺齿 1 ～ 3，边缘稍反卷，长卵圆形叶常无刺齿。上表面黄绿色或绿褐色，有光泽；下表面灰黄色或灰绿色。叶脉羽状；叶柄较短。革质，硬而厚。气微，味微苦。

苦丁茶：本品呈类长方形或矩圆状长方形，偶呈长卵圆形，先端具较大的硬刺齿 3，其中 1 硬刺齿常反曲，基部平截或宽楔形，两侧有时各具刺齿 1 ～ 3，边缘稍反卷，长卵圆形叶常无刺齿。上表面黄绿色或绿褐色，有光泽，下表面灰黄色或灰绿色。叶脉羽状；叶柄较短。革质，硬而厚。气微，味微苦。

枸骨子：本品呈圆球形或类球形，直径 7 ～ 8 mm。表面浅棕色至暗红色，微有光泽。外果皮多干缩而形成深浅不等的凹陷，先端具宿存柱基，基部有果柄痕及残存的花萼，偶有细果柄，质脆易碎，内有分果核 4。分果核呈球体的四等分状，黄棕色至暗棕色，极坚硬，有隆起的脊纹，内有种子 1。气微，味微涩。

枸骨树皮：本品呈灰黄棕色至灰褐色；切面黄白色，较平坦，部分类圆形者可见细密的放射状纹理及多列同心性环纹。质坚硬。气微，味淡、微苦。

枸骨根：本品外皮呈灰黄棕色至灰褐色；切面呈黄白色，较平坦，部分类圆形者可见细密的放射状纹理及多列同心性环纹。质坚硬。气微，味淡，味微苦。

| **功能主治** | **枸骨叶**：苦，凉。归肝、肾经。清热养阴，益肾，平肝。用于肺痨咯血，骨蒸潮热，头晕目眩。

苦丁茶：苦，凉。归肝、肾经。清热养阴，平肝，益肾。用于肺痨咯血，骨蒸潮热，头晕目眩，高血压。

枸骨子：苦、涩，微温。归肝、肾、脾经。补肝肾，强筋活络，固涩下焦。用于体虚低热，筋骨疼痛，崩漏，带下，泄泻。

枸骨树皮：微苦，凉。补肝肾，强腰膝。用于肝血不足，腰膝痿弱。

枸骨根：微苦，凉。补肝益肾，疏风清热。用于腰膝痿弱，关节疼痛，头风，赤眼，牙痛，荨麻疹。

| **用法用量** | **枸骨叶**：内服煎汤，9 ~ 15 g；或浸酒；或熬膏。外用适量，捣汁；或熬膏涂敷。
| | **苦丁茶**：内服煎汤，3 ~ 9 g。外用适量，煎汤熏洗。
| | **枸骨子**：内服煎汤，7.5 ~ 25 g；或浸酒。
| | **枸骨树皮**：内服煎汤，6 ~ 15 g，鲜品 15 ~ 60 g。外用适量，煎汤洗。
| | **枸骨根**：内服煎汤，6 ~ 15 g。外用适量，煎汤洗。

冬青科 Aquifoliaceae 冬青属 *Ilex*

厚叶冬青
Ilex elmerrilliana S. Y. Hu

| 药 材 名 | 厚叶冬青（药用部位：根、叶）。

| 形态特征 | 常绿灌木或小乔木，高 2 ～ 7 m。树皮灰褐色。当年生幼枝红褐色，二年生和三年生枝灰褐色，皮孔椭圆形。叶生于一年生、二年生和三年生枝上；叶片厚革质，椭圆形或长圆状椭圆形，长 5 ～ 9 cm，宽 2 ～ 3.5 cm，先端渐尖，基部楔形或钝，全缘，侧脉及网状脉在两面均不明显；叶柄长 4 ～ 8 mm；托叶微小，三角形。花序簇生于二年生枝的叶腋内或当年生枝的鳞片腋内；雄花序单个分枝具 1 ～ 3 花，花 5 ～ 8 基数，花冠辐状，花瓣长圆形，基部合生，雄蕊与花瓣近等长，退化子房圆锥形，先端具不明显的分裂；雌花序由具单花的分枝簇生而成，近基部具小苞片，花萼同雄花，花瓣长圆形，基部分离，退化雄蕊长约为花瓣的 1/2。果实球形，成熟后呈红色；

分核 6 或 7，长圆形；内果皮革质。花期 4 ～ 5 月，果期 7 ～ 11 月。

| **生境分布** | 生于海拔（200 ～）500 ～ 1 500 m 的山地常绿阔叶林、灌丛中或林缘。分布于湖南邵阳（邵阳）、张家界（桑植）等。

| **资源情况** | 野生资源稀少。药材来源于野生。

| **采收加工** | 夏、秋季采收，除去杂质，晒干。

| **药材性状** | 本品叶片厚革质，椭圆形或长圆状椭圆形，长 5 ～ 9 cm，宽 2 ～ 3.5 cm，先端渐尖，基部楔形或钝，全缘，侧脉及网状脉在两面均不明显；叶柄长 4 ～ 8 mm；托叶微小，三角形。

| **功能主治** | 消炎，解毒。用于烫火伤。

冬青科 Aquifoliaceae 冬青属 *Ilex*

榕叶冬青
Ilex ficoidea Hemsl

| 药 材 名 | 上山虎、榕叶冬青（药用部位：根。别名：仿腊树、野香雪、坐山虎）。

| 形态特征 | 常绿乔木，高可达 12 m。小枝黄褐色或红褐色，无毛。叶互生；叶柄长 1 ～ 1.5 cm；叶片革质，卵形、卵状椭圆形或长圆形至倒披针形，长 4.5 ～ 11 cm，宽 1.5 ～ 3.5 cm，先端狭尾尖，基部楔形或近圆形，边缘有不规则的浅圆锯齿或锯齿，中脉在上面凹入，在下面凸起，侧脉不明显，上面有光泽，两面无毛。花序簇生于二年生枝上，花 4 基数；雄花序每枝有花 1 ～ 3，聚伞状，萼片三角形，无毛，花冠直径 6 mm，花瓣卵状椭圆形，基部稍合生，雄蕊长超过花瓣的 1/5；雌花序每枝有花 1，花萼浅盘状，裂片龙骨状凸起，花冠直径 3 ～ 4 mm，花瓣卵形，子房卵形，柱头盘状。果实球形，直径 5 ～

7 mm，红色，具瘤状突起；分核 4，近椭圆形或近圆形，背部具掌状条纹和沟槽。花期 3 ~ 4 月，果期 10 ~ 11 月。

| 生境分布 | 生于海拔（100 ~）300 ~ 1 880 m 的山地常绿阔叶林、杂木林、疏林内或林缘。分布于湖南衡阳（衡山）、张家界（武陵源）、郴州（桂阳）、永州（蓝山）、怀化（新晃）、湘西州（古丈、永顺）等。

| 资源情况 | 野生资源一般。药材来源于野生。

| 采收加工 | 全年均可采挖，洗净，切片，晒干。

| 功能主治 | 苦、甘，凉。清热解毒，活血止痛。用于肝炎，跌打肿痛。

| 用法用量 | 内服煎汤，9 ~ 15 g。

冬青科 Aquifoliaceae 冬青属 Ilex

海南冬青
Ilex hainanensis Merr.

| **药 材 名** | 山绿茶（药用部位：叶。别名：海南冬青）。

| **形态特征** | 常绿乔木，高 5 ~ 8 m。叶片薄革质或纸质，椭圆形、倒卵状长圆形或卵状长圆形，长 5 ~ 9 cm，宽 2.5 ~ 5 cm，先端渐尖，基部钝，全缘。聚伞花序簇生或假圆锥花序生于二年生枝的叶腋内，苞片三角形，早落。雄花序：单个聚伞花序具 1 ~ 5 花，近伞形花序状，具基生小苞片 2；花 5 或 6 基数，淡紫色；花萼盘状，5 或 6 深裂，裂片卵状三角形，啮蚀状；花冠辐状，花瓣卵形；花药长圆形；退化子房垫状，先端具短喙；雌花序簇的单个分枝为具 1 ~ 3 花的聚伞花序，花梗具 2 基生小苞片；花萼与花瓣同雄花；败育花药箭头状，先端具短尖头；子房卵球形，柱头厚盘状，分裂。果实近球状椭圆形，幼时绿色，干时具纵棱槽，宿存花萼平展，裂片三角形；

宿存柱头头状或厚盘形；分核 6，椭圆形，具 1 纵沟，内果皮木质。

| 生境分布 | 生于海拔 500 ~ 1 000 m 的山坡密林或疏林中。分布于湖南邵阳（绥宁）、岳阳（平江）等。

| 资源情况 | 野生资源稀少。药材来源于野生。

| 采收加工 | 全年均可采收，晒干。

| 药材性状 | 本品呈卷曲状，多破碎不全，主脉在加工过程中多与叶肉相剥离而呈纤维状。完整的叶片呈宽椭圆形或椭圆形，长 3 ~ 6 cm，宽 1.5 ~ 3 cm，先端渐尖，基部楔形，全缘，绿褐色或绿黄色。质脆，易破碎。气清香，味苦。

| 功能主治 | 辛，寒。归肝、脾、肺、肾经。清热平肝，利咽解毒。用于高血压，口疮，咽痛，痈疖肿毒。

| 用法用量 | 内服泡茶饮，1 ~ 3 g。

冬青科 Aquifoliaceae 冬青属 *Ilex*

广东冬青
Ilex kwangtungensis Merr.

| **药 材 名** | 广东冬青（药用部位：叶、根）。

| **形态特征** | 常绿灌木或小乔木，高达 9 m。树皮灰褐色，具稍凸起的浅色圆形小皮孔。叶生于一年生、二年生或三年生枝上；叶片近革质，卵状椭圆形、长圆形或披针形，长 7 ~ 16 cm，宽 3 ~ 7 cm，先端渐尖，基部钝至圆形，边缘具细小锯齿或近全缘，侧脉 9 ~ 11 对；叶柄长 7 ~ 17 mm；托叶无。复合聚伞花序单生于当年生枝的叶腋内；雄花序为 2 ~ 4 回二歧聚伞花序，具 12 ~ 20 花，总花梗长 9 ~ 12 mm，苞片线状披针形，长 5 ~ 7 mm，基部具卵状三角形小苞片，花紫色或粉红色，4 或 5 基数，花瓣长圆形，退化子房圆锥状，具短喙；雌花序具 1 ~ 2 回二歧式聚伞花序，具花 3 ~ 7，苞片披针形，花 4 基数，淡紫色或淡红色，花萼同雄花，花瓣卵形，退化雄蕊长约为

花瓣的 3/4。果实椭圆形，成熟时呈红色；分核 4，椭圆形；内果皮革质。花期 6 月，果期 9 ~ 11 月。

| **生境分布** | 生于海拔 300 ~ 1 000 m 的山坡常绿阔叶林和灌丛中。分布于湖南邵阳（绥宁）、永州（江永、江华）等。

| **资源情况** | 野生资源稀少。药材来源于野生。

| **采收加工** | 全年均可采收，鲜用或晒干。

| **药材性状** | 本品叶片近革质，卵状椭圆形、长圆形或披针形，长 7 ~ 16 cm，宽 3 ~ 7 cm，先端渐尖，基部钝至圆形，边缘具细小锯齿或近全缘，侧脉 9 ~ 11 对；叶柄长 7 ~ 17 mm；托叶无。

| **功能主治** | 清热解毒，消肿止痛。用于烫火伤。

| **用法用量** | 外用适量，捣敷；或研末调搽。

冬青科 Aquifoliaceae 冬青属 Ilex

大叶冬青

Ilex latifolia Thunb.

| 药 材 名 | 苦丁茶（药用部位：嫩叶。别名：宽叶冬青）。

| 形态特征 | 常绿大乔木，高达 20 m，胸径约 60 cm。树皮赭黑色或灰黑色，粗糙，有浅裂。叶片厚革质，长圆形或卵状长圆形，长 8 ~ 28 cm，宽 4.5 ~ 9 cm，先端短渐尖或钝，基部宽楔形或圆形，边缘有疏锯齿，中脉在上面凹入，在下面隆起，上面深绿色，有光泽，下面淡绿色。花序簇生于叶腋，圆锥状；花 4 基数；雄花序每枝有 3 ~ 9 花，花梗长 7 ~ 8 mm，花萼直径约 3.5 mm，裂片圆形，花冠反曲，直径约 9 mm，花瓣卵状长圆形，基部稍接合，雄蕊与花冠等长；雌花序每枝有 1 ~ 3 花，花梗长 5 ~ 8 mm，花萼直径约 3 mm，花冠直径约 5 mm，花瓣卵形，子房卵形。果实球形，直径约 7 mm，红色，外果皮厚，平滑，内果皮骨质；宿存柱头盘状；分核 4，长圆状椭

圆形，背部有 3 纵脊。花期 4 ～ 5 月，果期 6 ～ 11 月。

| **生境分布** | 生于海拔 250 ～ 1 500 m 的山坡常绿阔叶林、灌丛或竹林中。分布于湖南长沙（长沙）、衡阳（衡南、常宁）、张家界（武陵源）、郴州（苏仙）、永州（冷水滩）、怀化（通道）等。

| **资源情况** | 野生资源一般。药材来源于野生。

| **采收加工** | 清明前后摘取嫩叶，头轮多采，次轮少采，长梢多采，短梢少采，采摘后放在竹筛上通风，晾干或晒干。

| **药材性状** | 本品呈卵状长椭圆形或长椭圆形，破碎或纵向微卷曲，长 8 ～ 17 cm，宽 4.5 ～ 7.5 cm，先端短渐尖或钝，基部钝，边缘具疏齿，上面黄绿色或灰绿色，有光泽，下面黄绿色；叶柄粗且短，长 15 ～ 20 mm。革质而厚。气微，味微苦。

| **功能主治** | 甘、苦，寒。归肝、肺、胃经。疏风清热，明目生津。用于风热头痛，齿痛，目赤，聤耳，口疮，热病烦渴，泄泻，痢疾。

| **用法用量** | 内服煎汤，3 ～ 9 g；或入丸剂。外用适量，煎汤熏洗；或涂搽。

冬青科 Aquifoliaceae 冬青属 Ilex

矮冬青 *Ilex lohfauensis* Merr.

| **药 材 名** | 矮冬青（药用部位：根、叶。别名：罗浮冬青）。

| **形态特征** | 常绿灌木或小乔木，高 2 ~ 6 m。小枝灰黑色或暗栗褐色，密被短柔毛，老枝几无皮孔；顶芽密被短柔毛。叶生于一年生、二年生或三年生枝上；叶片薄革质或纸质，长圆形或椭圆形，稀倒卵形或菱形，长 1 ~ 2.5 cm，宽 5 ~ 12 mm，先端微凹，基部楔形，侧脉 7 ~ 9 对，在两面隐约可见，网状脉在两面均不明显；叶柄长 1 ~ 2 mm，密被短柔毛，上端具狭翅；托叶狭三角形。花序簇生于二年生枝的叶腋内，苞片三角形；雄花序由具 1 ~ 3 花的聚伞花序簇生而成，花萼盘状，花冠辐状，花瓣椭圆形，雄蕊长为花瓣的 1/2；2 ~ 3 雌花簇生于二年生枝叶腋内，单个分枝具 1 花，中部以上具 2 小苞片，花萼与花冠同雄花，退化雄蕊长为花瓣的 3/4。果实

球形；分核 4，阔椭圆形；内果皮革质。花期 6 ~ 7 月，果期 8 ~ 12 月。

| 生境分布 | 生于海拔（130 ~ ）200 ~ 1 000（ ~ 1 250）m 的山坡常绿阔叶林、疏林或灌丛中。分布于湖南郴州（嘉禾）等。

| 资源情况 | 野生资源稀少。药材来源于野生。

| 采收加工 | 全年均可采收，鲜用或晒干。

| 药材性状 | 本品叶片薄革质或纸质，长圆形或椭圆形，稀倒卵形或菱形，长 1 ~ 2.5 cm，宽 5 ~ 12 mm，先端微凹，基部楔形，侧脉 7 ~ 9 对，两面隐约可见，网状脉在两面均不明显；叶柄长 1 ~ 2 mm，密被短柔毛，上端具狭翅；托叶狭三角形。

| 功能主治 | 消炎，解毒。用于烫火伤。

| 用法用量 | 外用适量，捣敷；或研末调搽。

冬青科 Aquifoliaceae 冬青属 Ilex

大果冬青 Ilex macrocarpa Oliv.

| **药 材 名** | 大果冬青（药用部位：根、枝、叶。别名：臭樟树、青刺香）。

| **形态特征** | 落叶乔木，高 5 ~ 10（~ 17）m。小枝栗褐色或灰褐色，具长枝和短枝，长枝皮孔圆形，明显，无毛。叶在长枝上互生，在短枝上为 1 ~ 4 叶簇生；叶片纸质至坚纸质，卵形或卵状椭圆形，稀为长圆状椭圆形，长 4 ~ 15 cm，宽 3 ~ 6 cm，先端渐尖至短渐尖，基部圆形或钝，边缘具细锯齿，侧脉 8 ~ 10 对，网状脉在两面均明显；叶柄长 1 ~ 1.2 cm；托叶胼胝质。雄花单花或 2 ~ 5 花组成聚伞花序，白色，5 ~ 6 基数，花瓣倒卵状长圆形，雄蕊与花瓣互生，二者近等长；雌花单生于叶腋或鳞片腋内，7 ~ 9 基数，花冠辐状，基部稍连合，退化雄蕊与花瓣互生，长为花瓣的 2/3。果实球形，成熟时呈黑色；分核 7 ~ 9；内果皮坚硬，石质。花期 4 ~ 5 月，果期 10 ~ 11 月。

| **生境分布** | 生于海拔 400 ~ 2 100 m 的山地林中。分布于湖南邵阳（大祥、邵阳）、张家界（武陵源）、永州（道县、蓝山）、怀化（中方、辰溪）、湘西州（吉首、泸溪、花垣、古丈、永顺）、常德（安乡、石门）等。

| **资源情况** | 野生资源较丰富。药材来源于野生。

| **采收加工** | 根，全年均可采挖，鲜用或晒干。叶，夏、秋季采收，多鲜用。

| **药材性状** | 本品小枝呈栗褐色或灰褐色，具长枝和短枝，长枝皮孔圆形。叶在长枝上互生，在短枝上为 1 ~ 4 小叶簇生；叶片纸质至坚纸质，卵形或卵状椭圆形，稀为长圆状椭圆形，长 4 ~ 15 cm，宽 3 ~ 6 cm，先端渐尖至短渐尖，基部圆形或钝，边缘具细锯齿，侧脉 8 ~ 10 对，网状脉在两面均明显；叶柄长 1 ~ 1.2 cm；托叶胼胝质。

| **功能主治** | 清热解毒，消肿止痒，祛瘀。用于遗精，月经不调，崩漏。

| **用法用量** | 外用适量，捣敷；或研末调搽。

冬青科 Aquifoliaceae 冬青属 Ilex

大柄冬青
Ilex macropoda Miq.

| 药 材 名 | 一口红（药用部位：叶。别名：一口血）。

| 形态特征 | 落叶乔木，高达 17 m。有长枝和短枝，无毛。叶卵形或宽椭圆形，长 4 ~ 8 cm，先端渐尖或骤尖，基部楔形，具锐锯齿，两面几无毛，侧脉 6 ~ 8 对；叶柄长 1 ~ 2 cm。花 5 基数；雄花序由 2 ~ 5 花的分枝簇生于短枝顶部叶腋，花梗长 4 ~ 7 mm，被柔毛，花萼直径约 2.5 mm，裂片啮蚀状，花瓣卵状长圆形，反折，雄蕊短于花瓣，退化子房垫状，先端凹下或平；雌花单生于短枝鳞片腋内，花梗长 6 ~ 7 mm，无毛，花萼与花瓣同雄花，退化雄蕊长为花瓣的 3/4，败育花药心形，柱头厚盘状。果柄长 6 ~ 7 mm；果实球形，直径约 5 mm，成熟时呈红色；分核 5，长圆形，背部具网状纵棱沟；内果皮骨质。花期 5 ~ 6 月，果期 10 ~ 11 月。

| 生境分布 | 生于丘陵岗地。分布于湖南永州（道县）等。

| 资源情况 | 野生资源一般。药材来源于野生。

| 采收加工 | 全年均可采收，晒干。

| 药材性状 | 本品叶片卵形或长圆状椭圆形，有的破碎或皱缩，长 5 ~ 8 cm，宽 2 ~ 7 cm，中部或近先端处常有细锯齿，黄绿色；叶柄长 12 ~ 17 mm。薄革质。气微，味微苦。

| 功能主治 | 苦、涩，凉。归肺、肝、肾、大肠经。祛风除湿，散瘀止血。用于风湿痹痛，外伤出血，跌打损伤，皮肤皲裂，瘢痕。

| 用法用量 | 内服煎汤，4.5 ~ 9 g。外用适量，研末撒敷。

冬青科 Aquifoliaceae 冬青属 Ilex

小果冬青 *Ilex micrococca* Maxim.

| 药 材 名 |　小果冬青（药用部位：根及根茎）。

| 形态特征 |　落叶乔木。高达 20 m。小枝粗壮，无毛，具白色、圆形或长圆形常并生的气孔。叶片膜质或纸质，卵形、卵状椭圆形或卵状长圆形，长 7 ~ 13 cm，宽 3 ~ 5 cm，先端长渐尖，基部圆形或阔楔形，常不对称，近全缘或具芒状锯齿，叶面深绿色，叶背淡绿色，两面无毛，主脉在叶面微下凹，在叶背隆起，侧脉 5 ~ 8 对，第三级脉在两面凸起，网状脉明显；叶柄纤细，长 1.5 ~ 3.2 cm，无毛，上面平坦，下面具皱纹；托叶小，阔三角形，长约 0.2 mm。伞房状二至三回聚伞花序单生于当年生枝的叶腋内，无毛；总花梗长 9 ~ 12 mm，具沟，果时多皱，二级分枝长 2 ~ 7 mm；花梗长 2 ~ 3 mm，基部具

1 三角形小苞片。雄花 5 或 6 基数；花萼盘状，5 或 6 浅裂，裂片钝，无毛或疏具缘毛；花冠辐状，花瓣长圆形，长 1.2 ～ 1.5 mm，基部合生；雄蕊与花瓣互生，且近等长，花药卵状长圆形，长约 0.5 mm；败育子房近球形，具长约 0.5 mm 的喙。雌花 6 ～ 8 基数；花萼 6 深裂，裂片钝，具缘毛；花冠辐状，花瓣长圆形，长约 1 mm，基部合生；退化雄蕊长为花瓣的 1/2，败育花药箭头状；子房圆锥状卵球形，直径约 1 mm，柱头盘状，柱头以下的花柱稍缢缩。果实球形，直径约 3 mm，成熟时红色，宿存花萼平展，宿存柱头厚盘状，凸起，6 ～ 8 裂；分核 6 ～ 8，椭圆形，长 2 mm，宽约 1 mm，末端钝，背面略粗糙，具纵向单沟，侧面平滑，内果皮革质。花期 5 ～ 6 月，果期 9 ～ 10 月。

| **生境分布** | 生于海拔 500 ～ 1 300 m 的山地常绿阔叶林中。湖南各地均有分布。

| **资源情况** | 野生资源丰富。药材主要来源于野生。

| **功能主治** | 消炎，解毒。用于烫火伤。

冬青科 Aquifoliaceae　冬青属　*Ilex*

亮叶冬青
Ilex nitidissima C. J. Tseng

| 药 材 名 |

亮叶冬青叶（药用部位：叶。别名：青皮子樵、鸡子樵、猪黑樵）、亮叶冬青根（药用部位：根）。

| 形态特征 |

常绿小乔木，高可达 6 m。当年生幼枝具纵棱，被微柔毛或无毛；二年生枝灰色，无毛。叶片革质，椭圆形或长圆状椭圆形，稀卵状椭圆形，长 5.5 ~ 9 cm，宽 2.7 ~ 4 cm，先端渐尖，基部钝或楔形，稀近圆形，近全缘，有时具不明显的疏散小锯齿，叶面干时呈暗榄绿色，极光亮或光亮，背面褐色，除沿主脉被微柔毛外其余部位无毛，主脉在叶面向下的一段隆起，在叶面向上的一段逐渐平坦或凹陷，背面隆起，侧脉 8 ~ 10 对，在叶面明显或不明显，网状脉在两面均不明显；叶柄长 6 ~ 8 mm，被微柔毛，上面具纵槽。雄花、雌花及花序未见。果实球形，直径约 5 mm，成熟时呈红色，2 ~ 4 果实簇生于叶腋；果柄长 8 ~ 10 mm；宿存花萼盘状，无毛，4 裂，裂片半圆形或阔三角状卵形，无缘毛；宿存柱头盘状或头状；分核 4，卵球形，长 4 mm，背部宽 2.5 mm，稍凸起，无条纹，无沟槽；内果皮革质。果期 7 ~ 10 月。

| **生境分布** | 生于海拔 960 ~ 1 250 m 的密林、疏林或杂木林中。分布于湖南永州（新田）、株洲（渌口）。

| **资源情况** | 野生资源一般。药材来源于野生。

| **采收加工** | 亮叶冬青叶：全年均可采收，鲜用。
亮叶冬青根：全年均可采收，洗净，切片，晒干。

| **药材性状** | 亮叶冬青叶：本品长椭圆形，长 3 ~ 7 cm，宽 1.5 ~ 3 cm，边缘具圆锯齿，黄绿色，上面有光泽，下面有腺点。革质。气微，味苦。

| **功能主治** | 亮叶冬青叶：甘、微辛，凉。凉血解毒，祛瘀生新。用于烫火伤，外伤出血。
亮叶冬青根：甘、微辛，凉。祛风除湿，活血通络。用于风湿痹痛。

| **用法用量** | 亮叶冬青叶：内服煎汤，15 ~ 30 g。外用适量，鲜品捣敷。
亮叶冬青根：内服煎汤，15 ~ 30 g。

冬青科 Aquifoliaceae 冬青属 Ilex

具柄冬青
Ilex pedunculosa Miq.

| **药 材 名** | 一口红（药用部位：枝、叶。别名：一口血）。

| **形态特征** | 常绿灌木或乔木，高 2 ~ 15 m。叶片薄革质，卵形、长圆状椭圆形或椭圆形，长 4 ~ 9 cm，宽 2 ~ 3 cm，先端渐尖，基部钝或圆形，全缘或近先端常具少数疏而不明显的锯齿。聚伞花序单生于当年生枝的叶腋内，花 4 或 5 基数，白色或黄白色。雄花序为 1 ~ 2 回二叉分枝，具 3 ~ 9 花，小苞片披针形；花萼盘状，4 或 5 裂，裂片三角形，急尖；花瓣 4 或 5，卵形，基部稍合生；花药卵球形；退化子房卵球形。雌花单生于当年生枝叶腋内，稀为具 3 花的聚伞花序，花梗中部具 2 钻形小苞片；花萼 4 或 5 裂，裂片具缘毛；花瓣 4 或 5，卵形；退化雄蕊短于花瓣，不育花药卵形；子房阔圆锥状，柱头乳头状。果实球形，成熟时红色，宿存花萼裂片三角形，具缘

毛，宿存柱头厚盘状，凸起；分核 4 ~ 6，椭圆形，平滑，沿背部中线具单条纹，内果皮革质。

| **生境分布** | 生于海拔 1 200 ~ 1 900 m 的山地阔叶林中、灌丛中或林缘。分布于湖南张家界（桑植）、湘西州（永顺）、郴州（宜章）、岳阳（平江）、株洲（炎陵）、常德（石门）等。

| **资源情况** | 野生资源稀少。药材来源于野生。

| **采收加工** | 全年均可采收，晒干。

| **药材性状** | 本品叶片卵形或长圆状椭圆形，有的破碎或皱缩，中部或近先端处常有细锯齿，黄绿色，薄革质。气微，味微苦。

| **功能主治** | 苦、涩，凉。归肺、肝、肾、大肠经。祛风除湿，散瘀止血。用于风湿痹痛，外伤出血，跌打损伤，皮肤皲裂，瘢痕。

| **用法用量** | 内服煎汤，4.5 ~ 9 g。外用适量，研末撒敷。

冬青科 Aquifoliaceae 冬青属 Ilex

猫儿刺 *Ilex pernyi* Franch.

| **药 材 名** | 老鼠刺（药用部位：叶。别名：青皮子樵、鸡子樵、猪黑樵）。 |

| **形态特征** | 常绿灌木或小乔木，高达 8 m。小枝有棱角，被短柔毛。叶革质，卵形或卵状披针形，长 1.5 ~ 3 cm，宽 0.5 ~ 1.4 cm，先端急尖，呈刺状，边缘具 1 ~ 3 对大刺齿，上面有光泽；叶柄很短，长约 2 mm。雌雄异株，花 4 基数，花序簇生于二年生小枝叶腋内，每分枝仅具 1 花；雄花花萼直径 2 mm，花冠直径 7 mm：雌花花萼似雄花，花瓣卵形，长 2.5 mm。果实近球形，直径 7 ~ 8 mm，红色；分核 4。 |

| **生境分布** | 生于海拔 1 050 ~ 2 100 m 的山谷林中或山坡、路旁灌丛中。分布于湖南邵阳（隆回）、张家界（永定、桑植）、永州（江华）、湘 |

西州（吉首）、常德（石门）、益阳（安化）、长沙（浏阳）等。

| **资源情况** | 野生资源一般。药材来源于野生。

| **采收加工** | 夏、秋季采收，洗净，晒干。

| **功能主治** | 苦，寒。清热解毒，润肺止咳。用于肺热咳嗽，咯血，咽喉肿痛，角膜云翳。

| **用法用量** | 内服煎汤，15 ～ 30 g。

冬青科 Aquifoliaceae 冬青属 Ilex

毛冬青
Ilex pubescens Hook. et Arn.

| 药 材 名 | 毛冬青（药用部位：根。别名：乌尾丁、细叶冬青、山熊胆）。

| 形态特征 | 常绿灌木，高约 3 m。小枝具棱，被粗毛，干后呈黑褐色。单叶互生；叶片纸质或膜质，椭圆形或倒卵状椭圆形，长 3 ~ 4 cm，宽 1.5 ~ 2 cm，先端尖，通常有小凸尖，基部阔楔形或略钝，下面被稀疏粗毛，边缘具稀疏小尖齿或近全缘，中脉在上面凹陷，被疏毛，侧脉每边 4 ~ 5；叶柄长 3 ~ 4 mm。花淡紫色或白色，雌雄异株；花序簇生；雄花序每枝有 1 花，稀有 3 花；花梗长 1 ~ 2 mm，小苞片 2，萼 5 ~ 6 裂，裂片卵状三角形，花瓣 4 或 6，倒卵状长椭圆形，长 2 mm，雄蕊长为花瓣的 3/4；雌花序每枝有 1 ~ 3 花，花梗长 2 ~ 3 mm，萼 6 ~ 7 深裂，被短柔毛，花瓣 5 ~ 8，长椭圆形，长 2 mm。浆果球形，直径 4 mm，成熟时呈红色。花期夏季。

| **生境分布** | 生于丘陵岗地、岗地、低山、中山。分布于湖南株洲（茶陵、醴陵、渌口）、邵阳（隆回、绥宁）、常德（汉寿）、郴州（苏仙、永兴、嘉禾、临武、汝城、安仁）、永州（零陵、冷水滩、东安、双牌、道县、江永、蓝山、新田）、怀化（沅陵、溆浦、通道、会同）、娄底（冷水江）、湘西州（永顺）、衡阳（衡东）等。

| **资源情况** | 野生资源较丰富。药材来源于野生。

| **采收加工** | 夏、秋季采收，洗净，切片，晒干。

| **药材性状** | 本品呈圆柱形，部分有分枝，长短不一，直径 1 ~ 4 cm。表面灰褐色至棕褐色，根头部具茎枝及茎残基；外皮稍粗糙，有纵向细皱纹及横向皮孔。质坚实，不易折断，断面皮部菲薄，木部发达，土黄色至灰白色，有致密的放射状纹理及环纹。气微，味先苦、涩而后甜。商品多为块片状，大小不等，厚 0.5 ~ 1 cm。

| **功能主治** | 苦、涩，寒。归肺、肝、大肠经。清热解毒，活血通络。用于风热感冒，肺热喘咳，咽痛，乳蛾，牙龈肿痛，胸痹，中风偏瘫，血栓闭塞性脉管炎，丹毒，烫火伤，痈疽，中心性视网膜炎。

| **用法用量** | 内服煎汤，10 ~ 30 g。外用适量，煎汤涂。

冬青科 Aquifoliaceae 冬青属 Ilex

铁冬青

Ilex rotunda Thunb.

| 药 材 名 | 救必应（药用部位：根皮、茎皮。别名：白木香、羊不吃、土千年健）。

| 形态特征 | 常绿乔木或灌木，高 5 ~ 15 m。枝灰色，小枝多少有棱，红褐色。叶互生；叶柄长 7 ~ 12 mm；叶片纸质，卵圆形至椭圆形，长 4 ~ 10 cm，宽 2 ~ 4 cm，先端短尖，全缘，上面有光泽，侧脉 5 对，在两面均明显。花单性，雌雄异株，排列成具梗的伞形花序；花萼长约 1 mm；花瓣 4 ~ 5，绿白色，卵状矩圆形，长 3 ~ 5 mm；子房上位。核果球形至椭圆形，长 4.5 ~ 6 mm，成熟时呈红色，先端有宿存柱头。花期 5 ~ 6 月，果期 9 ~ 10 月。

| 生境分布 | 生于山下疏林或沟边、溪边。分布于湖南衡阳（衡南）、邵阳（武冈）、益阳（桃江）、郴州（临武、汝城）、永州（零陵、东安、双牌、道县、

江永、蓝山）、怀化（通道）、湘西州（吉首、花垣、永顺）等。

| **资源情况** | 野生资源一般。栽培资源一般。药材来源于野生和栽培。

| **采收加工** | 全年均可采收，鲜用或晒干。

| **药材性状** | 本品根皮呈卷筒状或略卷曲的板片状，长短不一，厚 0.3 ~ 0.5（ ~ 1）cm；外表面黄色或灰褐色，粗糙，常有横皱纹或略横向凸起，内表面淡褐色或棕褐色，有纵向浅条纹；质硬而脆，断面略平坦，稍呈颗粒性，黄白色或淡黄褐色；气微，味苦、微涩。茎皮较薄，边缘略向内卷，外表面有较多呈椭圆状凸起的皮孔。

| **功能主治** | 苦，寒。归肺、肝、大肠经。清热解毒，利湿，止痛。用于感冒发热，咽喉肿痛，胃痛，暑湿泄泻，黄疸，痢疾，跌打损伤，风湿痹痛，湿疹，疮疖。

| **用法用量** | 内服煎汤，9 ~ 15 g。外用适量，捣敷；或熬膏涂。

冬青科 Aquifoliaceae 冬青属 Ilex

落霜红 *Ilex serrata* Thunb

| **药 材 名** | 落霜红（药用部位：叶）。

| **形态特征** | 落叶灌木。小枝被长硬毛或近无毛。叶椭圆形，稀卵状或倒卵状椭圆形，长 2 ～ 9 cm，先端渐尖，基部楔形，密生尖锯齿，两面沿脉被长硬毛或近无毛，侧脉 6 ～ 8 对；叶柄长 6 ～ 8 mm，被长硬毛或近无毛。雄花序为 2 ～ 3 回 2 歧或 3 歧聚伞花序，单生于叶腋，具 9 ～ 21 花，花序梗长 3 mm，二级轴长 1.5 mm，花梗长 2 ～ 2.5 mm，花序梗与花梗均被微柔毛，花 4 ～ 5 基数，花萼裂片三角形，外面被长硬毛及缘毛，花瓣长圆形，基部稍合生，雄蕊短于花瓣，不育子房窄圆锥形；雌花序为具 1 ～ 3 花的聚伞花序，单生于叶腋，稀簇生，花 4 ～ 6 基数，花萼同雄花，花瓣卵形，啮蚀形，退化雄蕊长为花瓣的 1/2。果实球形，直径 5 mm，成熟时呈红色；宿存柱头

盘状；分核 4 ~ 5（~ 6），宽椭圆形，长 2 ~ 2.5 mm，背面平滑；内果皮革质。花期 5 月，果期 10 月。

| 生境分布 | 生于海拔 500 ~ 1 600 m 的山坡林缘及灌丛中。分布于湖南湘西州（永顺）等。

| 资源情况 | 野生资源一般。药材来源于野生。

| 采收加工 | 夏、秋季采收，多鲜用。

| 药材性状 | 本品叶片椭圆形或卵形，有的破碎，黄绿色，长 2.5 ~ 6 cm，先端尖锐，基部圆形，边缘具细锯齿，齿端针尖状，叶脉及叶背有黄褐色细柔毛。气微，味苦。

| 功能主治 | 甘、苦，凉。归心、肝经。清热解毒，凉血止血。用于烫伤，牙疳，疮疡溃烂，外伤出血。

| 用法用量 | 外用适量，捣敷；或研末调搽。

冬青科 Aquifoliaceae 冬青属 Ilex

香冬青

Ilex suaveolens (H. Lévl.) Loes.

| 药 材 名 | 香冬青（药用部位：根及根茎）。

| 形态特征 | 常绿乔木。高达 15 m。当年生小枝褐色，具棱角，秃净；二年生枝近圆柱形，皮孔椭圆形，隆起。叶片革质，卵形或椭圆形，长 5 ~ 6.5 cm，宽 2 ~ 2.5 cm，先端渐尖，具三角状的尖头，基部宽楔形，下延，叶缘疏生小圆齿，略内卷，干后叶面榄绿色，叶背褐色，两面无毛，主脉在两面隆起，侧脉 8 ~ 10 对，在两面略隆起，网状脉在叶两面或多或少明显；叶柄长 1.5 ~ 2 cm，具翅。花未见。具 3 果实的聚伞状果序单生于叶腋；果序柄长（1 ~ ）1.5 ~ 2 cm，具棱，无毛，果柄长 5 ~ 8 mm，无毛；成熟果实红色，长球形，长约 9 mm，直径约 6 mm；宿存花萼直径约 2 mm，5 裂，裂片阔三角

形，无缘毛，宿存柱头乳头状；分核 4，长圆形，长约 8 mm，背部宽 3 mm，内果皮石质。

| **生境分布** | 生于海拔 600 ~ 1 600 m 的山坡常绿阔叶林中。湖南各地均有分布。

| **资源情况** | 野生资源丰富。药材主要来源于野生。

| **功能主治** | 清热解毒，消炎。用于劳伤身痛，烫火伤。

冬青科 Aquifoliaceae 冬青属 Ilex

四川冬青 *Ilex szechwanensis* Loes.

| **药 材 名** | 冬青子（药用部位：果实）、冬青叶（药用部位：叶）、冬青皮（药用部位：根皮）。

| **形态特征** | 灌木或小乔木。高 1 ~ 10 m。幼枝近四棱形，具纵棱及沟槽，被微柔毛或仅沟槽内被微柔毛；较老的小枝具凸起的新月形叶痕，皮孔不明显；顶芽圆锥形，被短柔毛。叶生于一至二年生枝上；叶片革质，卵状椭圆形、卵状长圆形或椭圆形，稀近披针形，长 3 ~ 8 cm，宽 2 ~ 4 cm，先端渐尖、短渐尖至急尖，基部楔形至钝，边缘具锯齿，叶面深绿色，干时榄绿色，叶背淡绿色，具不透明的黄褐色腺点，无毛或疏被微柔毛，主脉在叶面平坦或稍凹入，密被短柔毛，在叶背隆起，无毛或被微柔毛，侧脉 6 ~ 7 对，在两面明显或不明

显，网状脉不明显；叶柄长 4 ~ 6 mm，上面具浅槽，被短柔毛；托叶卵状三角形，急尖，宿存。花 4 ~ 7 基数。雄花 1 ~ 7 排成聚伞花序，单生于当年生枝基部鳞片腋内或叶腋内，稀簇生；总花梗长 2 ~ 3 mm，单花花梗长 3 ~ 5 mm，基部或近中部具小苞片 2；花萼盘状，无毛或多少被微柔毛，直径 2 ~ 2.5 mm，4 ~ 7 裂，裂片卵状三角形，长约 1 mm，边缘啮蚀状或具牙齿，具疏缘毛；花冠辐状，花瓣 4 ~ 5，卵形，长约 2.5 mm，宽约 2 mm，基部合生；雄蕊短于花瓣，花药卵状长圆形；退化子房扁球形，具短喙。雌花单生于当年生枝的叶腋内；花梗长 8 ~ 10 mm，4 浅裂，裂片圆形，啮蚀状；花冠近直立，直径约 4 mm，花瓣卵形，长约 2.5 mm，基部稍合生；退化雄蕊长约为花瓣的 1/5，不育花药箭头形；子房近球形，直径约 1.5 mm，柱头厚盘状，凸起。果实球形或顶基扁的球形，长约 6 mm，直径 7 ~ 8 mm，成熟后黑色；果柄长 8 ~ 10 mm；宿存花萼平展，直径 3 ~ 4 mm，宿存柱头厚盘状，直径约 1 mm，明显 4 裂；分核 4，长圆形或近球形，长 4.5 ~ 5 mm，背部宽 3.5 ~ 4 mm，平滑，具不明显的细条纹，无沟槽，内果皮革质。花期 5 ~ 6 月，果期 8 ~ 10 月。

| 生境分布 | 生于海拔（250 ~）450 ~ 1 800 m 的丘陵、山地常绿阔叶林、杂木林、疏林、灌丛中及溪边、路旁。湖南各地均有分布。

| 资源情况 | 野生资源丰富。药材主要来源于野生。

| 功能主治 | **冬青子：**祛风，补虚。用于风湿痹痛，痔疮。

冬青叶：清热解毒，活血止血。用于烫伤，溃疡久不愈合，血栓闭塞性脉管炎，支气管炎，肺炎，尿路感染，外伤出血。

冬青皮：祛瘀，补益肌肤。用于烫伤。

冬青科 Aquifoliaceae 冬青属 *Ilex*

三花冬青 *Ilex triflora* Blume

| 药 材 名 |　小冬青（药用部位：根）。

| 形态特征 |　常绿灌木或小乔木。树皮灰白色。小枝褐色，无毛或近无毛，近四棱形。叶互生；叶柄长 5 ~ 7 mm；叶片薄革质或近革质，椭圆形、长圆形或卵状椭圆形，长 3 ~ 9 cm，宽 1.7 ~ 4 cm，先端急尖或短渐尖，基部圆形或钝，边缘具浅锯齿，两面被微柔毛或无毛，下面具腺点。花序簇生于叶腋；花 4 基数；雄花序每分枝有 1 ~ 3 花，花梗长 2 ~ 3 mm，被微柔毛，花萼盘状，直径约 3 mm，裂片卵圆形，被微柔毛，花冠直径约 5 mm，花瓣宽卵形，基部连合，雄蕊略长于花冠；雌花序每分枝含 1 ~ 3 花，花梗长 6 ~ 14 mm，花萼同雄花，花冠近直立，花瓣宽卵形或近圆形，基部连合；子房卵球形，直径约 1.5 mm，柱头厚盘状。果实近球形，直径约 7 mm；宿存萼平展，

成熟后呈紫黑色；分核 4，卵状椭圆形，长约 6 mm，背部具 3 条纹，无沟；内果皮革质。花期 4 ～ 5 月，果期 7 ～ 12 月。

| 生境分布 | 生于海拔 300 ～ 2 100 m 的山坡、沟边阔叶林中。分布于湖南湘潭（雨湖、韶山）、衡阳（衡山）、张家界（武陵源）、郴州（永兴、汝城）、永州（冷水滩、双牌）、怀化（麻阳）、湘西州（吉首、古丈、永顺）等。

| 资源情况 | 野生资源一般。药材来源于野生。

| 采收加工 | 全年均可采挖，洗净，切片，晒干。

| 功能主治 | 苦，凉。用于疮疡肿毒。

| 用法用量 | 内服煎汤，9 ～ 15 g。外用适量，鲜品捣敷。

冬青科 Aquifoliaceae 冬青属 Ilex

紫果冬青
Ilex tsoii Merr. et Chun

| 药 材 名 | 紫果冬青（药用部位：根、叶）。

| 形态特征 | 落叶灌木或小乔木。高 4 ~ 8 m。树皮灰黑色，不裂；具长枝和短枝，长枝板栗色或淡黄褐色、深灰色，无毛，具显著的椭圆形皮孔；缩短枝多皱，具宿存的芽鳞和叶痕，无毛。叶在长枝上互生，1 ~ 3 簇生在短枝先端，叶片纸质，卵形或卵状椭圆形，长 5 ~ 10 cm，宽 3 ~ 5 cm，先端渐尖，基部圆形或钝，边缘具细锐锯齿，叶面深绿色，被微小柔毛，叶背淡绿色，无毛，主脉在叶面凹陷，在叶背隆起，侧脉 8 ~ 10 对，在两面稍凸起，拱曲，于叶缘附近网结，细脉网状，在两面明显；叶柄长 6 ~ 10 mm，上面具沟，无毛；托叶胼胝质，宽三角形，宿存。雄花序单花或 2 ~ 3 花簇生于当年生长

枝叶腋内或短枝的芽鳞腋内；花梗长 3 ~ 4 mm，无毛；花 6 基数；花萼盘状，直径约 4 mm，6 深裂，裂片三角形或卵形，大小不等，长、宽均约 1 mm，先端急尖，稀圆形，具缘毛；花冠辐状，直径 6 ~ 7 mm，花瓣长圆形，长约 2 mm，宽约 1.4 mm，先端圆形，边缘具小缘毛，基部稍连合；雄蕊与花瓣互生，短于花瓣，花药长圆形；退化子房垫状，中央平坦，明显浅裂。雌花序单生于短枝的芽鳞腋内，稀单生于长、短枝的叶腋内；花梗长 1 ~ 3 mm，无毛；花萼与花冠同雄花；退化雄蕊很小，长仅为花瓣的 1/5，败育花药心形；子房卵球形，直径约 2 mm，柱头厚盘状，凸起。果实球形，直径 6 ~ 8 mm，成熟时紫黑色，基部具星状平展的宿存花萼，先端具厚盘状或头状凸起的柱头，具 6 分核；果柄长 1 ~ 3 mm；分核长圆形，长 5 mm，背部宽约 2.5 mm，具纵棱和沟槽，侧面具网状条纹和沟，内果皮骨质。花期 5 ~ 6 月，果期 6 ~ 8 月。

| **生境分布** | 生于海拔 510 ~ 1 800 m 的山谷密林、疏林或路旁灌丛中。分布于湖南株洲（炎陵）、衡阳（衡山）、邵阳（城步）、郴州（资兴）、永州（东安、道县）等。

| **资源情况** | 野生资源较丰富。药材主要来源于野生。

| **功能主治** | 消炎，解毒。用于烫火伤。

冬青科 Aquifoliaceae 冬青属 Ilex

绿冬青
Ilex viridis Champ. ex Benth.

| 药 材 名 | 亮叶冬青叶（药用部位：叶）、亮叶冬青根（药用部位：根及根茎）。

| 形态特征 | 常绿灌木或小乔木。高 1 ~ 5 m。幼枝近四棱形，具纵棱角及沟，沟内被短柔毛，棱上无毛；较老枝近圆形，具纵脊及长圆形或椭圆形皮孔；顶芽圆锥形，急尖，无毛。叶生于一至二年生枝上；叶片革质，倒卵形、倒卵状椭圆形或阔椭圆形，长 2.5 ~ 7 cm，宽 1.5 ~ 3 cm，先端钝、急尖或短渐尖，基部钝或楔形，边缘略外折，具细圆齿状锯齿，齿尖常脱落而成钝头，叶面绿色，光亮，叶背淡绿色，具不明显的腺点，主脉在叶面深凹陷，疏被短柔毛，在叶背隆起，无毛，侧脉 5 ~ 8 对，在两面明显，网状脉在叶面稍凸起，在叶背不明显；叶柄长 4 ~ 6 mm，上面具浅的纵沟，被微柔毛或无

毛，背面具皱纹，两侧具叶片下延的狭翅。雄花 1 ~ 5 排成聚伞花序，单生于当年生枝的鳞片腋内或下部叶腋内，或簇生于二年生枝的叶腋内；总花梗长 3 ~ 5 mm，花梗长约 2 mm，基部或近中部具 1 ~ 2 小钻形苞片；花白色，4 基数；花萼盘状，直径 2 ~ 3 mm，裂片阔三角形，边缘啮蚀状，无缘毛；花冠辐状，直径约 7 mm，花瓣倒卵形或圆形，长约 2.5 mm，基部稍合生；雄蕊 4，长约为花瓣的 2/3，花药长圆形，长约 1.5 mm；退化子房狭圆锥形，先端急尖或具短喙。雌花单花生于当年生枝的叶腋内；花梗长 12 ~ 15 mm，无毛，向先端逐渐增粗，其中部生 2 钻形小苞片；花萼直径 4 ~ 5 mm，无毛，4 裂，裂片近圆形；花瓣 4，卵形，长约 2.5 mm，基部稍合生；退化雄蕊长为花瓣的 1/3，不育花药箭头形；子房卵球形，直径约 2 mm，柱头盘状凸起。果实球形或略扁球形，直径 9 ~ 11 mm，成熟时黑色；果柄长 1 ~ 1.7 cm；宿存花萼平展，直径约 5 mm，宿存柱头盘状乳头形，直径 1.5 ~ 2 mm；分核 4，椭圆体形，横切面三棱形，长 4 ~ 6 mm，背部宽 3 ~ 5 mm，背部凸起，具稍隆起的皱纹，侧面平滑，内果皮革质。花期 5 月，果期 10 ~ 11 月。

| **生境分布** | 生于海拔 300 ~ 1 700 m 的山地和丘陵地区的常绿阔叶林下、疏林及灌丛中。湖南各地均有分布。

| **资源情况** | 野生资源丰富。药材主要来源于野生。

| **功能主治** | **亮叶冬青叶**：凉血解毒，祛瘀生新。用于烫火伤，外伤出血。
亮叶冬青根：祛风除湿，活血通络。用于风湿痹痛。

冬青科 Aquifoliaceae 冬青属 Ilex

尾叶冬青
Ilex wilsonii Loes.

| 药 材 名 | 尾叶冬青（药用部位：根、叶）。

| 形态特征 | 常绿灌木或乔木，高 2 ~ 10 m。叶片厚革质，卵形或倒卵状长圆形，长 4 ~ 7 cm，宽 1.5 ~ 3.5 cm，先端骤然尾状渐尖，渐尖头长 6 ~ 13 mm，常偏向一侧，基部钝，全缘；托叶三角形。花序簇生于二年生枝的叶腋内，苞片三角形，常具三尖头；花 4 基数，白色。雄花序簇由具 3 ~ 5 花的聚伞花序或伞形花序的分枝组成；花萼盘状，4 深裂，裂片三角形，具缘毛；花冠辐状，花瓣长圆形，基部稍合生；花药长圆形；退化子房近球形，先端具不明显的分裂。雌花序簇由具单花的分枝组成，具近中部着生的小苞片 2；花萼及花冠同雄花；退化雄蕊长为花瓣的 1/2，败育花药箭头形；子房卵球形，柱头厚盘形。果实球形，成熟后红色，平滑；宿存花萼平展，4 裂，

裂片具缘毛，宿存柱头厚盘状；分核 4，卵状三棱形，背面具稍凸起的纵棱 3，内果皮革质。

| **生境分布** | 生于海拔 420 ～ 1 900 m 的山地、沟谷阔叶林、杂木林中。分布于湖南永州（双牌）、怀化（沅陵）、邵阳（武冈）、郴州（宜章）、湘西州（永顺）、张家界（慈利）等。

| **资源情况** | 野生资源稀少。药材来源于野生。

| **功能主治** | 消炎解毒。用于烫火伤。

卫矛科 Celastraceae 南蛇藤属 Celastrus

过山枫 *Celastrus aculeatus* Merr.

| **药 材 名** | 过山枫（药用部位：根）。

| **形态特征** | 灌木。当年生小枝有时被棕白色稀疏短毛；冬芽圆锥形，长 2 ～ 3 mm，基部芽鳞宿存，有时呈短刺状。单叶互生；叶柄长 10 ～ 18 mm；叶片长方形或近椭圆形，长 5 ～ 10 cm，宽 3 ～ 6 cm，先端渐尖或急尖，基部宽楔形或近圆形，边缘上部具浅锯齿，下部近全缘。聚伞花序腋生或侧生，通常具 3 花，花序梗短，长 2 ～ 5 mm，花梗长 2 ～ 3 mm，花序梗与花梗均被棕色短毛，关节在上部；花单性；雄花萼片卵状三角形，长达 2.5 mm，先端圆钝，花瓣长方状倒披针形，长约 4 mm，宽约 1.5 mm，花盘肉质，较平坦，全缘，雄蕊与花瓣近等长，花丝具乳突，退化雌蕊长 1.5 ～ 2 mm；雌花退化，雄蕊长约 1.5 mm，雌蕊子房球形。蒴果近球形，直径 7 ～ 8 mm；

萼宿存，果期明显增大；种子新月形至半环形，密布疣点。花期 3 ~ 4 月，果期 8 ~ 9 月。

| **生境分布** | 生于海拔 100 ~ 1 000 m 的山坡路旁疏林中或灌丛下。分布于湖南长沙（望城）、株洲、衡阳（蒸湘、衡山）、岳阳（汩罗）、郴州（永兴、汝城）、怀化（会同）、娄底（娄星）、湘西州（永顺）等。

| **资源情况** | 野生资源一般。药材来源于野生。

| **采收加工** | 秋后采挖，切片，晒干。

| **功能主治** | 苦、辛，凉。归肝、胆、肾经。清热解毒，祛风除湿。用于风湿痹痛，痛风，肾炎，胆囊炎，白血病。

| **用法用量** | 内服煎汤，9 ~ 15 g。

卫矛科 Celastraceae 南蛇藤属 Celastrus

苦皮藤 *Celastrus angulatus* Maxim.

| 药 材 名 |

苦树皮（药用部位：根、树皮。别名：苦通皮、马断肠）。

| 形态特征 |

藤状灌木。小枝常具 4 ~ 6 纵棱，皮孔密生。叶长圆状宽椭圆形、宽卵形或圆形，长 7 ~ 17 cm，宽 5 ~ 13 cm，先端圆，具渐尖头，基部圆，具钝锯齿，两面无毛，稀下面主侧脉被柔毛，侧脉 5 ~ 7 对；叶柄长 1.5 ~ 3 cm。聚伞圆锥花序顶生，长 10 ~ 20 cm，花序轴无毛或被锈色短毛；花梗短，关节在顶部；花萼裂片三角形或卵形；花瓣长圆形，边缘不整齐；花盘肉质；雄蕊生于花盘之下，具长约 1 mm 的退化雌蕊；子房球形，柱头反曲，具长约 1 mm 的退化雌蕊。蒴果近球形，直径 0.8 ~ 1 cm；种子椭圆形。花期 5 ~ 6 月。

| 生境分布 |

生于海拔 1 000 ~ 2 500 m 的山地丛林及山坡灌丛中。分布于湖南湘潭（雨湖）、邵阳（洞口、绥宁）、郴州（宜章）、永州（冷水滩）、娄底（新化、冷水江）、湘西州（吉首、花垣、永顺、凤凰、泸溪）、张家界（永定、慈利、桑植）、怀化（辰溪、麻阳、新晃、沅陵）等。

| **资源情况** | 野生资源一般。药材来源于野生。

| **采收加工** | 全年均可采收，晒干。

| **功能主治** | 苦，平；有小毒。清热解毒，杀虫。用于黄水疮，头癣，骨折，阴痒。

| **用法用量** | 外用适量，研末调敷。

卫矛科 Celastraceae 南蛇藤属 Celastrus

大芽南蛇藤 *Celastrus gemmatus* Loes.

| 药 材 名 | 霜红藤（药用部位：根、茎、叶。别名：霜江藤、哥兰叶、穿山龙）。

| 形态特征 | 攀缘状灌木，长 3 ~ 7 m。冬芽大，长 7 ~ 10 mm；小枝圆柱形，具条纹，多皮孔。单叶互生；叶柄长可达 2 cm；叶片卵状椭圆形或长方形，长 5 ~ 15 cm，宽 2 ~ 8 cm，先端渐尖或锐尖，边缘具细齿，基部楔形或钝圆。聚伞花序顶生或腋生，总花梗短；花黄绿色，5 基数，花盘有浅圆齿。蒴果直径 10 ~ 13 mm。花期 5 ~ 6 月。

| 生境分布 | 生于山坡灌丛中。湖南各地均有分布。

| 资源情况 | 野生资源丰富。药材来源于野生。

| 采收加工 | 春、秋季采收，切段，晒干。

| 功能主治 | 苦、辛，平。祛风除湿，活血止痛，解毒消肿。用于风湿痹痛，跌打损伤，月经不调，闭经，产后腹痛，胃痛，疝痛，疮痈肿痛，骨折，风疹，湿疹，带状疱疹，毒蛇咬伤。孕妇慎服。

| 用法用量 | 内服煎汤，10 ~ 30 g；或浸酒。外用适量，研末调涂；或磨汁涂；或鲜品捣敷。

卫矛科 Celastraceae 南蛇藤属 Celastrus

灰叶南蛇藤

Celastrus glaucophyllus Rehder et E. H. Wilson

| **药 材 名** | 灰叶南蛇藤（药用部位：根）。

| **形态特征** | 藤本灌木。小枝具疏散皮孔。叶互生，在果期近革质；叶柄长
8 ~ 12 mm；叶片长方状宽椭圆形、倒卵状椭圆形或椭圆形，长
5 ~ 10 cm，宽 2.5 ~ 6.5 cm，先端短渐尖，基部圆形或宽楔形，边
缘具稀疏细锯齿，叶背面灰白色。花序腋生、侧生及顶生，腋生及
侧生者多 3 ~ 5 花，顶生者为总状圆锥花序，长 3 ~ 6 cm；花梗长
2.5 ~ 3.5 mm，关节在中部或偏上；雄蕊花萼半裂或较深，裂片卵
状椭圆形，长 1.5 ~ 2 mm，边缘具稀疏的不整齐小齿，花瓣倒卵状
长方形，长 4 ~ 5 mm，花盘肉质，裂片近半圆形，雄蕊稍短于花冠，
退化雌蕊长 1.5 ~ 2 mm；雌蕊较雄花稍小，退化雄蕊长约 1.5 mm，
雌蕊长约 3 mm，子房近圆形。果实球形，直径 9 ~ 10 mm；果柄

长 5 ~ 9 mm；种子黑色，椭圆形，长 4 ~ 5 mm。花期 3 ~ 6 月，果熟期 9 ~ 10 月。

| 生境分布 | 生于海拔 700 ~ 2 100 m 的混交林中。分布于湖南永州（双牌）、怀化（芷江）、湘西州（古丈）等。

| 资源情况 | 野生资源一般。药材来源于野生。

| 采收加工 | 秋后采挖，切片，晒干。

| 功能主治 | 辛，平。散瘀，止血。用于跌打损伤，刀伤出血，肠风便血。

| 用法用量 | 内服煎汤，9 ~ 15 g。外用适量，研末敷。

卫矛科 Celastraceae 南蛇藤属 Celastrus

青江藤 Celastrus hindsii Benth.

| 药 材 名 | 青江藤（药用部位：根）。

| 形态特征 | 常绿木质藤本。新枝皮孔不明显。叶互生；叶柄短；叶片薄革质，长圆状窄椭圆形或椭圆状披针形，长 7 ~ 12 cm，宽 3 ~ 5 cm，侧脉间网脉平行横展。顶生聚伞状圆锥花序窄长，腋生花序仅有 1 ~ 3 花；花淡绿色，直径达 5 mm，5 基数；雄蕊着生于杯状花盘边缘；雌蕊不与花盘合生，子房长卵形，3 室，每室 2 胚珠。蒴果卵状，长达 1 cm，3 裂，仅中央有种子 1；种子有橙红色假种皮。

| 生境分布 | 生于山坡草地。分布于湖南邵阳（新邵）、怀化（辰溪、沅陵）、湘西州（吉首、泸溪、永顺）、益阳（安化）等。

| 资源情况 | 野生资源一般。药材来源于野生。

| **采收加工** | 秋后采挖，切片，晒干。

| **功能主治** | 苦、辛，平。通经，利尿。用于闭经，小便不利。

| **用法用量** | 内服煎汤，6～15 g。

卫矛科 Celastraceae 南蛇藤属 *Celastrus*

粉背南蛇藤 *Celastrus hypoleucus* (Oliv.) Ward.

| **药 材 名** | 绵藤（药用部位：根）。

| **形态特征** | 藤状灌木，高可达 5 m。小枝幼时被白粉。单叶互生；叶柄长 1 ~ 1.5 cm；叶片椭圆形或宽椭圆形，长 6 ~ 14 cm，宽 3 ~ 8 cm，先端短渐尖，基部宽楔形，边缘具细齿，背面被白粉，脉上有时有疏毛。聚伞状圆锥花序顶生，长 6 ~ 12 cm，腋生花序短小，有花 3 ~ 7，腋生花多不结实；花梗中部以上有关节；花白色，4 基数，单生；雄花有退化子房；雌花有具短花丝的退化雄蕊，子房具细长花柱，柱头 3 裂。果序顶生，长而下垂。蒴果球状，橙黄色，疏生，具长柄，果皮裂瓣内侧有红色斑点；种子黑棕色，有橙红色假种皮。

| **生境分布** | 生于山地丛林中。分布于湖南衡阳（耒阳）、邵阳（新邵）、常德

（汉寿）、益阳（桃江、安化）、郴州（北湖、苏仙、桂阳、临武）、永州（东安）、娄底（新化）、湘西州（泸溪、古丈、永顺）、张家界（慈利、桑植）等。

| **资源情况** | 野生资源一般。药材来源于野生。

| **采收加工** | 秋后采挖，切片，晒干。

| **功能主治** | 辛，平。归肝经。化瘀消肿。用于跌打损伤。

| **用法用量** | 外用适量，煎汤洗。

窄叶南蛇藤 *Celastrus oblanceifolius* F. T. Wang et P. C. Tsoong

| 药 材 名 | 窄叶南蛇藤（药用部位：根、茎）。

| 形态特征 | 藤状灌木。当年生小枝密被棕褐色短毛。叶柄长 5 ~ 9 mm；叶倒披针形，长 6.5 ~ 12.5 cm，宽 1.5 ~ 4 cm，先端窄急尖或短渐尖，基部窄楔形至楔形，边缘具稀疏浅锯齿，侧脉 7 ~ 10 对。聚伞花序腋生或侧生，具 1 ~ 3 花，雄株多于 3 花，花序梗由不明显到长 2 mm，花梗长 1 ~ 2.5 mm，花序梗与花梗均被棕色短毛，关节在上部；雄花萼片椭圆状卵形，长 2 mm，宽 1 mm，花瓣长方状倒披针形，长约 4 mm，宽 1.5 mm，边缘具极短睫毛，花盘肉质，较平坦，不裂，雄蕊与花瓣近等长，花丝被乳突状毛，花药宽卵形，先端常有小凸尖，退化雄蕊长不及 2 mm；雌花未见。蒴果球形，直径 7.5 ~ 8.5 mm；种子新月形，长约 5 mm。花期 3 ~ 4 月，果期 6 ~

10 月。

| **生境分布** | 生于海拔 500 ～ 1 000 m 的山坡湿地或溪旁灌丛中。分布于湖南衡阳（祁东）、郴州（宜章）、永州（东安）、娄底（涟源）等。

| **资源情况** | 野生资源一般。药材来源于野生。

| **采收加工** | 全年均可采收，鲜用，或切片，晒干。

| **功能主治** | 辛、苦，微温。祛风除湿，活血行气，解毒消肿。用于风湿痹痛，跌打损伤，疝气疼痛，疮疡肿毒，带状疱疹，湿疹。

| **用法用量** | 内服煎汤，9 ～ 15 g。外用适量，加水磨汁涂。

卫矛科 Celastraceae 南蛇藤属 Celastrus

南蛇藤 *Celastrus orbiculatus* Thunb.

药材名

南蛇藤（药用部位：藤茎）。

形态特征

藤状灌木。小枝无毛。叶宽倒卵形、近圆形或椭圆形，长5～13 cm，先端圆，具小尖头或短渐尖，基部宽楔形或近圆形，具锯齿，两面无毛或下面沿脉疏被柔毛，侧脉3～5对；叶柄长1～2 cm。聚伞花序腋生，偶有顶生者，花序长1～3 cm，有1～3花；关节在花梗中下部或近基部；雄花萼片钝三角形，花瓣倒卵状椭圆形或长圆形，长3～4 cm，花盘浅杯状，裂片浅，雄蕊长2～3 mm；雌花花冠较雄花花冠窄小，子房近球形，退化雄蕊长约1 mm。蒴果近球形，直径0.8～1 cm；种子椭圆形，赤褐色，长4～5 mm。花期5～6月，果期7～10月。

生境分布

生于海拔450～2 200 m的山坡灌丛中。湖南各地均有分布。

资源情况

野生资源丰富。药材来源于野生。

| **采收加工** | 春、秋季采收，鲜用，或切段，晒干。

| **功能主治** | 苦、辛，微温。归肝、膀胱经。祛风除湿，通经止痛，活血解毒。用于风湿关节痛，四肢麻木，瘫痪，头痛，牙痛，疝气，痛经，闭经，小儿惊风，跌打损伤，痢疾，痧证，带状疱疹。

| **用法用量** | 内服煎汤，9 ~ 10 g；或浸酒。

卫矛科 Celastraceae 南蛇藤属 Celastrus

短梗南蛇藤 Celastrus rosthornianus Loes.

| 药 材 名 |

短柄南蛇藤根（药用部位：根或根皮。别名：大藤菜、白花藤）、短柄南蛇藤茎叶（药用部位：茎叶）、短柄南蛇藤果（药用部位：果实）。

| 形态特征 |

小枝具较稀皮孔；腋芽圆锥状或卵状，长约3 mm。叶纸质，果期常稍革质；叶片长方状椭圆形、长方状窄椭圆形，稀倒卵状椭圆形，长 3.5 ~ 9 cm，宽 1.5 ~ 4.5 cm，先端急尖或短渐尖，基部楔形或阔楔形，边缘具疏浅锯齿，或基部近全缘，侧脉 4 ~ 6 对；叶柄长 5 ~ 8 mm，稀稍长。花序顶生及腋生，顶生者为总状聚伞花序，长 2 ~ 4 cm，腋生者短小，具 1 至数花，花序梗短；小花梗长 2 ~ 6 mm，关节在中部或稍下；萼片长圆形，长约 1 mm，边缘啮蚀状；花瓣近长方形，长 3 ~ 3.5 mm，宽 1 mm 或更宽；花盘浅裂，裂片先端近平截；雄蕊较花冠稍短，在雌花中退化雄蕊长 1 ~ 1.5 mm；雌蕊长 3 ~ 3.5 mm，子房球状，柱头 3 裂，每裂再 2 深裂，近丝状。蒴果近球状，直径 5.5 ~ 8 mm，小果柄长 4 ~ 8 mm，近果实处较粗；种子阔椭圆状，长 3 ~ 4 mm，直径 2 ~ 3 mm。花期 4 ~ 5 月，果期 8 ~ 10 月。

| 生境分布 | 生于海拔 500 ~ 1 800 m 的山坡林缘和丛林下。湖南各地均有分布。

| 资源情况 | 野生资源丰富。药材来源于野生。

| 采收加工 | **短柄南蛇藤根：** 秋后采收根，洗净，切片或剥皮晒干。

短柄南蛇藤茎叶： 春、秋季采收，切段，晒干。

短柄南蛇藤果： 秋后果实成熟后采收，晒干。

| 功能主治 | **短柄南蛇藤根：** 辛，平。祛风除湿，活血止痛，解毒消肿。用于风湿痹痛，跌打损伤，疝气痛，疮疡肿毒，带状疱疹，湿疹，毒蛇咬伤。

短柄南蛇藤茎叶： 辛、苦，平；有小毒。祛风除湿，活血止血，解毒消肿。用于风湿痹痛，跌打损伤，脘腹疼痛，牙痛，疝气痛，月经不调，经闭，血崩，肌衄，疮肿，带状疱疹，湿疹。

短柄南蛇藤果： 宁心安神。用于失眠，多梦。

| 用法用量 | **短柄南蛇藤根：** 内服煎汤，9 ~ 15 g。外用适量，研末调敷。

短柄南蛇藤茎叶： 内服煎汤，6 ~ 15 g。外用适量，研末调涂。

短柄南蛇藤果： 内服煎汤，6 ~ 30 g。

卫矛科 Celastraceae 南蛇藤属 Celastrus

显柱南蛇藤 Celastrus stylosus Wall.

| **药 材 名** | 山货榔（药用部位：茎）。

| **形态特征** | 藤状灌木。小枝通常无毛。叶长圆状椭圆形，稀长圆状倒卵形，长 6.5 ~ 12.5 cm，宽 3 ~ 6.5 cm，先端短渐尖或骤尖，基部楔形、宽楔形或钝，边缘具钝齿，侧脉 5 ~ 7 对，两面无毛或幼时下面被毛；叶柄长 1 ~ 1.8 cm。聚伞花序腋生及侧生，有 3 ~ 7 花，花序梗长 0.7 ~ 2 cm；花梗长 5 ~ 7 mm，被黄白色短硬毛，关节位于中下部；雄花萼片近卵形或椭圆形，长 1 ~ 2 mm，边缘微啮蚀状，花瓣长圆状倒卵形，长 3.5 ~ 4 mm，边缘啮蚀状，花盘浅杯状，裂片浅，半圆形或钝三角形，雄蕊稍短于花冠，花丝下部光滑或具乳突；雌花中的退化雄蕊长 1 mm，子房瓶状，长约 3 mm，柱头反曲。蒴果近球形，直径 6.5 ~ 8 mm；种子一侧凸起或微呈新月形。花期 3 ~ 5

月，果期 8 ～ 10 月。

| **生境分布** | 生于海拔 1 000 ～ 2 100 m 的山坡林中。分布于湖南邵阳、永州（双牌、道县）、怀化（鹤城、辰溪、芷江、洪江）等。

| **资源情况** | 野生资源一般。药材来源于野生。

| **采收加工** | 春、秋季采收，切段，晒干。

| **功能主治** | 苦、辛，平。归肾、膀胱经。祛风除湿，利尿通淋，活血止痛。用于风湿痹痛，脉管炎，淋证，跌打肿痛。

| **用法用量** | 内服煎汤，3 ～ 6 g。

卫矛科 Celastraceae 卫矛属 Euonymus

刺果卫矛
Euonymus acanthocarpus Franch.

| **药 材 名** | 刺果藤仲（药用部位：茎）。

| **形态特征** | 常绿藤状或直立灌木，高达 3 m。小枝密被黄色细疣突。叶对生，革质，长圆状椭圆形或窄卵形，稀宽披针形，长 7 ~ 12 cm，先端尖，基部楔形或宽楔形，具不明显的稀疏浅齿，侧脉 5 ~ 8 对，网脉不明显；叶柄长 1 ~ 2 cm。聚伞花序较大，2 ~ 3 回分枝，花序梗宽扁或具 4 棱，长 2 ~ 8 cm；花黄绿色，直径 6 ~ 8 mm；萼片近圆形；花瓣近倒卵形，基部窄缩成短爪；花盘近圆形；雄蕊具长 2 ~ 3 mm 的花丝；子房具花柱，柱头不膨大。蒴果近球形，被密刺，成熟时呈棕褐色带红色，直径 1 ~ 1.2 cm（连刺），刺基部稍宽，长约 1.5 mm；种子宽椭圆形，外被橙黄色假种皮。

| 生境分布 | 生于海拔 600 ~ 2 100 m 的山谷、林内、溪旁阴湿处。分布于湖南湘西州（吉首、古丈、永顺）等。

| 资源情况 | 野生资源一般。药材来源于野生。

| 功能主治 | 苦，温。祛风除湿，通经活络。用于风湿痹痛，外伤出血，跌打损伤；外用于骨折。

| 用法用量 | 内服煎汤，6 ~ 10 g。外用适量，捣敷。

卫矛科 Celastraceae 卫矛属 Euonymus

软刺卫矛
Euonymus aculeatus Hemsl.

| 药 材 名 | 小千金（药用部位：根）。

| 形态特征 | 常绿灌木，有时呈藤本状，高达 3 m。小枝黄绿色，干后呈黄色，近圆柱形，平滑。叶对生，革质，长圆形、椭圆形或长圆状倒卵形，长 6 ~ 13 cm，先端渐尖，基部宽楔形，具较细浅锯齿，外卷，侧脉 5 ~ 6 对；叶柄粗，长 1 ~ 2 cm。聚伞花序 2 ~ 3 回分枝，有 7 ~ 15 花，花序梗长 1.5 ~ 4 cm；花淡黄色，4 基数，直径 5 ~ 7 mm；花萼裂片半圆形；花瓣近圆形；雄蕊无花丝，生于垫状凸起的花盘上；子房 4 室，花柱极短。蒴果近球形，密生软刺，直径 1 ~ 2 cm（连刺），刺长 3 ~ 5 mm，基部膨大，成熟时呈粉红色，干后呈黄色；种子长圆形，长约 7 mm，亮红色，假种皮肉红色。花

期 5 月，果期 7 ～ 8 月。

| **生境分布** | 生于海拔 700 ～ 2 000 m 的山地林中、路旁、水边岩石峭壁上。分布于湖南湘西州（龙山）等。

| **资源情况** | 野生资源一般。药材来源于野生。

| **采收加工** | 秋后采收，洗净，切片，晒干。

| **功能主治** | 辛、微苦，温。舒筋活络。用于风湿痹痛，跌打损伤。

| **用法用量** | 内服煎汤，15 ～ 30 g。外用适量，捣敷。

卫矛科 Celastraceae 卫矛属 Euonymus

卫矛

Euonymus alatus (Thunb.) Sieb

| **药 材 名** | 卫矛（药用部位：根、带翅的枝及叶）。

| **形态特征** | 落叶灌木，高达 3 m。小枝具 2 ～ 4 列宽木栓翅。叶对生，纸质，卵状椭圆形或窄长椭圆形，稀倒卵形，长 2 ～ 8 cm，宽 1 ～ 3 cm，具细锯齿，先端尖，基部楔形或钝圆，两面无毛，侧脉 7 ～ 8 对；叶柄长 1 ～ 3 mm。聚伞花序有 1 ～ 3 花，花序梗长约 1 cm；花 4 基数，白绿色，直径约 8 mm；花萼裂片半圆形；花瓣近圆形；花盘近方形；雄蕊生于边缘，花丝极短；子房埋藏于花盘内。蒴果 1 ～ 4 深裂，裂瓣椭圆形，长 7 ～ 8 mm，成熟时呈红棕色或灰黑色，每分果瓣具 1 ～ 2 种子；种子红棕色，椭圆形或宽椭圆形，假种皮橙红色，全包种子。花期 5 ～ 6 月，果期 7 ～ 10 月。

| **生境分布** | 生于丘陵或山地荒坡沟边。湖南各地均有分布。

| **资源情况** | 野生资源丰富。药材来源于野生。

| **采收加工** | 全年均可采挖根，夏、秋季采收带翅的枝及叶，晒干。

| **功能主治** | 苦，寒。行血通经，散瘀止痛。用于月经不调，产后瘀血腹痛，跌打损伤。

| **用法用量** | 内服煎汤，3 ~ 10 g。

卫矛科 Celastraceae 卫矛属 Euonymus

肉花卫矛
Euonymus carnosus Hemsl.

| 药 材 名 | 痰药（药用部位：根）。

| 形态特征 | 灌木或小乔木，高达5 m。小枝圆柱形。叶对生，近革质，长圆状椭圆形、宽椭圆形、窄长圆形或长圆状倒卵形，长5～15 cm，先端突尖或短渐尖，基部宽而圆，边缘具圆锯齿，侧脉细密；叶柄长达2.5 cm。聚伞花序1～2回分枝；花序梗长3～5.5 cm；花4基数，黄白色，直径约1.5 cm；花萼稍肥厚；花瓣宽倒卵形，中央具折皱条纹；雄蕊花丝较短，长1.5 mm以下。蒴果近球形，具4棱，有时呈翅状，直径约1 cm；种子具盔状红色肉质假种皮。

| 生境分布 | 生于山坡路旁。分布于湖南长沙（宁乡）、邵阳（绥宁）、怀化（辰溪）、张家界（武陵源）、永州（冷水滩）等。

| **资源情况** | 野生资源一般。药材来源于野生。

| **采收加工** | 全年均可采挖，洗净，切片，晒干。

| **功能主治** | 微苦、涩，平。软坚散结，祛风除湿，通经活络。用于淋巴结结核，跌打损伤，肾虚腰痛，风湿痹痛，闭经，痛经。

| **用法用量** | 内服煎汤，1.5 ~ 6 g。

卫矛科 Celastraceae 卫矛属 Euonymus

百齿卫矛
Euonymus centidens Lévl.

| **药材名** | 百齿卫矛（药用部位：全株）。 |

| **形态特征** | 常绿灌木，高达 6 m。小枝方棱状，常有窄翅棱。叶对生，纸质或近革质，窄长椭圆形或近倒卵形，长 3 ~ 10 cm，宽 1.5 ~ 4 cm，先端长渐尖，基部钝楔形，边缘具密而深的尖锯齿，齿端常具黑色腺点，侧脉 7 ~ 8 对，近无柄或有长 5 mm 以下的短柄。聚伞花序有 1 ~ 3 花，稀有较多花，花序梗四棱状，长达 1 cm；花 4 基数，淡黄色，直径约 6 mm；花萼裂片半圆形，齿端常具黑腺点；花瓣长圆形，长约 3 mm；花盘近方形；雄蕊无花丝；子房四棱方锥状，无花柱，柱头小头状。蒴果 4 深裂，成熟裂瓣 1 ~ 4，每裂瓣内常有 1 种子；种子长圆形，长约 5 mm，直径约 4 mm，上部覆盖着黄红色假种皮。花期 6 月，果期 9 ~ 10 月。 |

| 生境分布 | 生于丘陵、低山杂木林或竹林湿润处。分布于湖南岳阳（汨罗）、常德（澧县）、益阳（桃江）、郴州（永兴、临武）、永州（新田）等。

| 资源情况 | 野生资源一般。药材来源于野生。

| 采收加工 | 全年均可采收，洗净，鲜用，或切段晒干。

| 功能主治 | 甘、苦，微温。祛风散寒，理气平喘，活血解毒。用于风寒湿痹，腰膝疼痛，胃脘胀痛，气喘，月经不调，跌打损伤，毒蛇咬伤。

| 用法用量 | 内服煎汤，6 ~ 15 g；或浸酒。外用适量，研末调敷；或鲜品捣敷。

卫矛科 Celastraceae 卫矛属 Euonymus

角翅卫矛

Euonymus cornutus Hemsl.

| 药 材 名 | 角翅卫矛（药用部位：枝条）、角翅卫矛果（药用部位：果实）、角翅卫矛根（药用部位：根）。

| 形态特征 | 常绿灌木，高 1 ~ 2.5 m。老枝紫红色。叶对生，厚纸质或薄革质，披针形或窄披针形，稀近线形，长 6 ~ 11 cm，宽 0.8 ~ 1.5 cm，先端窄长渐尖，基部楔形或宽楔形，边缘有细密浅锯齿，侧脉 7 ~ 11 对；叶柄长 3 ~ 6 mm。聚伞花序常 1 回分枝，具 3 花，稀 2 回分枝，具 5 ~ 7 花，花序梗长 3 ~ 5 cm；花梗长 1 ~ 1.2 cm；花 4 基数和 5 基数并存，紫红色或暗紫色带绿色，直径约 1 cm；萼片肾圆形；花瓣倒卵形或近圆形；花盘近圆形；雄蕊生于花盘边缘，无花丝；子房无花柱，柱头小盘状，4 ~ 5 室。蒴果近球形，直径 2 ~ 2.5 cm，成熟时呈紫红色或带灰色，具 4 或 5 翅，翅长 0.5 ~ 1 cm，

向先端渐窄，微呈钩状；种子宽椭圆形，长约 6 mm，包于橙色假种皮内。

| 生境分布 | 生于海拔 1 200 ~ 2 800 m 的山坡林中或灌丛中。分布于湖南永州（道县、蓝山）等。

| 资源情况 | 野生资源一般。药材来源于野生。

| 采收加工 | **角翅卫矛**：春、秋季采收，切段，晒干。
角翅卫矛果：9 ~ 10 月采收，晒干。
角翅卫矛根：秋后采挖，切片，晒干。

| 功能主治 | **角翅卫矛**：苦，凉。祛风解毒。用于皮肤痒疮，漆疮。
角翅卫矛果：苦，平。祛风除湿。用于风寒湿痹，咳嗽痰多。
角翅卫矛根：苦，平。舒筋活血。用于跌打损伤，劳伤腰痛。

| 用法用量 | **角翅卫矛**：外用适量，煎汤洗。
角翅卫矛果：内服煎汤，6 ~ 12 g。
角翅卫矛根：内服煎汤，6 ~ 9 g。

卫矛科 Celastraceae 卫矛属 Euonymus

裂果卫矛

Euonymus dielsianus Loes. ex Diels

药材名

裂果卫矛（药用部位：茎皮、根）。

形态特征

灌木或小乔木，高1～7m。叶片革质，窄长椭圆形或长倒卵形，长4～12cm，宽2～4.5cm，先端渐尖或短长尖，近全缘，偶有疏浅小锯齿，齿端常具小黑腺点；叶柄长达1cm。聚伞花序具1～7花，花序梗长达1.5cm；小花梗长3～5mm；花4基数，直径约5mm，黄绿色；萼片较阔，圆形，边缘具锯齿，齿端具黑色腺点；花瓣长圆形，边缘稍呈浅齿状；花盘近方形；雄蕊花丝极短，着生于花盘角上，花药近顶裂；子房四棱形，无花柱，柱头细小，头状。蒴果4深裂，裂瓣卵状，长约8mm，斜升，1～3裂成熟，每裂有成熟种子1；种子长圆状，长约5mm，枣红色或黑褐色，假种皮橘红色，盔状，包围种子上半部。花期6～7月，果期10月。

生境分布

生于小山顶、山尖岩石上和山坡、溪边疏林或山谷中。分布于湖南永州（东安、道县、蓝山）、怀化（中方、辰溪、麻阳、洪江）、湘西州（吉首、花垣、永顺、凤凰）、娄底（涟源）等。

| **资源情况** | 野生资源一般。药材来源于野生。

| **采收加工** | 全年均可采收，晒干。

| **功能主治** | 甘、微苦，微温。强筋壮骨，活血调经。用于肾虚腰膝酸痛，月经不调，跌打损伤。

| **用法用量** | 内服煎汤，10 ～ 30 g；或浸酒。

卫矛科 Celastraceae 卫矛属 Euonymus

鸦椿卫矛

Euonymus euscaphis Hand.-Mazz.

| **药 材 名** | 鸦椿卫矛（药用部位：根或根皮）。

| **形态特征** | 直立或蔓性灌木，高达 3 m。小枝无木栓翅。叶对生，革质，披针形或窄长披针形，长 6 ~ 18 cm，宽 1 ~ 3 cm，先端渐尖或长渐尖，基部近圆楔形或宽楔形，边缘具浅细锯齿；叶柄长 2 ~ 8 mm。聚伞花序生于侧生新枝上，有 3 ~ 7 花，花序梗细，长 1 ~ 1.5 cm；花梗长约 1 cm，花 4 基数，绿白色，直径 5 ~ 8 mm；雄蕊无花丝。蒴果 4 深裂，裂瓣卵圆形，长约 8 mm，常 1 ~ 2 瓣成熟，每瓣内有 1 种子；种子具橘红色假种皮。

| **生境分布** | 生于山谷林下或山坡路旁。分布于湖南怀化（会同、新晃、靖州）、岳阳（平江）等。

| **资源情况** | 野生资源一般。药材来源于野生。

| **采收加工** | 秋后采收，洗净，晒干。

| **功能主治** | 辛、苦，平。活血通经，祛风除湿，消肿解毒。用于跌打瘀肿，腰痛，癥瘕，血栓闭塞性脉管炎，痛经，风湿痹痛，痔疮，漆疮。

| **用法用量** | 内服煎汤，10 ~ 15 g。外用适量，煎汤洗。

卫矛科 Celastraceae 卫矛属 Euonymus

扶芳藤
Euonymus fortunei (Turcz.) Hand.-Mazz.

| 药 材 名 | 扶芳藤（药用部位：带叶茎枝）。

| 形态特征 | 常绿藤状灌木，高约 1 m，各部无毛。枝具气生根。叶对生，薄革质，椭圆形、长圆状椭圆形或长倒卵形，长 3.5 ~ 8 cm，基部楔形，边缘具不明显浅齿，小脉不明显；叶柄长 3 ~ 6 mm。聚伞花序 3 ~ 4 回分枝，花序梗长 1.5 ~ 3 cm，每花序有 4 ~ 7 花，分枝中央有单花；花 4 基数，白绿色，直径约 6 mm；花萼裂片半圆形；花瓣近圆形；雄蕊花丝细长，花盘方形，直径约 2.5 mm；子房三角状锥形，具 4 棱，花柱长 1 mm。果序柄长 2 ~ 3.5 cm；蒴果近球形，直径 0.6 ~ 1.2 cm，成熟时呈粉红色，果皮光滑；种子长方状椭圆形，假种皮鲜红色，全包种子。花期 6 月，果期 10 月。

| 生境分布 | 生于海拔 300 ～ 2 000 m 的山坡丛林、岩石缝中或林缘。分布于湖南株洲（茶陵）、衡阳、岳阳（临湘）、常德（澧县、石门）、益阳（桃江）、郴州（北湖、宜章、桂东）、永州（道县）、怀化（靖州、洪江、沅陵）、湘西州（永顺、龙山）、张家界（桑植）等。

| 资源情况 | 野生资源一般。药材来源于野生。

| 采收加工 | 全年均可采收，除去杂质，切碎，晒干。

| 药材性状 | 本品茎枝呈圆柱形；表面灰绿色，多生细根，并具小瘤状突起；质脆易折断，断面黄白色，中空。叶对生，椭圆形，长 3.5 ～ 8 cm，宽 1 ～ 4 cm，先端尖或短锐尖，基部宽楔形，边缘具不明显浅齿，质较厚或稍带革质，上面叶脉稍凸起。气微弱，味辛。

| 功能主治 | 苦、甘、微辛，微温。归肝、脾、肾经。舒筋活络，益肾壮腰，止血消瘀。用于肾虚腰膝酸痛，半身不遂，风湿痹痛，小儿惊风，咯血，吐血，血崩，月经不调，子宫脱垂，跌打损伤，骨折，创伤出血。

| 用法用量 | 内服煎汤，15 ～ 30 g；或浸酒；或入丸、散剂。外用适量，研末调敷；或捣敷；或煎汤熏洗。

卫矛科 Celastraceae 卫矛属 Euonymus

大花卫矛
Euonymus grandiflorus Wall.

| **植物别名** | 柳叶大花卫矛。

| **药 材 名** | 野杜仲（药用部位：根或根皮、茎皮。别名：四棱子、痰药）、野杜仲果（药用部位：果实）。

| **形态特征** | 常绿乔木或灌木，植株高 4 ~ 10 m。树皮灰黑色。小枝圆筒形，灰绿色，折断后有白丝，幼枝有棱，黄绿色。单叶对生；叶柄长 0.5 ~ 1 cm；叶片倒卵形、倒卵状长圆形、椭圆形至长圆状椭圆形，长 4 ~ 10 cm，宽 2 ~ 5 cm，先端急尖或短尖，边缘具细齿，基部楔形，上面深绿色，下面淡绿色。聚伞花序腋生，总花梗长达 5 cm，有花 5 ~ 9；花大，直径达 2 cm，黄白色，4 基数；花瓣圆形，上面有皱纹；雄蕊花丝细长，着生于肥大、方形花盘的边缘上。蒴

果具狭翅状锐棱 4，成熟时呈黄色至红色；种子黑色，外被深红色假种皮。花期 5 ~ 6 月，果期 7 ~ 9 月。

| 生境分布 | 生于山坡灌丛中、沟谷林缘或石灰岩山地。分布于湖南邵阳（双清、邵东、邵阳）、郴州（苏仙、桂阳、永兴、嘉禾、临武）、永州（零陵、江永、新田）。

| 资源情况 | 野生资源较丰富。栽培资源一般。药材来源于野生。

| 采收加工 | **野杜仲：** 全年均可采收，洗净，晒干。
野杜仲果： 秋季采收，晒干。

| 功能主治 | **野杜仲：** 苦、辛，平。归脾、肝经。祛风除湿，活血通经，化瘀散结。用于风湿痹痛，跌打损伤，腰痛，闭经，痛经，瘰疬痰核。
野杜仲果： 苦、微寒。清肠解毒。用于痢疾初起，腹痛后重。

| 用法用量 | **野杜仲：** 内服煎汤，15 ~ 30 g；或浸酒。
野杜仲果： 内服煎汤，10 ~ 20 g。

卫矛科 Celastraceae 卫矛属 Euonymus

西南卫矛

Euonymus hamiltonianus Wall.

| **植物别名** | 毛脉西南卫矛。

| **药 材 名** | 西南卫矛（药用部位：根或根皮、茎皮、枝叶）。

| **形态特征** | 乔木，高 5 ~ 10 m。叶对生；叶柄长 1.5 ~ 5 cm；叶片长圆状椭圆形、长圆状卵形或长圆状披针形，长 7 ~ 12 cm，宽 3 ~ 7 cm，先端急尖或短渐尖，叶背脉上常有短毛。聚伞花序有 5 至多花，总花梗长 1 ~ 2.5 cm；花白绿色，直径约 1 cm，4 基数；花丝细长，花药紫色。蒴果粉红色带黄色，倒三角形，上部 4 浅裂，直径 1 cm 以上；种子每室 1 ~ 2，红棕色，有橙红色假种皮。

| **生境分布** | 生于海拔 1 000 m 以下的山地林中。分布于湖南常德（桃源）、益

阳（桃江）、郴州（北湖）、永州（新田）、怀化（麻阳、新晃）、湘西州（吉首、花垣、凤凰、龙山）、衡阳（常宁）、张家界（慈利）、益阳（安化）等。

| **资源情况** | 野生资源较丰富。栽培资源一般。药材来源于野生。

| **采收加工** | 全年均可采收，洗净，鲜用或晒干。

| **功能主治** | 甘、微苦，微温。祛风湿，强筋骨，活血解毒。用于风寒湿痹，腰痛，跌打损伤，血栓闭塞性脉管炎，痔疮，漆疮。

| **用法用量** | 内服煎汤，15 ~ 30 g；或浸酒。外用适量，煎汤洗；或鲜品捣敷。

卫矛科 Celastraceae 卫矛属 Euonymus

常春卫矛 *Euonymus hederaceus* Champ. ex Benth.

| 药 材 名 | 常春卫矛（药用部位：根、树皮、叶）。

| 形态特征 | 攀缘灌木。小枝有气根。叶对生；叶柄长 5 ~ 10 mm；叶片薄革质，卵形或稍窄，长 3 ~ 7 cm。聚伞花序短而腋生，有 3 ~ 7 花；花白绿色，直径约 1 cm，4 基数；花盘肥厚；花丝明显。蒴果少数，腋生，紫色，圆形，直径约 8 mm；种子有红色假种皮。

| 生境分布 | 生于疏林及山坡上。分布于湖南常德（安乡）、怀化（中方）、湘西州（吉首、花垣、永顺、龙山）、张家界（桑植）等。

| 资源情况 | 野生资源一般。栽培资源一般。药材来源于野生。

| 采收加工 | 全年均可采收，晒干。

| **功能主治** | 微苦、微温。归肝、脾、肾经。补肝肾，强筋骨，活血调经。用于肾虚腰痛，久泻，风湿痹痛，月经不调，跌打损伤。

| **用法用量** | 内服煎汤，15～30 g；或浸酒。

卫矛科 Celastraceae 卫矛属 Euonymus

冬青卫矛 *Euonymus japonicus* Thunb.

| **植物别名** | 扶芳树、正木、大叶黄杨。

| **药 材 名** | 大叶黄杨（药用部位：茎皮、枝）、大叶黄杨根（药用部位：根）、大叶黄杨叶（药用部位：叶）。

| **形态特征** | 常绿灌木或小乔木，植株高 3 ～ 8 m。小枝近四棱形。单叶对生；叶柄长约 1 m；叶片厚革质，倒卵形、长圆形至长椭圆形，长 3 ～ 6 cm，宽 2 ～ 3 cm，先端钝尖，边缘具细锯齿，基部楔形或近圆形，上面深绿色，下面淡绿色。聚伞花序腋生，总花梗长 2.5 ～ 3.5 cm，1 ～ 2 回二叉分枝，每分枝有花 5 ～ 12；花白绿色，4 基数；花盘肥大。蒴果扁球形，直径约 1 cm，淡红色，具 4 浅沟；果柄四棱形；种子棕色，有橙红色假种皮。花期 6 ～ 7 月，果期 9 ～ 10 月。

| 生境分布 | 生于土壤湿润的向阳地。湖南各地均有分布。

| 资源情况 | 野生资源丰富。栽培资源丰富。药材来源于野生和栽培。

| 采收加工 | **大叶黄杨：**全年均可采收，晒干。

　　　　　大叶黄杨根：冬季采挖，洗去泥土，切片，晒干。

　　　　　大叶黄杨叶：春季采收，晒干。

| 药材性状 | **大叶黄杨：**本品茎皮外表面灰褐色，较粗糙，有点状凸起的皮孔及纵向浅裂纹；内表面淡棕色，较光滑。断面略呈纤维性，有较密的银白色丝状物，拉至 3 mm 即断。气微，味淡而涩。

| 功能主治 | **大叶黄杨：**苦、辛，微温。祛风湿，强筋骨，活血止血。用于风湿痹痛，腰膝酸软，跌打损伤，骨折，吐血。

　　　　　大叶黄杨根：辛、苦，温。归肝经。活血调经，祛风湿。用于月经不调，痛经，风湿痹痛。

　　　　　大叶黄杨叶：解毒消肿。用于疮疡肿毒。

| 用法用量 | **大叶黄杨：**内服煎汤，15 ～ 30 g；或浸酒。

　　　　　大叶黄杨根：内服煎汤，15 ～ 30 g。

　　　　　大叶黄杨叶：外用适量，鲜品捣敷。

卫矛科 Celastraceae 卫矛属 Euonymus

疏花卫矛 Euonymus laxiflorus Champ. ex Benth.

| **植物别名** | 喙果卫矛。

| **药 材 名** | 山杜仲（药用部位：根、树皮。别名：飞天驳）。

| **形态特征** | 常绿灌木，植株高达 5 m。小枝四棱形。树皮及叶折断后有丝。单叶对生；叶柄长 3 ~ 5 mm；叶片薄革质，有光泽，卵状椭圆形或窄椭圆形至卵形，长 5 ~ 10 cm，宽 2 ~ 5 cm，先端渐尖，边缘有浅锯齿或近全缘，基部阔楔形。聚伞花序腋生，有花 5 ~ 9，总花梗长 2 ~ 5 cm；分枝及花梗长约 1 cm；花 5 基数，紫红色或淡红色，直径约 1 cm；雄蕊无花丝；雌蕊无花柱。蒴果紫红色，倒锥形，先端截平，分裂；种子红褐色，具红色假种皮。花期 4 ~ 6 月。

| 生境分布 | 生于山地杂木林中。分布于湖南邵阳（绥宁）、常德（津市）、郴州（苏仙、桂阳、永兴）、永州（冷水滩、东安、江永、蓝山）、怀化（会同、通道）、娄底（冷水江）等。

| 资源情况 | 野生资源较丰富。栽培资源一般。药材来源于野生。

| 采收加工 | 冬季采收，切片，晒干。

| 功能主治 | 甘、辛，微温。归肝、肾、脾经。祛风湿，强筋骨，活血，解毒，利水。用于风湿痹痛，腰膝酸软，跌打损伤，骨折，疮疡肿毒，慢性肝炎，慢性肾小球肾炎，水肿。

| 用法用量 | 内服煎汤，9 ~ 20 g；或浸酒。外用适量，捣敷；或研末调敷；或浸酒搽。

卫矛科 Celastraceae 卫矛属 Euonymus

白杜 *Euonymus maackii* Rupr.

| **植物别名** | 明开夜合、丝棉木。

| **药 材 名** | 丝棉木（药用部位：根、树皮。别名：鸡血兰、白桃树、野杜仲）、
丝棉木叶（药用部位：叶）。

| **形态特征** | 落叶灌木或小乔木，植株高达 8 m。小枝细长，略呈四棱形，幼枝
疏生柔毛。单叶对生；叶柄长 1 ~ 3.5 cm；叶片坚纸质，椭圆状卵
形至卵形，长 4 ~ 10 cm，宽 3 ~ 6 cm，先端长渐尖，边缘有细锯
齿，基部宽楔形或近圆形。聚伞花序腋生，1 ~ 2 回分枝，总花梗
长 1 ~ 2 cm，有花 3 ~ 7；花黄绿色，4 基数，直径约 8 mm；花瓣
椭圆形；花药紫色，几与花丝等长；花盘肥大，子房与花盘连合。
蒴果粉红色，深裂成尖锐的 4 棱，直径约 1 cm，成熟时 4 瓣裂；种
子淡黄色，有红色假种皮。花期 5 ~ 6 月，果期 9 ~ 10 月。

| 生境分布 | 生于山坡林缘、路旁等。湖南各地均有分布。

| 资源情况 | 野生资源丰富。栽培资源一般。药材来源于野生和栽培。

| 采收加工 | **丝棉木**：全年均可采收，洗净，切片，晒干。
丝棉木叶：春季采收，晒干。

| 功能主治 | **丝棉木**：苦、辛，凉。归肝、脾、肾经。祛风除湿，活血通络，解毒，止血。用于风湿性关节炎，腰痛，跌打损伤，血栓闭塞性脉管炎，肺痈，衄血，疔疮肿毒。
丝棉木叶：苦，寒。清热解毒。用于漆疮，痈肿。

| 用法用量 | **丝棉木**：内服煎汤，15 ~ 30 g，鲜品加倍；或浸酒；或入散剂。外用适量，捣敷；或煎汤熏洗。
丝棉木叶：外用适量，煎汤熏洗。

卫矛科 Celastraceae 卫矛属 *Euonymus*

大果卫矛

Euonymus myrianthus Hemsl.

| **药 材 名** | 大果卫矛（药用部位：根、茎。别名：白鸡槿、青得方）。

| **形态特征** | 灌木，高达 6 m。叶对生；叶柄长 5 ~ 8 mm；叶片革质，倒卵状披针形至长椭圆形，长 5 ~ 13 cm，宽 3 ~ 4.5 cm，先端渐尖，边缘具明显钝锯齿。花序近顶生，多回分枝形成多花聚伞圆锥花序；花黄色，直径 7 ~ 10 mm，4 基数；雄蕊具极短花丝。蒴果金黄色，倒卵形或倒卵状圆锥形，长约 1.5 cm，直径约 1 cm；种子有橙黄色假种皮。

| **生境分布** | 生于溪边、沟谷较湿润处和海拔 1 000 m 以上的山林边。湖南各地均有分布。

| **资源情况** | 野生资源丰富。栽培资源一般。药材来源于野生和栽培。

| 采收加工 | 根，秋后采挖，洗净，切片，晒干。茎，夏、秋季采收，切段，晒干。

| 功能主治 | 甘、微苦，平。归肝、脾、肾经。益肾壮腰，化瘀利湿。用于肾虚腰痛，胎动不安，慢性肾小球肾炎，产后恶露不尽，跌打损伤，骨折，风湿痹痛，带下。

| 用法用量 | 内服煎汤，10 ~ 60 g。外用适量，煎汤熏洗。

卫矛科 Celastraceae 卫矛属 Euonymus

矩叶卫矛
Euonymus oblongifolius Loes. et Rehd.

| 药 材 名 | 白鸡肫（药用部位：根、果实）。

| 形态特征 | 灌木或小乔木，高达 7 m。叶对生；叶柄长达 8 mm；叶近革质，光亮，长圆状椭圆形或椭圆形，稀长倒卵形，长 6 ~ 15 cm，宽 2 ~ 4.5 m，先端渐尖，边缘有细齿，脉网明显。聚伞花序多回分枝，分枝平展，总花梗及分枝均呈方形，较粗壮；花黄绿色，直径 5 ~ 7 mm，4 基数；花盘方形，雄蕊具极短花丝。蒴果倒圆锥形，长约 8 mm，略呈四棱形，先端平截；种子有橙红色假种皮。

| 生境分布 | 生于林边、溪边等。分布于湖南邵阳（隆回、洞口、邵东、绥宁）、常德（安乡、桃源）、郴州（桂阳、北湖、苏仙、汝城）、永州（新田、江永）、湘西州（花垣、古丈、永顺）、湘潭（湘潭）、岳阳（汨

罗）、张家界（慈利）、怀化（辰溪、会同、麻阳、沅陵）等。

| **资源情况** | 野生资源丰富。栽培资源一般。药材来源于野生。

| **采收加工** | 根，全年均可采挖，洗净，切片，晒干。果实，成熟时采收，晒干。

| **功能主治** | 苦、涩，寒；有小毒。凉血止血。用于血热鼻衄。

| **用法用量** | 内服煎汤，6 ~ 9 g。

| **附　注** | 在《中国植物志》中，本种名称被修订为中华卫矛 *Euonymus nitidus* Bentham。

卫矛科 Celastraceae 卫矛属 Euonymus

垂丝卫矛
Euonymus oxyphyllus Miq.

| **植物别名** | 球果卫矛、五棱子。

| **药 材 名** | 垂丝卫矛（药用部位：根或根皮、茎皮。别名：青皮树、球果卫矛、五棱子）、垂丝卫矛果（药用部位：果实）。

| **形态特征** | 落叶灌木，高 2 ~ 4 m。叶对生，偶有互生者；叶柄长 2 ~ 10 mm；叶片卵状长圆形或宽卵形，长 4 ~ 9 cm，宽 2.5 ~ 5 cm，先端渐尖，边缘具密锯齿，基部宽圆形或平截圆形。花两性，腋生，组成稀疏聚伞花序，多花，总花梗细长，长 4 ~ 6 cm；花直径 8 ~ 9 mm，5 基数，淡绿色；花丝短；花盘圆形。蒴果近球形，直径 1 ~ 1.5 cm，具 4 ~ 5 纵棱，下垂，成熟时呈暗红色，假种皮红色。花期 4 ~ 6 月，果期 7 ~ 9 月。

| **生境分布** | 生于山坡、山谷杂木林下及溪谷林边。分布于湖南邵阳（新宁）等。

| **资源情况** | 野生资源一般。栽培资源一般。药材来源于野生和栽培。

| **采收加工** | **垂丝卫矛**：根或根皮，秋后采收，鲜用或晒干。茎皮，夏、秋季采收，鲜用或晒干。

垂丝卫矛果：9 月果实成熟时采收，晒干。

| **功能主治** | **垂丝卫矛**：苦、辛，平。归心、大肠、肝经。祛风除湿，活血通经，利水解毒。用于风湿痹痛，痢疾，泄泻，痛经，闭经，跌打损伤，骨折，脚气，水肿，阴囊湿痒，疮疡肿毒。

垂丝卫矛果：苦，寒。清热解毒。用于痢疾初起，腹痛后重。

| **用法用量** | **垂丝卫矛**：内服煎汤，15 ～ 30 g。外用适量，煎汤熏洗；或捣敷；或研末调敷。

垂丝卫矛果：内服煎汤，10 ～ 20 g。

卫矛科 Celastraceae 卫矛属 *Euonymus*

无柄卫矛

Euonymus subsessilis Sprague

| 药 材 名 | 无柄卫矛（药用部位：茎皮、根皮）。

| 形态特征 | 藤本或匍匐灌木，高达 6 m。小枝四棱形，上有极细密的微突皮孔。叶对生；叶柄极短或无；叶片革质或近革质，窄椭圆形或长圆形，长 4 ~ 9.5 cm，宽 2 ~ 4 cm，先端短渐尖，边缘具粗锯齿。聚伞花序 7 至多花，总花梗长 1 ~ 1.5 cm，四棱形；花梗圆柱形，在近萼处稍膨大，具微凸起的皮孔；花白绿色，4 基数；雄蕊具细长花丝，雌蕊具细长花柱，有时雌、雄蕊全退化而形成不育花。蒴果圆球状，直径约 1 cm，密生棕红色刺状突起；果柄较长，方形，有棱；种子每室 1，被橙红色假种皮。

| 生境分布 | 生于山中岩石坡地。分布于湖南邵阳（邵阳）、张家界（永定）、

永州（道县）、怀化（中方）、湘西州（吉首、泸溪、古丈、永顺）等。

| 资源情况 | 野生资源丰富。药材来源于野生。

| 采收加工 | 夏、秋季采收茎皮，秋后采收根皮，鲜用或晒干。

| 功能主治 | 微苦，平。祛风除湿，散瘀续骨。用于风湿痹痛，跌打损伤，骨折。

| 用法用量 | 内服煎汤，10 ~ 30 g；或浸酒。外用适量，研末调敷；或鲜品捣敷。

| 附 注 | 在《中国植物志》中，本种名称被修订为棘刺卫矛 *Euonymus echinatus* Wall.。

卫矛科 Celastraceae 核子木属 Perrottetia

核子木 *Perrottetia racemosa* (Oliv.) Loes.

| 植物别名 |

大果核子木。

| 药 材 名 |

核子木（药用部位：茎、叶）。

| 形态特征 |

灌木，直立或外倾，高 2 ~ 5 m。叶互生；叶柄长 7 ~ 20 mm；叶片纸质，长卵形或长椭圆形，长 7 ~ 13 cm，宽 3 ~ 4.5 cm，先端长渐尖，基部阔楔形至圆形，边缘具细锯齿，上面绿色，下面淡绿色，侧脉 7 对。聚伞圆锥花序细长，穗状，腋生，长 2 ~ 5 cm；花小，白色或淡绿色，5 基数，杂性异株；雄花直径约 3 mm，花萼和花瓣 2 轮，紧密排列，花盘薄而平，雄蕊着生于花盘边缘，花丝细长，退化子房细小；雌花极小，直径约 1 mm，萼片与花瓣均直立，无雄蕊，花盘环状，子房上位，2 室，每室有胚珠 2，柱头 2 裂。果实为近球形的小浆果，成熟时呈红色，直径约 3 mm，有种子 2 ~ 4；种子细小，假种皮薄膜质。花期 6 月，果期8 ~ 9 月。

生境分布	生于海拔 400 ～ 1 200 m 的山地林中或灌丛中。分布于湖南邵阳（邵阳）、怀化（麻阳）、湘西州（花垣）等。
资源情况	野生资源一般。栽培资源一般。药材来源于野生。
采收加工	5 ～ 7 月采收，切段，晒干。
功能主治	辛、苦，平。祛风除湿。用于风湿痹痛。
用法用量	内服煎汤，6 ～ 15 g。

卫矛科 Celastraceae 雷公藤属 *Tripterygium*

昆明山海棠

Tripterygium hypoglaucum (Devl.) Hutch.

| **药 材 名** | 昆明山海棠（药用部位：根。别名：火把花、断肠草、掉毛草）。

| **形态特征** | 落叶蔓生或攀缘状灌木，植株高 2 ~ 3 m。根圆柱状，红褐色。小枝有棱，红褐色，有圆形疣状突起，疏被短柔毛或近无毛。单叶互生；叶柄长约 1 cm；叶片卵形或宽椭圆形，长 6 ~ 12 cm，宽 3 ~ 6 cm，先端渐尖，边缘有细锯齿，基部近圆形或宽楔形，上面绿色，下面粉白色。圆锥花序顶生，总花梗长 10 ~ 15 cm；花小，白色；花萼 5；花瓣 5；雄蕊 5，着生于花盘的边缘；子房上位，三棱形。翅果赤红色，具呈膜质的 3 翅。花期夏季。

| **生境分布** | 生于山野向阳灌丛中或疏林下。分布于湖南衡阳（衡阳、衡南、衡

山）、郴州（北湖）、永州（双牌、新田）、怀化（会同、洪江）、娄底（新化）、邵阳（隆回）等。

| **资源情况** | 野生资源一般。栽培资源一般。药材来源于野生和栽培。

| **采收加工** | 秋后采挖，洗净，切片，晒干。

| **药材性状** | 本品根圆柱形，有分枝，略弯曲，粗细不等，直径0.4～3（～5）cm；栓皮橙黄色至棕褐色，有细纵纹及横裂隙，易剥落。质坚韧，不易折断，断面皮部棕灰色或淡棕黄色，木部淡棕色或淡黄白色。气微，味涩、苦。

| **功能主治** | 苦、辛，微温；有大毒。归肝、脾、肾经。祛风除湿，活血止血，舒筋接骨，解毒杀虫。用于风湿痹痛，半身不遂，疝气疼痛，痛经，月经过多，产后腹痛，出血不止，急性病毒性肝炎，慢性肾小球肾炎，红斑狼疮，恶性肿瘤，跌打损伤，骨折，骨髓炎，骨结核，附睾结核，疮毒，银屑病，神经性皮炎。

| **用法用量** | 内服煎汤，6～15 g；或浸酒。外用适量，研末敷；或煎汤洗；或鲜品捣敷。

卫矛科 Celastraceae 雷公藤属 Tripterygium

雷公藤 *Tripterygium wilfordii* Hook. f.

| 植物别名 | 紫金皮、东北雷公藤。

| 药 材 名 | 雷公藤（药用部位：根及根茎。别名：水莽）。

| 形态特征 | 攀缘藤本，高 2 ~ 3 m。小枝红褐色，有棱角，具长圆形的小瘤状突起和锈褐色绒毛。单叶互生，亚革质，卵形、椭圆形或广卵圆形，长 5 ~ 10 cm，宽 3 ~ 5 cm，先端渐尖，基部圆形或阔楔形，边缘有细锯齿，上面光滑，下面淡绿色，主脉和侧脉在叶的两面均稍隆起，脉上疏生锈褐色短柔毛；叶柄长约 5 mm，表面密被锈褐色短绒毛。花小，白色，形成顶生或腋生的大型圆锥花序；花萼 5 浅裂；花瓣 5，椭圆形；雄蕊 5，花丝近基部较宽，着生在杯状花盘边缘；子房上位，三棱状，花柱短，柱头头状。翅果膜质，先端圆形或稍

呈截形，基部圆形，长约 1.5 cm，宽约 1 cm，黄褐色，具 3 棱，中央通常有种子 1；种子细长，线形。花期 5 ~ 6 月，果熟期 8 ~ 9 月。

| **生境分布** | 生于海拔 1 500 m 以下的山地灌丛、荒坡、疏林。湖南各地均有分布。湖南岳阳等地有栽培。

| **资源情况** | 野生资源较丰富。栽培资源一般。药材来源于野生和栽培。

| **采收加工** | 秋季采挖，抖尽泥土，晒干，或去皮后晒干。

| **药材性状** | 本品根呈圆柱形，有分枝，略弯曲，粗细不等，直径 0.5 ~ 3 cm，粗者直径 10 cm 以上，栓皮橙黄色至灰褐色，有不规则的细纵纹和横裂纹，易剥落，除尽外皮者表面黄色或黄白色；质坚韧，不易折断，折断面皮部棕紫色或棕褐色，颗粒状，木部黄白色或淡棕褐色，密布针眼状孔洞。根茎粗壮，外皮粗糙，多呈灰褐色。气特异，味苦、微辛。

| **功能主治** | 苦、辛，凉；有大毒。归肝、肾经。祛风除湿，活血通络，消肿止痛，杀虫解毒。用于类风湿或风湿性关节炎，肾小球肾炎，肾病综合征，红斑狼疮，口眼干燥综合征，贝赫切特综合征，湿疹，银屑病，麻风病，疥疮，顽癣。

| **用法用量** | 内服煎汤，去皮根 15 ~ 25 g，带皮根 10 ~ 12 g；或研末，装胶囊服用，每次 0.5 ~ 1.5 g，每日 3 次。外用适量，研末或捣烂敷；或制成酊剂、软膏涂擦。

省沽油科　Staphyleaceae　野鸦椿属　*Euscaphis*

野鸦椿 *Euscaphis japonica* (Thunb.) Dippel

| **植物别名** | 鸡肾果、酒药花、山海椒。

| **药 材 名** | 野鸦椿（药用部位：带花或果实的枝、叶。别名：芽子木）、野鸦椿子（药用部位：果实或种子。别名：鸡眼睛、鸡眼椒、淡椿子）、野鸦椿叶（药用部位：叶）、野鸦椿皮（药用部位：茎皮。别名：鸡眼睛皮）、野鸦椿花（药用部位：花）、野鸦椿根（药用部位：根或根皮。别名：花臭木）。

| **形态特征** | 落叶小乔木或灌木，高约 3 m。小枝及芽棕红色，枝叶揉碎后有恶臭味。奇数羽状复叶对生；小叶 7 ~ 11，对生，卵形至卵状披针形，长 4 ~ 8 cm，宽 2 ~ 4 cm，基部圆形至阔楔形，先端渐尖，边缘具细锯齿，厚纸质。圆锥花序顶生；花黄白色，直径约 5 mm；萼片 5，

卵形；花瓣 5，长方状卵形或近圆形；雄蕊 5，花丝扁平，下部阔，花盘环状；雌蕊 3，子房卵形。蓇葖果果皮软革质，紫红色；种子近圆形，假种皮肉质，黑色。花期 5 ～ 6 月，果期 9 ～ 10 月。

| 生境分布 |　生于向阳山坡灌丛或阔叶林中。湖南各地均有分布。

| 资源情况 |　野生资源丰富。药材来源于野生。

| 采收加工 |　**野鸦椿**：春、夏、秋季采收，鲜用或晒干。
野鸦椿子：秋季采收成熟果实或种子，晒干。
野鸦椿叶：全年均可采收，鲜用或晒干。
野鸦椿皮：全年均可采收，晒干。
野鸦椿花：5 ～ 6 月采收，晾干。
野鸦椿根：9 ～ 10 月采挖，洗净，切片，鲜用或晒干。

| 药材性状 |　**野鸦椿**：本品枝皮有由不规则的皮孔形成的纵向沟纹，呈棕褐色，木部黄白色；质坚硬，易折断，断面有髓或中空。奇数羽状复叶；完整叶片展平后呈卵形或卵状披针形，长 4 ～ 8 cm，宽 2 ～ 4 cm，基部圆形至阔楔形，边缘具细锯齿，厚纸质。圆锥花序顶生；花黄白色，直径约 5 mm。
野鸦椿子：本品为蓇葖果，常 2 ～ 3 蓇葖果着生于同一果柄的先端，单个蓇葖果呈倒卵形或类圆形，稍扁，微弯曲，先端较宽大，下端较窄小，长 7 ～ 20 mm，宽 5 ～ 8 mm。果皮外表面呈红棕色，有凸起的分叉脉纹；内表面呈淡棕红色或棕黄色，具光泽，内有种子 1 ～ 2。种子扁球形，直径约 5 mm，厚约 3 mm，黑色，具光泽，一端边缘可见凹下的种脐，种皮外层质脆，内层坚硬，种仁白色，油质。气微，果皮味微涩，种子味淡而油腻。

| 功能主治 |　**野鸦椿**：辛、甘，平。归心、肺、膀胱经。理气止痛，消肿散结，祛风止痒。用于头痛，眩晕，胃痛，脱肛，子宫下垂，阴痒。
野鸦椿子：辛、苦，温。归肝、胃、肾经。祛风散寒，行气止痛，消肿散结。用于胃痛，寒疝疼痛，泄泻，痢疾，脱肛，月经不调，子宫下垂，睾丸肿痛。
野鸦椿叶：微辛、苦，微温。祛风止痒。用于阴痒。
野鸦椿皮：辛，温。行气，利湿，祛风，退翳。用于小儿疝气，风湿关节痛，水痘，目生翳障。
野鸦椿花：甘，平。归心、脾、膀胱经。祛风止痛。用于头痛，眩晕。

野鸦椿根：苦、微辛，平。归肝、脾、肾经。祛风解表，消热利湿。用于外感头痛，风湿痹痛，痢疾，泄泻，跌打损伤。

| 用法用量 | **野鸦椿子**：内服煎汤，9 ~ 15 g；或浸酒。

野鸦椿皮：内服煎汤，9 ~ 15 g。外用适量，煎汤洗。

野鸦椿花：内服煎汤，10 ~ 15 g。外用适量，研末撒敷。

野鸦椿根：内服煎汤，9 ~ 15 g，鲜品 30 ~ 60 g；或浸酒。外用适量，捣敷；或煎汤熏洗。

省沽油科 Staphyleaceae　省沽油属 Staphylea

省沽油 *Staphylea bumalda* DC.

| 植物别名 | 水条。

| 药 材 名 | 省沽油（药用部位：果实。别名：水条、双蝴蝶、马铃柴）、省沽油根（药用部位：根）。

| 形态特征 | 落叶灌木，高达 3 m。复叶对生；叶柄长 3 ~ 8 cm，有早落托叶；小叶 3，椭圆形或椭圆状卵形，长 7 ~ 13 cm，宽 1 ~ 3 cm，先端渐尖，基部楔形，边缘细锯齿有小尖头，两面脉上疏生细毛；小叶柄极短。圆锥花序顶生；花萼 5，黄白色；花瓣 5，约与萼片等长，白色；雄蕊 5；心皮 2，子房被粗毛，花柱 2。蒴果扁平，倒三角形，长约 2 cm，果皮膜质，有横纹；种子圆形而扁，黄色而有光泽。花期 6 月，果期 7 ~ 9 月。

| 生境分布 | 生于山坡、路旁、溪谷两旁或丛林中。分布于湖南邵阳（新邵）、怀化（鹤城）等。

| 资源情况 | 野生资源一般。栽培资源一般。药材来源于野生和栽培。

| 采收加工 | **省沽油**：秋季果实成熟时采收，晒干。
省沽油根：全年均可采挖，洗净，切片，鲜用或晒干。

| 功能主治 | **省沽油**：苦、甘。归肺经。润肺止咳。用于咳嗽。
省沽油根：辛，平。活血化瘀。用于产后恶露不净。

| 用法用量 | **省沽油**：内服煎汤，9 ~ 12 g。
省沽油根：内服煎汤，9 ~ 15 g。

省沽油科 Staphyleaceae 省沽油属 Staphylea

膀胱果

Staphylea holocarpa Hemsl.

| 植物别名 |

白凉子、泡泡树、凉子树。

| 药 材 名 |

膀胱果（药用部位：果实、根）。

| 形态特征 |

落叶灌木或小乔木，高3（～10）m。幼枝平滑。具3小叶；小叶近革质，无毛，长圆状披针形至狭卵形，长5～10 cm，基部钝，先端突渐尖，上面淡白色，边缘有较硬细锯齿，侧脉10，有网脉，侧生小叶近无柄，顶生小叶具长柄，叶柄长2～4 cm。伞房花序广展，长5 cm或更长；花白色或粉红色，叶后开放。果实为具3裂、呈梨形膨大的蒴果，长4～5 cm，宽2.5～3 cm，基部狭，顶平截；种子近椭圆形，灰色，有光泽。

| 生境分布 |

生于海拔800～1 100 m的落叶阔叶林中。分布于湖南湘西州（龙山）等。

| 功能主治 |

润肺止咳，祛风除湿。

瘿椒树 *Tapiscia sinensis* Oliv.

| **植物别名** | 银雀树、皮巴风、大果瘿椒树。

| **药 材 名** | 瘿椒树。

| **形态特征** | 落叶乔木，高 8 ~ 15 m。树皮灰黑色或灰白色。小枝无毛；芽卵形。奇数羽状复叶，叶长达 30 cm；小叶 5 ~ 9，狭卵形或卵形，长 6 ~ 14 cm，宽 3.5 ~ 6 cm，基部心形或近心形，边缘具锯齿，两面无毛或仅背面脉腋被毛，上面绿色，背面带灰白色，密被近乳头状白点；侧生小叶柄短，顶生小叶柄长达 12 cm。圆锥花序腋生，雄花与两性花异株，雄花序长达 25 cm，两性花花序长约 10 cm，花小，长约 2 mm，黄色，有香气；两性花花萼钟状，长约 1 mm，5 浅裂；花瓣 5，狭倒卵形，比萼稍长；雄蕊 5，与花瓣互生，伸出花外；子

房 1 室，有 1 胚珠，花柱长过雄蕊；雄花有退化雌蕊。果序长达 10 cm；核果近球形或椭圆形，长仅 7 mm。

| **生境分布** | 生于山地林中或林缘、路旁。分布于湖南株洲（炎陵）、衡阳（南岳、衡山、祁东）、邵阳（绥宁、新宁、武冈）、常德（石门）、张家界（慈利、桑植）、郴州（桂东）、永州（双牌、道县、宁远）、怀化（沅陵、通道、洪江）、湘西州（保靖、永顺）等。

| **资源情况** | 野生资源较少。药材来源于野生。

| **功能主治** | 解表，清热，祛湿。用于漆疮。

| **附　　注** | 本种为国家三级保护植物。

省沽油科 Staphyleaceae 山香圆属 Turpinia

锐尖山香圆 *Turpinia arguta* (Lindl.) Seem.

| **植物别名** | 黄柿、尖树、五寸铁树。

| **药 材 名** | 山香圆（药用部位：根、叶。别名：两指剑、千打锤、七寸钉）。

| **形态特征** | 落叶灌木，高 1 ~ 3 m。老枝灰褐色，幼枝具灰褐色斑点。单叶对生；叶柄长 1.2 ~ 1.8 cm；托叶生于叶柄内侧；叶片椭圆形或长椭圆形，长 7 ~ 22 cm，宽 2 ~ 6 cm，先端渐尖，具尖尾，基部钝圆或宽楔形，边缘具疏锯齿，齿尖具硬腺体，侧脉 10 ~ 13 对，至边缘网结，连同网脉在下面隆起，在上面可见，无毛。花两性；圆锥花序顶生，较叶短，长 4 ~ 17 cm，密集或较疏松；花长 8 ~ 12 mm，白色；花梗中部具 2 苞片；萼片 5，三角形，绿色，边缘具睫毛或无毛；花瓣白色，无毛；雄蕊 5，花丝长约 6 mm，疏被短柔

毛；子房及花柱均被柔毛。果实近球形，幼时绿色，后变为红色，干后呈黑色，直径 7 ~ 12 mm，表面粗糙，先端具小尖头，花盘宿存，有种子 2 ~ 3。花期 4 ~ 6 月，果期 7 ~ 9 月。

| 生境分布 | 生于杂木林中或林缘。分布于湖南株洲（攸县）、衡阳（衡阳、衡南、衡山）、邵阳（新邵、邵阳、绥宁）、常德（桃源）、张家界（永定）、郴州（北湖、桂阳、宜章、永兴、临武、汝城、安仁）、永州（零陵、冷水滩、东安、双牌、道县、江永、蓝山、新田）、怀化（鹤城、中方、辰溪、会同、麻阳、芷江、洪江）、娄底（冷水江）、湘西州（吉首、花垣、古丈、永顺）等。

| 资源情况 | 野生资源较丰富。栽培资源较少。药材来源于野生。

| 采收加工 | 根，冬季采挖，洗去泥土，切片，晒干。叶，夏季采收，晒干。

| 功能主治 | 苦，寒。活血散瘀，消肿止痛。根，用于肝脾肿大。叶，用于跌打损伤。

| 用法用量 | 内服煎汤，15 ~ 30 g。外用适量，鲜品捣敷。

无柄五层龙 *Salacia sessiliflora* Hand.-Mazz.

| **植物别名** | 狗卵子、棱子藤、野柑子。

| **药材名** | 无柄五层龙（药用部位：果实）。

| **形态特征** | 灌木，高达 4 m。小枝暗灰色，具瘤状小皮孔。叶薄革质，长圆状椭圆形或长圆状披针形，长 10 ~ 15 cm，宽 3.5 ~ 5 cm，先端渐尖或钝，基部圆形或阔楔形，叶缘具疏而细的锯齿，叶面光亮，侧脉 8 ~ 9 对，背面显著凸起，网脉横出；叶柄长 5 ~ 10 mm。花少数，淡绿色，着生于叶腋内的瘤状突起体上；花梗极短，长不过 1 mm；萼片卵形，先端钝尖，长约 1 mm，边缘具短纤毛；花瓣长圆形，长约 2 mm，先端钝尖；花盘杯状，高约 0.6 mm；雄蕊 3，花丝短，扁平，着生于花盘边缘，花药肾形；子房藏于花盘内，3 室，花柱粗壮，

圆锥形,长 0.4 mm。浆果橙黄色至橙红色,直径 2 ~ 4.5 cm,外果皮干时呈薄革质;果柄长 5 ~ 6 mm;种子 3 ~ 4。花期 6 月,果期 10 月。

| 生境分布 | 生于海拔 200 ~ 1 600 m 的山坡灌丛中。分布于湖南邵阳(绥宁)等。

| 资源情况 | 野生资源稀少。栽培资源稀少。药材来源于野生。

| 功能主治 | 用于胃痛。

黄杨科 Buxaceae 黄杨属 *Buxus*

雀舌黄杨 *Buxus bodinieri* Lévl.

| **植物别名** | 细叶黄杨。

| **药 材 名** | 黄杨叶（药用部位：叶。别名：黄杨脑）。

| **形态特征** | 灌木，高 3 ~ 4 m。枝圆柱形；小枝四棱形，初被短柔毛，后无毛。叶薄革质；叶柄长 1 ~ 2 mm；叶片通常呈匙形，亦有呈狭卵形或倒卵形者，大多数叶中部以上最宽，长 2 ~ 4 cm，宽 8 ~ 18 mm，先端圆或钝，往往有浅凹口或小尖凸头，基部狭长楔形，叶面绿色，光亮，叶背苍灰色，中脉在两面凸出，侧脉极多。头状花序腋生，长 5 ~ 6 mm，花密集，花序轴长约 2.5 mm；雄花约 10，花梗长 0.4 mm，萼片卵圆形，长约 2.5 mm，不育雌蕊有柱状柄，末端膨大；雌花外萼片长约 2 mm，内萼片长约 2.5 mm，受粉期间子房长

2 mm，花柱长 1.5 mm，略扁，柱头倒心形，下延达花柱的 1/3 ～ 1/2 处。蒴果卵形，长 5 mm；宿存花柱直立，长 3 ～ 4 mm。花期 2 月，果期 5 ～ 8 月。

| 生境分布 | 生于海拔 1 200 ～ 2 000 m 的山谷、溪边、林下。分布于湖南长沙（芙蓉、望城）、株洲（天元、荷塘）、衡阳（石鼓、衡阳、衡山）、邵阳（大祥）、常德（汉寿、石门）、益阳（赫山）、郴州（桂阳、桂东）、永州（东安）、怀化（会同）等。

| 资源情况 | 野生资源较丰富。栽培资源较少。药材来源于野生。

| 采收加工 | 全年均可采收，鲜用或晒干。

| 药材性状 | 本品叶片完整或破碎，完整者呈倒卵形，长 10 ～ 30 mm，全缘，先端稍凹，基部狭楔形，表面深绿色，有光泽，背面主脉明显。革质。气微，味苦。

| 功能主治 | 苦，平。清热解毒，消肿散结。用于疮疖肿毒，风火牙痛，跌打损伤。

| 用法用量 | 内服煎汤，9 g；或浸酒。外用适量，鲜品捣敷。

黄杨科 Buxaceae 黄杨属 Buxus

匙叶黄杨
Buxus harlandii Hance

| 药 材 名 | 匙叶黄杨（药用部位：根、叶、花。别名：石黄杨、万年青）。

| 形态特征 | 灌木，高 3 ~ 4 m。枝圆柱形；小枝四棱形，初被短柔毛，后无毛。叶薄革质，通常呈匙形，亦有呈狭卵形或倒卵形者，大多数叶中部以上最宽，长 2 ~ 4 cm，宽 8 ~ 18 mm，先端圆或钝，往往有浅凹口或小尖凸头，基部狭长楔形，有时急尖，叶面绿色，光亮，叶背苍灰色，中脉在两面均凸出，侧脉极多，在两面或仅在叶面显著，与中脉成 50° ~ 60° 角，叶面中脉下半段大多数被微细毛；叶柄长 1 ~ 2 mm。花序腋生，头状，长 5 ~ 6 mm，花密集，花序轴长约 2.5 mm；苞片卵形，背面无毛，或有短柔毛；雄花约 10，花梗长约 0.4 mm，萼片卵圆形，长约 2.5 mm，雄蕊连花药长 6 mm，不育雌蕊有柱状梗，末端膨大，高约 2.5 mm，与萼片近等长或比萼片稍长；

雌花外萼片长约 2 mm，内萼片长约 2.5 mm，受粉期间子房长 2 mm，无毛，花柱长 1.5 mm，略扁，柱头倒心形，下延达花柱的 1/3 ~ 1/2 处。蒴果卵形，长 5 mm；宿存花柱直立，长 3 ~ 4 mm。花期 2 月，果期 5 ~ 8 月。

| 生境分布 |　生于海拔 400 ~ 2 000 m 的平地或山坡林下。分布于湖南怀化（通道）等。

| 资源情况 |　野生资源一般。栽培资源一般。

| 采收加工 |　根，全年均可采挖，洗净，切片，晒干。叶，全年均可采挖，鲜用或晒干。花，春季采集，晒干。

| 药材性状 |　本品叶多皱缩，薄革质，完整叶通常呈匙形，亦有呈狭卵形或倒卵形者，大多数叶中部以上最宽，长 2 ~ 4 cm，宽 8 ~ 18 mm，先端圆或钝，往往有浅凹口或小尖凸头，基部狭长楔形，有时急尖，叶面绿色，光亮，叶背苍灰色，中脉在两面均凸出，侧脉极多，叶面中脉下半段大多数被微细毛；叶柄长 1 ~ 2 mm，质脆。气微，味苦。

| 功能主治 |　苦、甘，凉。止咳，止血，清热解毒。用于咳嗽，咯血，疮疡肿毒。

| 用法用量 |　内服煎汤，9 ~ 15 g。外用适量，捣敷。

黄杨科 Buxaceae 黄杨属 Buxus

大花黄杨 *Buxus henryi* Mayr.

| 植物别名 | 桃叶黄杨。

| 药 材 名 | 大花黄杨（药用部位：全株或根皮。别名：桃花黄杨）。

| 形态特征 | 灌木，高约 3 m。枝圆柱形；小枝四棱形，无毛，节间长 1.5 ~ 3 cm。叶薄革质，披针形、长圆状披针形或卵状长圆形，长 4 ~ 7 cm，先端钝或微急尖，基部楔形或急尖，边缘下曲，中脉两面均凸出，侧脉不分明；叶柄长 1 ~ 2 mm。花序腋生，长 1 ~ 1.5 cm，宽 7 ~ 10 mm，花密集；基部苞片卵形，长 3 ~ 4 mm，灰棕色，上部苞片倒卵状长圆形，长约 6 mm；雄花约 8，花梗长 2 ~ 4 mm，无毛，萼片长圆形或倒卵状长圆形，长 4.5 ~ 5 mm，雄蕊连花药长 11 mm，不育雌蕊具细瘦柱状柄，末端稍膨大，高 1 ~ 1.5 mm；雌花外萼片长圆形，

长约 6 mm，内萼片卵形，长约 3 mm，子房长 2 ~ 2.5 mm，花柱长 6 ~ 8 mm。蒴果近球形，长 6 mm；果柄长 3 mm。花期 4 月，果期 7 月。

| **生境分布** | 生于海拔 1 300 ~ 2 000 m 的平地或山坡林下。分布于湖南湘西州（吉首、龙山）、常德（石门）等。

| **资源情况** | 野生资源丰富。栽培资源丰富。药材来源于野生和栽培。

| **功能主治** | 活血祛瘀，消肿解毒。用于风火牙痛。

黄杨科 Buxaceae 黄杨属 Buxus

大叶黄杨

Buxus megistophylla Lévl.

| 药 材 名 | 长叶黄杨。

| 形态特征 | 灌木或小乔木，高 0.6 ~ 2 m，胸径 5 cm。小枝多呈四棱形（末梢的小枝亚圆柱形），光滑，无毛。叶革质或薄革质，卵形、椭圆状披针形、长圆状披针形至披针形，长 4 ~ 8 cm，宽 1.5 ~ 3 cm，先端渐尖，顶钝或锐，基部楔形或急尖，边缘下曲，叶面光亮，中脉在两面均凸出，侧脉多条，与中脉成 40° ~ 50° 角，通常在两面均明显，仅叶面的中脉基部及叶柄被微细毛，其余部位均无毛；叶柄长 2 ~ 3 mm。花序腋生，花序轴长 5 ~ 7 mm，有短柔毛或近无毛；苞片阔卵形，先端急尖，背面基部被毛，边缘狭，干膜质；雄花 8 ~ 10，花梗长约 0.8 mm，外萼片阔卵形，长约 2 mm，内萼片圆形，长 2 ~ 2.5 mm，外萼片与内萼片背面均无毛，雄蕊连花药长

约 6 mm，不育雌蕊高约 1 mm，雌花萼片卵状椭圆形，长约 3 mm，无毛，子房长 2 ~ 2.5 mm，花柱直立，长约 2.5 mm，先端微弯曲，柱头倒心形，下延达花柱的 1/3 处。蒴果近球形，长 6 ~ 7 mm，宿存花柱长约 5 mm，斜向挺出。花期 3 ~ 4 月，果期 6 ~ 7 月。

| **生境分布** | 生于海拔 500 ~ 1 400 m 的山地、山谷、河岸或山坡林下。分布于湖南株洲（攸县）、湘潭（雨湖）、衡阳（衡阳）、邵阳（洞口、武冈）、岳阳（湘阴）、常德（汉寿）、益阳（赫山）、郴州（苏仙、桂阳、宜章）、永州（冷水滩）、怀化（辰溪、新晃、靖州）等。

| **资源情况** | 野生资源丰富。栽培资源丰富。药材来源于野生和栽培。

| **附　　注** | 本种的小枝和叶与大花黄杨相似，但花序及果实与大花黄杨明显不同。

黄杨科 Buxaceae 黄杨属 Buxus

黄杨 *Buxus sinica* (Rehd. et Wils.) Cheng

| **植物别名** | 锦熟黄杨、瓜子黄杨、黄杨木。

| **药 材 名** | 黄杨叶（药用部位：叶。别名：黄杨脑）、山黄杨子（药用部位：果实）、黄杨木（药用部位：茎枝。别名：山黄杨、千年矮、细叶黄杨）、黄杨根（药用部位：根）。

| **形态特征** | 常绿灌木或小乔木，高 1 ~ 6 m。枝圆柱形，有纵棱，灰白色；小枝四棱形，被短柔毛，节间长 0.5 ~ 2 cm。叶片革质，阔椭圆形、阔倒卵形、卵状椭圆形或长圆形，通常中部以上较宽，先端圆或钝，常有小凹口，基部圆形或楔形，长 1 ~ 3 cm，宽 0.8 ~ 2 cm，叶面光滑，中脉凸出，下半段常有微细毛，侧脉明显，中脉常密被短线状白色钟乳体。穗状花序腋生，单性，雌雄同株，花密集，花

序轴被毛；苞片阔卵形，长 2 ～ 2.5 mm，背部多少有毛；雄花约 10，无花梗，外萼片卵状椭圆形，内萼片近圆形，长 2.5 ～ 3 mm，无毛，雄蕊连花药长达 4 mm，不育雌蕊有棒状柄，末端膨大，高 2 mm 左右；雌花多存于花序上部，萼片 6，排成 2 列，长达 3 mm，花柱 3，子房 3 室，子房较花柱稍长，无毛，柱头粗厚，倒心形，下延达花柱中部。蒴果近球形，长 6 ～ 10 mm，宿存花柱长 2 ～ 3 mm，由 3 心皮组成，沿室背 3 瓣裂，成熟时呈黑色，直径约 1 cm。花期 3 ～ 4 月，果期 5 ～ 7 月。

| **生境分布** | 生于海拔 1 200 ～ 2 000 m 的山谷、溪边、林下。分布于湖南常德（临澧、武陵、澧县、津市）、长沙（天心、宁乡）、衡阳（雁峰、衡南、衡东）、邵阳（双清、邵东、邵阳）、岳阳（华容、湘阴、临湘）、张家界（永定）、郴州（桂阳、安仁）、永州（冷水滩、新田、江华）、怀化（鹤城、麻阳、靖州、洪江、沅陵、通道）、湘西州（花垣、古丈、永顺、龙山）、株洲（渌口）、湘潭（湘乡）、娄底（涟源）等。

| **资源情况** | 野生资源丰富。栽培资源丰富。药材来源于野生和栽培。

| **采收加工** | **黄杨叶：**全年均可采收，鲜用或晒干。
山黄杨子：5 ～ 7 月果实成熟时采收，鲜用或晒干。
黄杨木：全年均可采收，鲜用或晒干。

黄杨根：全年均可采挖，洗净，鲜用，或切片，晒干。

| **药材性状** | 本品茎圆柱形，有纵棱。小枝四棱形，被短柔毛。叶片长 1 ～ 3 cm，宽 0.8 ～ 2 cm，阔椭圆形、阔倒卵形、卵状椭圆形或长圆形，先端圆或钝，常有小凹口，基部圆形、急尖或楔形，叶面光亮，中脉凸出，侧脉明显，叶背中脉平坦或稍凸出，中脉常密被短线状钟乳体；革质。叶柄长 1 ～ 2 mm，上面被毛。气微，味苦。

| **功能主治** | **黄杨叶：**苦，平。清热解毒，消肿散结。用于疮疖肿毒，风火牙痛，跌打损伤。
山黄杨子：苦，凉。清暑热，解疮毒。用于暑热证，疮疖。
黄杨木：苦，平。归心、肝、肾经。祛风除湿，理气，止痛。用于风湿痹痛，胸腹气胀，疝气疼痛，牙痛，跌打损伤。
黄杨根：苦、辛，平。归肝经。祛风止咳，清热除湿。用于风湿痹痛，伤风咳嗽，湿热黄疸。

| **用法用量** | **黄杨叶：**内服煎汤，9 g；或浸酒。外用适量，鲜品捣敷。
黄杨木：内服煎汤，9 ～ 15 g；或浸酒。外用适量，鲜品捣敷。
黄杨根：内服煎汤，9 ～ 15 g，鲜品 15 ～ 30 g。

黄杨科 Buxaceae 黄杨属 Buxus

尖叶黄杨

Buxus sinica (Rehd. et Wils.) Cheng ssp. *aemulans* (Rehd. et Wils.) M. Cheng

| 植物别名 | 石柳、长叶黄杨。

| 药 材 名 | 尖叶黄杨（药用部位：树皮）。

| 形态特征 | 灌木。叶椭圆状披针形或披针形，长 2 ~ 3.5 cm，宽 1 ~ 1.3 cm，两端均渐尖，顶尖锐或稍钝，中脉在两面均凸出，叶面侧脉多而明显，叶背平滑或干后稍有皱纹。花序及花同原亚种。蒴果长 3 mm，宿存花柱长 3 mm。

| 资源情况 | 野生资源一般。栽培资源较少。药材来源于野生。

| 生境分布 | 生于海拔 600 ~ 2 000 m 的溪边岩石上或灌丛中。分布于湖南怀化

（辰溪）、湘西州（吉首）等。

| **功能主治** | 用于风火牙痛。

板凳果 *Pachysandra axillaris* Franch.

| 植物别名 | 多毛板凳果、宿柱三角咪、光叶板凳果。

| 药 材 名 | 金丝矮陀陀（药用部位：全株。别名：矮陀陀、金丝矮陀、白金三角咪）。

| 形态特征 | 常绿亚灌木，高 30 ～ 50 cm。下部匍匐，生须状不定根，上部直立，上半部生叶，下半部裸出，仅有稀疏、易脱落小鳞片。根茎长。枝上被极匀细短柔毛。叶互生；叶柄长 2 ～ 4 cm，被细毛；叶片形状不一，呈卵形或椭圆状卵形，较阔，基部呈浅心形、截形或长圆形、卵状长圆形，较狭，一般长 5 ～ 8 cm，宽 3 ～ 5 cm，先端急尖，边缘中部以上有粗齿，中脉在叶面平坦，在叶背凸出，叶背有极细的乳头，密被短细柔毛。花单性，雌雄同序，穗状花序腋生，长 1 ～

2 cm，直立，未开放前往往下垂，花轴及苞片均被短柔毛；花白色或蔷薇色；雄花 5 ～ 10，无花梗，几占全部花序轴；雌花 1 ～ 3，生于花序轴的基部；雄花苞片卵形，萼片椭圆形或长圆形，长 2 ～ 3 mm，花药长椭圆形，受粉后向下弓曲，不育雌蕊短柱状，先端膨大；雌花连柄长近 4 mm，萼片覆瓦状排列，卵状披针形或长圆状披针形，长 2 ～ 3 mm，无毛，花柱受粉后伸出花外甚长，上端旋卷。蒴果近球形，成熟时呈黄色或红色，蒴果与宿存花柱均长 1 cm。花期 2 ～ 5 月，果期 9 ～ 10 月。

| 生境分布 | 生于海拔 1 800 ～ 2 000 m 的林下或灌丛湿润处。分布于湖南张家界（永定、慈利）、郴州（汝城）、永州（道县、蓝山）、娄底（冷水江）等。

| 资源情况 | 野生资源一般。栽培资源一般。药材来源于野生和栽培。

| 采收加工 | 全年均可采收，洗净，切段，阴干或晒干。

| 药材性状 | 本品茎枝呈圆柱形，被极匀细的短柔毛。叶多皱缩，纸质，形状不一，完整叶片呈卵形或椭圆状卵形，较阔，基部呈浅心形、截形或长圆形、卵状长圆形，较狭，一般长 5 ～ 8 cm，宽 3 ～ 5 cm，先端急尖，中脉在叶面平坦，叶背凸出，叶背有极细的乳头，密被短细柔毛；叶柄长 2 ～ 4 cm，具细毛。气微，味苦、微辛。

| 功能主治 | 辛、苦，温；有小毒。祛风除湿，舒筋活络。用于风湿关节痛，肢体麻木，跌打损伤，头痛。

| 用法用量 | 内服煎汤，3 ～ 9 g；或浸酒。外用适量，捣烂，酒炒敷。

黄杨科 Buxaceae 板凳果属 Pachysandra

顶花板凳果

Pachysandra terminalis Sieb. et Zucc.

植物别名

粉蕊黄杨、顶蕊三角咪、富贵草。

药 材 名

长青草（药用部位：带根全草。别名：雪山林、捆仙绳、孙儿茶）。

形态特征

常绿亚灌木，高 20 ~ 30 cm。茎肉质，下部倾卧，上部直立或斜上，有分枝。叶互生或簇生于枝顶；叶片革质，倒卵形或菱状椭圆形，长 3 ~ 6 cm，宽 1 ~ 4 cm，先端稍尖或钝，基部楔形，叶缘中部以上有粗锯齿，上面深绿色，有光泽；叶柄长 0.8 ~ 1.5 cm。穗状花序顶生；花白色，无花瓣，单性，雄花在花序上部，雌花在花序基部；雄花萼片 4，边缘有毛，雄蕊 4 ~ 6，中央有不发育的雌蕊 1；雌花萼片 4 或较多，子房 2 ~ 3室，花柱 2 ~ 3。果实三角状卵圆形，略呈白色。花期 5 ~ 6 月，果期 9 ~ 10 月。

生境分布

生于海拔 1 700 ~ 2 000 m 的山谷林下或灌丛。分布于湖南邵阳（洞口）、郴州（北湖）、常德（石门）等。

| 资源情况 | 野生资源一般。栽培资源一般。药材来源于野生和栽培。

| 采收加工 | 全年均可采收，洗净，切段，晒干。

| 药材性状 | 本品茎肉质，表面被极细毛，下部根茎状，长约 30 cm，布满长须状不定根。叶薄革质，茎上每间隔 2 ～ 4 cm 有 4 ～ 6 叶着生，似簇生状；叶片倒卵形或菱状椭圆形，长 2.5 ～ 5 cm，宽 1.5 ～ 3 cm，上部边缘有牙齿，基部楔形，叶脉上有微毛；叶柄长 0.8 ～ 1.5 cm。气微，味苦、微辛。

| 功能主治 | 苦、微辛，凉。归肝、肾经。除风湿，清热解毒，镇静，止血，调经活血，止带。用于风湿关节痛，腰腿痛，带下，月经不调，烦躁不安。

| 用法用量 | 内服煎汤，9 ～ 15 g；或研末，3 ～ 6 g；或浸酒。外用适量，鲜品捣敷。

羽脉野扇花
Sarcococca hookeriana Baill.

| 药 材 名 | 厚叶子树（药用部位：全株。别名：野扇花、铁角兰、云南野扇花）。

| 形态特征 | 灌木或小乔木，高可达 3 m。有根茎。小枝具纵棱，被短柔毛。叶披针形或近倒披针形，长 5 ~ 8 cm，宽 13 ~ 18 mm，先端渐尖，基部狭而急尖（但非楔形），叶表中脉凹陷，稍被微细毛，叶背光滑，中脉凸出，叶脉羽状，在两面均不甚明显，叶面两侧贴近边缘处各有一基出纤弱的纵脉（但非离基三出脉）；叶柄细瘦。花序总状，长约 1 cm；苞片卵形或卵状披针形，具钻状尖头，花序轴、苞片、萼片外面均被极细毛；花白色；雄花 5 ~ 8，位于花序轴上部，有短梗，无小苞片，萼片 4，内方的呈阔椭圆形或近圆形，外方的稍短，呈卵状长圆形；雌花 1 ~ 2，生于花序轴基部，小苞片多，卵形，覆瓦状排列，萼片和末梢小苞片形状相似。果实球形，宿存花柱 3，

直立，先端外曲。

| **生境分布** | 生于山坡、林下。分布于湖南张家界（永定）、湘西州（永顺、龙山）等。

| **资源情况** | 野生资源较少。药材来源于野生。

| **功能主治** | 散瘀止血，行气止痛，拔毒生肌。用于胃痛，支气管炎，肝炎，蛔虫病；外用于跌打损伤，刀伤出血，无名肿毒。

黄杨科 Buxaceae 野扇花属 *Sarcococca*

长叶柄野扇花 *Sarcococca longipetiolata* M. Cheng

| **药 材 名** | 长叶柄野扇花（药用部位：全株。别名：链骨连、条柄野扇花、青鱼胆）。

| **形态特征** | 常绿灌木，高 1 ~ 3 m。小枝有纵棱，无毛。叶互生；叶柄长 10 ~ 15 mm；叶片革质，披针形、长圆状披针形或狭披针形，稀呈卵状披针形，长 5 ~ 12 cm，宽 1.5 ~ 2.5 cm，先端长渐尖，基部渐狭或楔形，叶面中脉明显，脉上无毛，或近基部被少量微细毛，中脉下方有 1 对较大侧脉，从离叶基 1 ~ 5 mm 处上升，成离基三出脉，其余侧脉在叶面稍明显，或有 1 ~ 2 对不分明的侧脉。花单性，雌雄同序，花序腋生兼顶生，总状或近头状以至复总状，长 1 ~ 1.5 cm，花序轴被微细毛；苞片卵形，长约 1.5 mm，头渐尖；雄花 4 ~ 8，生于花序轴上半部，花梗粗壮，具 2 小苞片，小苞片阔卵形，长约

2 mm，萼片阔卵形或椭圆形，长约 3 mm，花丝长 5 mm，花药长 1 mm；雌花 2 ～ 4，生于花序轴下部，连柄长 3 ～ 4 mm，小苞片卵形，长 1.5 ～ 2 mm，覆瓦状排列，萼片和末梢的小苞片形状相似。核果球形，直径约 8 mm，成熟时呈棕色、红色或带紫色，宿存花柱 2。花期 9 月（或持续至翌年 3 月），果期 12 月。

| 生境分布 | 生于海拔 350 ～ 800 m 的山谷溪边林下。分布于湖南邵阳（隆回）、常德（澧县）、郴州（临武）、永州（东安）、怀化（新晃、沅陵）等。

| 资源情况 | 野生资源一般。栽培资源一般。药材来源于野生。

| 采收加工 | 全年均可采收，洗净，切段，鲜用或晒干。

| 药材性状 | 本品小枝有纵棱。叶片革质，完整叶片呈披针形、长圆状披针形或狭披针形，长 5 ～ 12 cm，宽 1.5 ～ 2.5 cm，先端长渐尖，基部渐狭或楔形，中脉明显，基部有 1 对较大且清晰的侧脉；叶柄长 10 ～ 15 mm。质脆，气微，味微苦、涩。

| 功能主治 | 苦、涩、微辛，寒。凉血散瘀，解毒敛疮。用于跌打损伤，外伤出血，无名肿毒，腮腺炎，黄疸。

| 用法用量 | 内服煎汤，9 ～ 15 g。外用适量，鲜品捣敷。

黄杨科 Buxaceae 野扇花属 Sarcococca

野扇花
Sarcococca ruscifolia Stapf

| 植物别名 | 清香桂。

| 药 材 名 | 清香桂（药用部位：根、果实。别名：野樱桃、野扇花、万年青）。

| 形态特征 | 常绿灌木，高 1 ~ 2 m。根粗壮，多分枝，浅棕褐色。小枝绿色，幼时有短柔毛。单叶互生，革质，有短柄；叶片卵形、椭圆形或椭圆状披针形，长 3 ~ 6 cm，宽 1 ~ 2 cm，先端渐尖，基部宽楔形或圆形，全缘，稍向外反卷，上面深绿色，具光泽，下面淡绿色，中脉在上面凸出，侧脉不明显。春季开白色或红色小花，芳香，花单性同株，4 ~ 12 花组成腋生短总状花序；雄花在花序上部，花萼 4 ~ 6，无花瓣，雄蕊与花萼同数；雌花在花序基部，子房上位，2 ~ 3 室，花柱短而稍弯曲。果实近球形，核果状，成熟时呈橙红色或暗红色；种子 1 ~ 2，椭圆形，紫黑色，有棱。

| **生境分布** | 生于向阳山坡灌丛或阔叶林中。湖南各地均有分布。

| **资源情况** | 野生资源丰富。栽培资源一般。药材来源于野生和栽培。

| **采收加工** | 春、秋季采挖根，夏、秋季采收果实，洗净，晒干或鲜用。

| **功能主治** | 根，理气止痛，祛风活络。用于急、慢性胃炎，胃溃疡，风湿关节痛，跌打损伤。果实，补血养肝。用于头晕，心悸，视力减退。

| **用法用量** | 内服煎汤，9 ~ 15 g；或根研末，1.5 g。

茶茱萸科 Icacinaceae 定心藤属 Mappianthus

定心藤 *Mappianthus iodoides* Hand.-Mazz.

| 植物别名 |

甜果藤、麦撇花藤、铜钻。

| 药 材 名 |

甜果藤（药用部位：根、藤茎。别名：黄马胎、假丁公藤、铜钻）。

| 形态特征 |

木质藤本。小枝具皮孔；卷须粗壮，与叶轮生。叶长椭圆形或长圆形，稀披针形，长8～17 cm，先端渐尖或尾状，基部圆形或楔形，侧脉3～6对；叶柄长0.6～1.4 cm。雄花序交替腋生，长1～2.5 cm，雄花花梗长1～2 mm，花萼杯状，花冠5裂，雄蕊花丝向上逐渐加宽，花药卵圆形，雌蕊不发育，子房圆锥形，花柱先端平截；雌花序交替腋生，长1～1.5 cm，雌花花梗长0.2～1 cm，花萼浅杯状，裂片钝三角形，花瓣长圆形，先端内弯，退化雄蕊5，子房近球形，柱头盘状，5圆裂。核果椭圆形，长2～3.7 cm，成熟时呈橙黄色或橙红色，基部具宿存、微增大的萼片；种子1。花期4～8月，果期6～12月。

| **生境分布** | 生于海拔 800 ～ 1 800 m 的疏林、灌丛及沟谷林内。分布于湖南怀化（通道）等。

| **资源情况** | 野生资源一般。栽培资源一般。药材来源于野生。

| **采收加工** | 冬季采收，切片，晒干。

| **功能主治** | 苦，凉。活血调经，祛风除湿。用于月经不调，痛经，闭经，产后腹痛，跌打损伤，外伤出血，风湿痹痛，腰膝酸痛。

| **用法用量** | 内服煎汤，9 ～ 15 g；或浸酒；或研末，每次 0.9 ～ 1.5 g。外用适量，研末撒。

茶茱萸科 Icacinaceae 假柴龙树属 Nothapodytes

马比木

Nothapodytes pittosporoides (Oliv.) Sleum.

| 药 材 名 | 马比木（药用部位：根皮。别名：公黄珠子、追风伞）。

| 形态特征 | 矮灌木或乔木，高 2 ~ 3（~ 10）m。小枝通常呈圆柱形。叶长圆形或倒披针形，先端长渐尖，基部楔形，对称。聚伞花序顶生；花萼钟形，膜质，三角形裂齿 5；花瓣先端反折；花药卵圆形；子房近球形；花盘肉质，果时宿存。核果椭圆形或长圆状卵圆形，稍扁，成熟时呈红色，长 1 ~ 2 cm，先端具鳞脐，常被细柔毛，内果皮具皱纹。花期 4 ~ 6 月，果期 6 ~ 8 月。

| 生境分布 | 生于海拔 150 ~ 2 000 m 的林中。分布于湖南邵阳（新邵）、常德（汉寿、桃源）、张家界（武陵源）、郴州（北湖、临武）、永州（双牌）、怀化（新晃、洪江、沅陵）、娄底（冷水江）、湘西州（花垣、保靖）等。

| **资源情况** | 野生资源一般。栽培资源一般。药材来源于野生和栽培。

| **采收加工** | 全年均可采收，洗净，晒干。

| **功能主治** | 辛，温。归肺、肝经。祛风除湿，理气散寒。用于风寒湿痹，水肿，疝气。

| **用法用量** | 内服煎汤，9 ～ 15 g。外用适量，煎汤熏洗。

鼠李科 Rhamnaceae 勾儿茶属 *Berchemia*

多花勾儿茶 *Berchemia floribunda* (Wall.) Brongn.

| 药 材 名 | 黄鳝藤（药用部位：茎、叶、根。别名：勾儿茶）。

| 形态特征 | 藤状或直立灌木。幼枝黄绿色，光滑无毛。叶纸质，卵形或卵状椭圆形，上部叶较小，长 4 ~ 9 cm，宽 2 ~ 5 cm，先端锐尖，下部叶较大，长达 11 cm，宽达 6.5 cm，先端钝或圆形；侧脉每边 9 ~ 12，两面稍凸起；叶柄长 1 ~ 2 cm，稀长 5.2 cm，无毛；托叶狭披针形，宿存。花多数，通常数个簇生，排成顶生宽聚伞圆锥花序，或下部兼腋生聚伞总状花序，花序长可达 15 cm，侧枝长不及 5 cm，花序轴无毛或被疏微毛；花芽卵球形，先端急狭成锐尖或渐尖；花梗长 1 ~ 2 mm；花萼三角形，先端尖；花瓣倒卵形，雄蕊与花瓣等长。核果圆柱状椭圆形，长 7 ~ 10 mm，直径 4 ~ 5 mm，有时先端稍

宽，基部有盘状宿存花盘；果柄长 2 ～ 3 mm，无毛。花期 7 ～ 10 月，果期翌年 4 ～ 7 月。

| **生境分布** | 生于山坡、沟谷、林缘、林下或灌丛中。湖南有广泛分布。

| **资源情况** | 野生资源较丰富。栽培资源较少。药材来源于野生和栽培。

| **采收加工** | 茎、叶，夏、秋季采收，鲜用，或茎切段晒干。根，秋后采挖，鲜用或切片晒干。

| **功能主治** | 甘、微涩，微温。归肝、大肠经。祛风除湿，活血止痛。用于风湿痹痛，胃痛，痛经，产后腹痛，跌打损伤，骨结核，骨髓炎，疳积，肝炎，肝硬化。

| **用法用量** | 内服煎汤，15 ～ 30 g，大剂量可用 60 ～ 120 g。外用适量，鲜品捣敷。

鼠李科 Rhamnaceae 勾儿茶属 Berchemia

大叶勾儿茶 Berchemia huana Rehd.

| **药材名** | 毛勾儿茶（药用部位：根、茎藤）。

| **形态特征** | 藤状灌木，高达 10 m。小枝光滑无毛，绿褐色。叶纸质或薄纸质，卵形或卵状矩圆形，长 6 ~ 10 cm，宽 3 ~ 6 cm，上部叶渐小，先端圆形或稍钝，稀锐尖，基部圆形或近心形，上面绿色，无毛，下面黄绿色，被黄色密短柔毛，干后变栗色，侧脉每边 10 ~ 14，叶脉在两面稍凸起；叶柄长 1.4 ~ 2.5 cm，无毛。花黄绿色，无毛，通常在枝端排成宽聚伞圆锥花序，稀排成腋生的窄聚伞总状或聚伞圆锥花序，花序轴长可达 20 cm，分枝长可达 8 cm，被短柔毛；花梗短，长 1 ~ 2 mm，无毛；花芽卵球形，先端骤然收缩成短尖。核果圆柱状椭圆形，长 7 ~ 9 mm，直径 4 mm，成熟时紫红色或紫黑

色，基部宿存的花盘盘状；果柄长 2 mm。花期 7 ~ 9 月，果期翌年 5 ~ 6 月。

| **生境分布** | 生于山坡、灌丛、林中。分布于湘东、湘中、湘西北等。

| **资源情况** | 野生资源较丰富。药材来源于野生。

| **采收加工** | 根，秋后采挖，鲜用或切片晒干。茎藤，春、夏季采收，鲜用或切段晒干。

| **功能主治** | 微涩，温。祛风利湿，活血止痛，解毒。用于风湿性关节炎，胃痛，痛经，疳积，跌打损伤，多发性疖肿。

| **用法用量** | 内服煎汤，10 ~ 30 g；或浸酒。

鼠李科 Rhamnaceae 勾儿茶属 Berchemia

牯岭勾儿茶 *Berchemia kulingensis* Schneid.

| 药 材 名 |

紫青藤（药用部位：根、茎藤。别名：青藤、常青藤）。

| 形态特征 |

藤状或攀缘灌木，高达 3 m。小枝平展，黄色，无毛，后变淡褐色。叶纸质，卵状椭圆形或卵状矩圆形，长 2 ~ 6.5 cm，宽 1.5 ~ 3.5 cm，先端钝圆或锐尖，具小尖头，基部圆形或近心形，两面无毛，上面绿色，下面干时常呈灰绿色，侧脉每边 7 ~ 9（~ 10），叶脉在两面稍凸起；叶柄长 6 ~ 10 mm，无毛；托叶披针形，长约 3 mm，基部合生。花绿色，无毛，通常 2 ~ 3 簇生，排成近无梗或具短总梗的疏散聚伞总状花序，稀排成窄聚伞圆锥花序，花序长 3 ~ 5 cm，无毛；花梗长 2 ~ 3 mm，无毛；花芽圆球形，先端渐尖；萼片三角形，先端渐尖，边缘被疏缘毛；花瓣倒卵形，稍长。核果长圆柱形，长 7 ~ 9 mm，直径 3.5 ~ 4 mm，红色，成熟时黑紫色，基部宿存的花盘盘状；果柄长 2 ~ 4 mm，无毛。花期 6 ~ 7 月，果期翌年 4 ~ 6 月。

| 生境分布 | 生于海拔 1 500 m 以上的向阳山地、灌丛、林缘、丘陵、山坡路旁。分布于湖南邵阳、郴州（桂阳）、怀化（会同）、湘西州（永顺）、长沙（浏阳）等。

| 资源情况 | 野生资源较少。药材来源于野生。

| 功能主治 | 微涩，温。祛风除湿，活血止痛，健脾消疳。用于风湿痹痛，产后腹痛，痛经，经闭，外伤肿痛，疳积，毒蛇咬伤。

| 用法用量 | 内服煎汤，15 ~ 30 g，大剂量可用 30 ~ 90 g。外用适量，鲜品捣敷。

鼠李科 Rhamnaceae 勾儿茶属 Berchemia

铁包金 *Berchemia lineata* (L.) DC.

| 药 材 名 |

铁包金（药用部位：根、茎藤。别名：乌龙根、乌儿仔）。

| 形态特征 |

藤状或矮灌木，高达 2 m。小枝圆柱状，黄绿色，被密短柔毛。叶纸质，矩圆形或椭圆形，长 5 ~ 20 mm，宽 4 ~ 12 mm，先端圆形或钝，具小尖头，基部圆形，上面绿色，下面浅绿色，两面无毛，侧脉每边 4 ~ 5，稀每边 6；叶柄短，长不超过 2 mm，被短柔毛；托叶披针形，稍长于叶柄，宿存。花白色，长 4 ~ 5 mm，无毛；花梗长 2.5 ~ 4 mm，无毛，通常数个至 10 余个密集成顶生聚伞总状花序，或 1 ~ 5 簇生于花序下部叶腋，近无总花梗；花芽卵圆形，长大于宽，先端钝；萼片条形或狭披针状条形，先端尖，萼筒短，盘状；花瓣匙形，先端钝。核果圆柱形，先端钝，长 5 ~ 6 mm，直径约 3 mm，成熟时黑色或紫黑色，基部有宿存的花盘和萼筒；果柄长 4.5 ~ 5 mm，被短柔毛。花期 7 ~ 10 月，果期 11 月。

| **生境分布** | 生于低海拔的低山、岗地。湖南各地均有分布。

| **资源情况** | 野生资源一般。栽培资源一般。药材来源于野生和栽培。

| **采收加工** | 根，秋后采挖，鲜用或切片晒干。茎藤，夏末秋初孕蕾前割取，除去杂质，切碎，鲜用或晒干。

| **功能主治** | 苦、微涩，平。归肺、肝经。消肿解毒，止血镇痛，祛风除湿。用于痈疽疔毒，咳嗽咯血，消化道出血，跌打损伤，烫伤，风湿骨痛，风火牙痛。

| **用法用量** | 内服煎汤，15 ~ 30 g，鲜品 30 ~ 60 g。外用适量，捣敷。

鼠李科 Rhamnaceae 勾儿茶属 Berchemia

多叶勾儿茶 *Berchemia polyphylla* Wall. ex Laws.

| 药 材 名 | 鸭公藤（药用部位：全株）。

| 形态特征 | 藤状灌木，高 3 ~ 4 m。小枝黄褐色，被短柔毛。叶纸质，卵状椭圆形、卵状矩圆形或椭圆形，长 1.5 ~ 4.5 cm，宽 0.8 ~ 2 cm，先端圆形或钝，稀锐尖，常有小尖头，基部圆形，稀宽楔形，两面无毛，上面深绿色，下面浅绿色，干时常呈黄色，侧脉每边 7 ~ 9，叶脉在上面明显凸起，在下面稍凸起；叶柄长 3 ~ 6 mm，被短柔毛；托叶小，披针状钻形，基部合生，宿存。花浅绿色或白色，无毛，通常 2 ~ 10 簇生，排成具短总梗的聚伞总状花序，稀排成下部具短分枝的窄聚伞圆锥花序，花序顶生，长达 7 cm，花序轴被疏或密短柔毛；花梗长 2 ~ 5 mm；花芽锥状，先端锐尖；萼片卵状三角形或三

角形，先端尖；花瓣近圆形。核果圆柱形，长 7 ～ 9 mm，直径 3 ～ 3.5 mm，先端尖，成熟时红色，后变黑色，基部有宿存的花盘和萼筒；果柄长 3 ～ 6 mm。花期 5 ～ 9 月，果期 7 ～ 11 月。

| **生境分布** | 生于低海拔的丘陵岗地、低山。分布于湘南、湘西南、湘西北，以及邵阳（洞口、武冈）等。

| **资源情况** | 野生资源一般。药材来源于野生。

| **采收加工** | 秋季采挖，除去泥沙和杂质，切碎，晒干。

| **功能主治** | 甘、苦，凉。清热利湿，解毒散结。用于肺热咳嗽，肺痈，湿热黄疸，热淋，痢疾，带下，淋巴结炎，痈疽疔肿。

| **用法用量** | 内服煎汤，15 ～ 30 g。

鼠李科 Rhamnaceae 勾儿茶属 Berchemia

光枝勾儿茶

Berchemia polyphylla Wall. ex Laws. var. *leioclada* Hand.-Mazz.

| **药 材 名** | 光枝勾儿茶（药用部位：茎、叶）。

| **形态特征** | 藤状灌木，高 3 ~ 4 m。小枝黄褐色，无毛。叶纸质，卵状椭圆形、卵状矩圆形或椭圆形，长 1.5 ~ 4.5 cm，宽 0.8 ~ 2 cm，先端圆形或钝，稀锐尖，常有小尖头，基部圆形，稀宽楔形，两面无毛，上面深绿色，下面浅绿色，干时常呈黄色，侧脉每边 7 ~ 9，叶脉在上面明显凸起，在下面稍凸起；叶柄长 3 ~ 6 mm，被短柔毛；托叶小，披针状钻形，基部合生，宿存。花浅绿色或白色，无毛，通常 2 ~ 10 簇生，排成具短总梗的聚伞总状花序，稀排成下部具短分枝的窄聚伞圆锥花序，花序顶生，长达 7 cm，花序轴无毛；花梗长 2 ~ 5 mm；花芽锥状，先端锐尖；萼片卵状三角形或三角形，

先端尖；花瓣近圆形。核果圆柱形，长 7 ~ 9 mm，直径 3 ~ 3.5 mm，先端尖，
成熟时红色，后变黑色，基部有宿存的花盘和萼筒；果柄长 3 ~ 6 mm，无毛。
花期 5 ~ 9 月，果期 7 ~ 11 月。

| 生境分布 | 生于岗地、低山、中山。湖南各地均有分布。

| 资源情况 | 野生资源丰富。药材来源于野生。

| 采收加工 | 夏、秋季茎叶茂盛时采收，干燥。

| 药材性状 | 本品茎呈圆柱形，直径可达 1.5 cm；表面棕褐色至暗紫色，外被蜡质；质坚硬，
断面不整齐，皮部薄，木部浅黄色，髓明显。叶互生，有短柄，叶片卵圆形，
长 2 ~ 4 cm，宽 1 ~ 2 cm，先端渐尖或钝圆，顶处有芒尖，全缘，上表面灰绿色，
下表面黄绿色，羽状侧脉 7 ~ 9 对；近革质。气微，味微苦、涩。

| 功能主治 | 微苦、涩，平。归肝、肺经。祛痰止咳，活络止痛。用于咳嗽咯血，风湿骨痛。

| 用法用量 | 内服煎汤，15 ~ 30 g。

鼠李科 Rhamnaceae 勾儿茶属 Berchemia

勾儿茶 *Berchemia sinica* Schneid.

| 药 材 名 | 勾儿茶（药用部位：根或根皮、叶。别名：比荚芒）。

| 形态特征 | 藤状或攀缘灌木，高达 5 m。幼枝无毛，老枝黄褐色，平滑无毛。叶纸质至厚纸质，互生或在短枝先端簇生，卵状椭圆形或卵状矩圆形，长 3 ~ 6 cm，宽 1.6 ~ 3.5 cm，先端圆形或钝，常有小尖头，基部圆形或近心形，上面绿色，无毛，下面灰白色，仅脉腋被疏微毛，侧脉每边 8 ~ 10；叶柄纤细，长 1.2 ~ 2.6 cm，带红色，无毛。花黄色或淡绿色，单生或数个簇生，有短总花梗或无，在侧枝先端排成具短分枝的窄聚伞状圆锥花序，花序轴无毛，长达 10 cm，分枝长达 5 cm，有时为腋生的短总状花序；花梗长 2 mm；花芽卵球形，先端短锐尖或钝。核果圆柱形，长 5 ~ 9 mm，直径 2.5 ~ 3 mm，

基部稍宽，有皿状宿存花盘，成熟时紫红色或黑色；果柄长 3 mm。花期 6 ~ 8
月，果期翌年 5 ~ 6 月。

| **生境分布** | 生于丘陵岗地、低山。分布于湖南衡阳（衡山）、邵阳（新邵、武冈）、郴州（永
兴）、张家界（慈利）、怀化（溆浦、靖州）等。

| **资源情况** | 野生资源一般。药材来源于野生。

| **功能主治** | 微苦，凉。清热利湿，活血消肿，清热解毒。用于热淋，黄疸，痢疾，带下，
崩漏，跌打损伤，风湿疼痛，痈肿疮毒。

| **用法用量** | 内服煎汤，10 ~ 30 g；或炖肉。

鼠李科 Rhamnaceae 枳椇属 Hovenia

枳椇
Hovenia acerba Lindl.

药 材 名

枳椇子（药用部位：成熟种子。别名：鸡爪树、南枳椇）、枳椇叶（药用部位：叶）、枳椇木皮（药用部位：树皮）、枳椇木汁（药用部位：树干中流出的液汁）、枳椇根（药用部位：根）。

形态特征

高大乔木，高 10 ~ 25 m。小枝褐色或黑紫色，被棕褐色短柔毛或无毛，有明显的白色皮孔。叶互生，厚纸质至纸质，宽卵形、椭圆状卵形或心形，长 8 ~ 17 cm，宽 6 ~ 12 cm，先端长渐尖或短渐尖，基部截形或心形，稀近圆形或宽楔形，边缘常具整齐的浅而钝的细锯齿，上部或近先端的叶有不明显的齿，稀近全缘，上面无毛，下面沿脉或脉腋常被短柔毛或无毛；叶柄长 2 ~ 5 cm，无毛。二歧聚伞圆锥花序顶生和腋生，被棕色短柔毛；花两性，直径 5 ~ 6.5 mm；萼片具网状脉或纵条纹，无毛，长 1.9 ~ 2.2 mm，宽 1.3 ~ 2 mm；花瓣椭圆状匙形，长 2 ~ 2.2 mm，宽 1.6 ~ 2 mm，具短爪；花盘被柔毛；花柱半裂，稀浅裂或深裂，长 1.7 ~ 2.1 mm，无毛。浆果状核果近球形，直径 5 ~ 6.5 mm，无毛，成熟时黄褐色或棕褐色；果序轴明显膨大；种子暗褐色或黑紫色，直径 3.2 ~ 4.5 mm。花期 5 ~ 7 月，果期 8 ~ 10 月。

| **生境分布** | 生于岗地、低山、中山。湖南各地均有分布。

| **资源情况** | 野生资源较丰富。栽培资源一般。药材来源于野生和栽培。

| **采收加工** | 枳椇子：果实成熟后连同肉质花序轴一并摘下，晒干，取出种子。

枳椇叶：夏末采收，晒干。

枳椇木皮：春季采剥，晒干。

枳椇根：秋后采挖，鲜用或切片晒干。

| **功能主治** | 枳椇子：甘，平。归胃经。解酒毒，止渴除烦，止呕，利二便。用于醉酒，烦渴，呕吐，二便不利。

枳椇叶：甘，凉。清热解毒，除烦止渴。用于风热感冒，醉酒，烦渴，呕吐，大便秘结。

枳椇木皮：甘，温。活血，舒筋，消食，疗痔。用于筋脉拘挛，食积，痔疮。

枳椇木汁：甘，平。辟秽除臭。用于狐臭。

枳椇根：甘、涩，温。祛风活络，止血，解酒。用于风湿筋骨痛，劳伤咳嗽，咯血，惊风，醉酒。

| **用法用量** | 枳椇子：内服煎汤，6 ~ 15 g；或浸酒。

枳椇叶：内服煎汤，9 ~ 15 g；或浸酒。

枳椇木皮：内服煎汤，9 ~ 15 g。外用适量，煎汤洗。

枳椇木汁：外用适量，煎汤洗。

枳椇根：内服煎汤，9 ~ 15 g，鲜品 120 ~ 240 g；或炖肉。

鼠李科 Rhamnaceae 枳椇属 Hovenia

毛果枳椇

Hovenia trichocarpa Chun et Tsiang

| 药 材 名 |

同"枳椇"。

| 形态特征 |

高大落叶乔木，高达 18 m。小枝褐色或黑紫色，无毛，有明显的皮孔。叶纸质，矩圆状卵形、宽椭圆状卵形或矩圆形，稀近圆形，长 12 ~ 18 cm，宽 7 ~ 15 cm，先端渐尖或长渐尖，基部截形、近圆形或心形，边缘具圆齿状锯齿或钝锯齿，稀近全缘，下面被黄褐色或黄灰色不脱落的密绒毛；叶柄长 2 ~ 4 cm，无毛或有疏柔毛。二歧聚伞花序顶生或兼腋生，被锈色或黄褐色密短茸毛；花黄绿色，直径 7.5 ~ 8.5 mm；花萼被锈色密短柔毛，萼片具明显的网脉，长 2.8 ~ 3 mm，宽 2.1 ~ 2.6 mm；花瓣卵圆状匙形，长 2.8 ~ 3 mm，宽 1.8 ~ 2 mm，具长 0.8 ~ 1.1 mm 的爪，花盘被锈色密长柔毛；花柱自基部 3 深裂，长 1 ~ 1.8 mm，下部被疏长柔毛。浆果状核果球形或倒卵状球形，直径 8 ~ 8.2 mm，被锈色或棕色密绒毛和长柔毛；果序轴膨大，被锈色或棕色绒毛；种子黑色、黑紫色或棕色，近圆形，直径 4 ~ 5.5 mm，腹面中部有棱，背面有时具乳头状突起。花期 5 ~ 6 月，

果期 8 ~ 10 月。

| **生境分布** | 生于丘陵岗地、中山、低山。分布于湘北、湘西北等。

| **资源情况** | 野生资源稀少。药材来源于野生。

| **采收加工** | 同"枳椇"。

| **功能主治** | 同"枳椇"。

| **用法用量** | 同"枳椇"。

鼠李科 Rhamnaceae 枳椇属 Hovenia

光叶毛果枳椇

Hovenia trichocarpa Chun et Tsiang var. *robusta* (Nakai et Y. Kimura) Y. L. Chon et P. K. Chou

| 药 材 名 | 同 "枳椇"。

| 形态特征 | 本种与毛果枳椇的区别在于本种叶两面无毛或下面沿脉被疏柔毛。

| 生境分布 | 生于海拔 600 ~ 1 100m 的山坡密林中。分布于湖南株洲（炎陵）、衡阳（南岳、衡山、祁东）、邵阳（新邵、绥宁、新宁、武冈）、岳阳（平江）、张家界（永定、慈利）、郴州（宜章）、永州（宁远）、怀化（沅陵、溆浦、洪江）、湘西州（永顺）等。

| 资源情况 | 野生资源稀少。药材来源于野生。

| 功能主治 | 同 "枳椇"。

| **用法用量** |　同"枳椇"。

鼠李科 Rhamnaceae　马甲子属 Paliurus

铜钱树

Paliurus hemsleyanus Rehd.

| 药 材 名 | 金钱木根（药用部位：根。别名：金钱木、马鞍秋、麻介刺）。

| 形态特征 | 乔木，稀灌木，高达 13 m。小枝黑褐色或紫褐色，无毛。叶互生，纸质或厚纸质，宽椭圆形、卵状椭圆形或近圆形，长 4 ~ 12 cm，宽 3 ~ 9 cm，先端长渐尖或渐尖，基部偏斜，宽楔形或近圆形，边缘具圆锯齿或钝细锯齿，两面无毛，基出脉 3；叶柄长 0.6 ~ 2 cm，近无毛或仅上面被疏短柔毛；无托叶刺，但幼树叶柄基部有 2 斜向直立的针刺。聚伞花序或聚伞圆锥花序，顶生或兼有腋生，无毛；萼片三角形或宽卵形，长 2 mm，宽 1.8 mm；花瓣匙形，长 1.8 mm，宽 1.2 mm；雄蕊长于花瓣；花盘五边形，5 浅裂；子房 3 室，每室具 1 胚珠，花柱 3 深裂。核果草帽状，周围具革质宽翅，红褐色

或紫红色，无毛，直径 2 ~ 3.8 cm；果柄长 1.2 ~ 1.5 cm。花期 4 ~ 6 月，果期 7 ~ 9 月。

| **生境分布** | 生于丘陵岗地、低山。湖南有广泛分布。

| **资源情况** | 野生资源一般。药材来源于野生。

| **采收加工** | 秋后采挖，洗净，切片，晒干。

| **功能主治** | 苦，平。祛风散瘀，解毒消肿。用于风湿痹痛，跌打损伤，咽喉肿痛，痈疽。

| **用法用量** | 内服煎汤，10 ~ 15 g。

鼠李科 Rhamnaceae 马甲子属 Paliurus

硬毛马甲子

Paliurus hirsutus Hemsl.

| 药 材 名 | 硬毛马甲子（药用部位：根。别名：钩交刺、长梗铜钱树）。

| 形态特征 | 小乔木或灌木，高达 5 m。小枝紫褐色或紫黑色，被柔毛。叶互生，纸质或厚纸质，宽卵形、卵状椭圆形或近圆形，长 4.5 ～ 10.5 cm，宽 4 ～ 7 cm，先端突尖、短渐尖或渐尖，基部近圆形，偏斜，近全缘或具细锯齿，上面沿脉被密柔毛，下面沿脉被长硬毛，基出脉 3，中脉两侧各有 3 ～ 5 明显的侧脉；叶柄长 0.5 ～ 1.2 cm，被毛，基部通常有 1 长 3 ～ 4 mm 的下弯的钩状刺。腋生聚伞花序或聚伞圆锥花序，被密短柔毛；萼片宽卵形或三角形，长 1.5 ～ 1.6 cm，宽 1.4 ～ 1.5 mm，被疏短柔毛；花瓣匙形或扇形，长 1.5 mm，宽 1.4 ～ 1.5 mm；雄蕊与花瓣等长；花盘五边形，5 或 10 齿裂；

子房 3 室，每室具 1 胚珠，花柱 3 深裂，稀 4 深裂。核果杯状，红色或紫红色，周围具木栓质窄翅，直径 1 ~ 1.3 cm，长 7 ~ 8 mm，无毛；果柄长 6 ~ 10 mm，与宿存的萼筒被短柔毛。花期 6 ~ 8 月，果期 8 ~ 10 月。

| **生境分布** | 生于丘陵岗地。分布于湘东等。

| **资源情况** | 野生资源稀少。药材来源于野生。

| **采收加工** | 秋、冬季采挖，洗净，切片，晒干。

| **功能主治** | 解毒消肿。

| **用法用量** | 内服煎汤，10 ~ 15 g。

鼠李科 Rhamnaceae 马甲子属 Paliurus

马甲子
Paliurus ramosissimus (Lour.) Poir.

| 药 材 名 | 马甲子根（药用部位：根。别名：石刺木、鸟刺仔）、铁篱笆（药用部位：刺、花、叶）。

| 形态特征 | 灌木，高达 6 m。小枝褐色或深褐色，被短柔毛，稀近无毛。叶互生，纸质，宽卵形、卵状椭圆形或近圆形，长 3 ~ 5.5（~ 7）cm，宽 2.2 ~ 5 cm，先端钝或圆形，基部宽楔形、楔形或近圆形，稍偏斜，边缘具钝细锯齿或细锯齿，稀上部近全缘，上面沿脉被棕褐色短柔毛，幼叶下面密生棕褐色细柔毛，后毛渐脱落，仅沿脉被短柔毛或无毛，基出脉 3；叶柄长 5 ~ 9 mm，被毛，基部有 2 紫红色斜向直立的针刺，针刺长 0.4 ~ 1.7 cm。腋生聚伞花序，被黄色绒毛；萼片宽卵形，长 2 mm，宽 1.6 ~ 1.8 mm；花瓣匙形，短于萼片，长 1.5 ~ 1.6 mm，

宽 1 mm；雄蕊与花瓣等长或略长于花瓣；花盘圆形，边缘 5 或 10 齿裂；子房 3 室，每室具 1 胚珠，花柱 3 深裂。核果杯状，被黄褐色或棕褐色绒毛，周围具木栓质 3 浅裂的窄翅，直径 1 ~ 1.7 cm，长 7 ~ 8 mm；果柄被棕褐色绒毛；种子紫红色或红褐色，扁圆形。花期 5 ~ 8 月，果期 9 ~ 10 月。

| 生境分布 | 生于岗地、低山。湖南有广泛分布。

| 资源情况 | 野生资源较丰富。药材来源于野生。

| 采收加工 | 马甲子根：全年均可采挖，晒干。
铁篱笆：全年均可采收，鲜用或晒干。

| 功能主治 | 马甲子根：苦，平。祛风散瘀，解毒消肿。用于风湿痹痛，跌打损伤，咽喉肿痛，痈疽。
铁篱笆：苦，平。清热解毒。用于疔疮痈肿，无名肿毒，下肢溃疡，眼目赤痛。

| 用法用量 | 马甲子根：内服煎汤，15 ~ 30 g。外用适量，捣敷。
铁篱笆：外用适量，鲜品捣敷。

鼠李科 Rhamnaceae 猫乳属 *Rhamnella*

猫乳 *Rhamnella franguloides* (Maxim.) Weberb.

| 药 材 名 | 鼠矢枣（药用部位：成熟果实、根。别名：长叶绿柴、山黄）。

| 形态特征 | 落叶灌木或小乔木，高 2 ~ 9 m。幼枝绿色，被短柔毛或密柔毛。叶倒卵状矩圆形、倒卵状椭圆形、矩圆形、长椭圆形，稀倒卵形，长 4 ~ 12 cm，宽 2 ~ 5 cm，先端尾状渐尖、渐尖或骤然收缩成短渐尖，基部圆形，稀楔形，稍偏斜，边缘具细锯齿，上面绿色，无毛，下面黄绿色，被柔毛或仅沿脉被柔毛，侧脉每边 5 ~ 11（~ 13）；叶柄长 2 ~ 6 mm，被密柔毛；托叶披针形，长 3 ~ 4 mm，基部与茎离生，宿存。花黄绿色，两性，6 ~ 18 排成腋生聚伞花序；总花梗长 1 ~ 4 mm，被疏柔毛或无毛；萼片三角状卵形，边缘被疏短毛；花瓣宽倒卵形，先端微凹；花梗长 1.5 ~ 4 mm，被疏毛

或无毛。核果圆柱形，长 7 ～ 9 mm，直径 3 ～ 4.5 mm，成熟时红色或橘红色，干后变黑色或紫黑色；果柄长 3 ～ 5 mm，被疏柔毛或无毛。花期 5 ～ 7 月，果期 7 ～ 10 月。

| **生境分布** | 生于岗地、低山。分布于湘北、湘西北、湘西南等。

| **资源情况** | 野生资源一般。药材来源于野生。

| **采收加工** | 果实，成熟后采摘，晒干。根，秋后采挖，洗净，切片，晒干。

| **功能主治** | 苦，平。补脾益肾，疗疮。用于体质虚弱，劳伤乏力，疥疮。

| **用法用量** | 内服煎汤，6 ～ 15 g。外用适量，煎汤洗。

鼠李科 Rhamnaceae 猫乳属 Rhamnella

多脉猫乳 *Rhamnella martinii* (Lévl.) Schneid.

药材名

多脉猫乳（药用部位：根、茎皮、叶。别名：香叶树、秤杆木）。

形态特征

灌木或小乔木，高可达 8 m。幼枝纤细，黄绿色，无毛；老枝黑褐色，具多数黄色皮孔。叶纸质，长椭圆形、披针状椭圆形或矩圆状椭圆形，长 4 ~ 11 cm，宽 1.5 ~ 4.2 cm，先端锐尖或渐尖，基部圆形或近圆形，稍偏斜，边缘具细锯齿，两面无毛，稀下面沿脉被疏柔毛，侧脉每边 6 ~ 8；叶柄长 2 ~ 4 mm，无毛或被疏柔毛；托叶钻形，基部宿存。腋生聚伞花序，无毛，总花梗极短或长不超过 2 mm；花小，黄绿色；萼片卵状三角形，先端锐尖，花瓣倒卵形，先端微凹；花梗长 2 ~ 3 mm。核果近圆柱形，长 8 mm，直径 3 ~ 3.5 mm，成熟时或干后变黑紫色；果柄长 3 ~ 4 mm。花期 4 ~ 6 月，果期 7 ~ 9 月。

生境分布

生于岗地。分布于湘北等。

| **资源情况** | 野生资源稀少。药材来源于野生。

| **采收加工** | 根，秋、冬季采挖，洗净，晒干。茎皮、叶，夏、秋季采收，鲜用或晒干。

| **功能主治** | 用于劳伤乏力，疥疮等。

| **用法用量** | 内服煎汤，10 ~ 30 g。外用适量，鲜品捣敷。

鼠李科 Rhamnaceae 鼠李属 Rhamnus

山绿柴

Rhamnus brachypoda C. Y. Wu ex Y. L. Chen

| 药 材 名 | 山绿柴（药用部位：根皮）。

| 形态特征 | 多刺灌木，高 1.5 ~ 3 m。叶纸质或厚纸质，互生或在短枝上簇生，矩圆形、卵状矩圆形或倒卵形，稀椭圆形或近圆形，长 3 ~ 10 cm，宽 1.5 ~ 4.5 cm，先端渐尖或短突尖，稀钝或近圆形，基部宽楔形或近圆形，边缘有钩状内弯的锯齿，叶背常有疣状突起；托叶条状披针形，长约为叶柄的 1/2，脱落。花单性，雌雄异株，黄绿色，4 基数，1 ~ 3 花生于小枝下部叶腋或短枝先端；雌花萼筒钟状，萼片披针形，长 2 ~ 2.5 mm，具不明显 3 脉，背面被微毛；子房近球形，花柱 3 半裂，柱头外弯；花梗长 2 ~ 3 mm，被疏微毛。核果倒卵状圆球形，成熟时黑色，具 3（稀 2）分核，基部有浅杯状的宿存萼筒；果柄长 2 ~ 4 mm，有微毛；种子矩圆状倒卵圆形，长约

6 mm，褐色，背面有长达种子 1/2 的纵沟。

| **生境分布** | 生于海拔 500 ～ 1 700 m 的山坡、路旁灌丛或山谷疏林中。分布于湖南衡阳（衡山）、郴州（宜章、桂东）、株洲（炎陵）等。

| **资源情况** | 野生资源稀少。药材来源于野生。

| **功能主治** | 用于牙痛。

鼠李科 Rhamnaceae 鼠李属 Rhamnus

长叶冻绿 *Rhamnus crenata* Sieb. et Zucc.

| 药 材 名 | 黎辣根（药用部位：根或根皮。别名：梨罗根、红点秤、一扫光）。

| 形态特征 | 落叶灌木或小乔木，高达 7 m。幼枝带红色，被毛，后脱落，小枝被疏柔毛。叶纸质，倒卵状椭圆形、椭圆形或倒卵形，稀倒披针状椭圆形或长圆形，长 4 ~ 14 cm，宽 2 ~ 5 cm，先端渐尖、尾状长渐尖或骤缩成短尖，基部楔形或钝，边缘具圆齿状齿或细锯齿，上面无毛，下面被柔毛或沿脉被疏柔毛，侧脉每边 7 ~ 12；叶柄长 4 ~ 10（~ 12）mm，被密柔毛。花数个或 10 余个密集成腋生聚伞花序，总花梗长 4 ~ 10 mm，稀长 15 mm，被柔毛；花梗长 2 ~ 4 mm，被短柔毛；萼片三角形，与萼管等长，外面被疏微毛；花瓣近圆形，先端 2 裂；雄蕊与花瓣等长而短于萼片；子房球形，

无毛，3 室，每室具 1 胚珠，花柱不分裂，柱头不明显。核果球形或倒卵状球形，绿色或红色，成熟时黑色或紫黑色，长 5 ~ 6 mm，直径 6 ~ 7 mm，果柄长 3 ~ 6 mm，无或有疏短毛，具 3 分核，每核各有 1 种子；种子无沟。花期 5 ~ 8 月，果期 8 ~ 10 月。

| 生境分布 | 生于岗地、低山、中山。湖南有广泛分布。

| 资源情况 | 野生资源较丰富。药材来源于野生。

| 功能主治 | 苦、辛，平；有毒。清热解毒，杀虫利湿。用于疥疮，顽癣，疮疖，湿疹，荨麻疹，瘌痢头，跌打损伤。

| 用法用量 | 内服煎汤，3 ~ 5 g；或浸酒。外用适量，煎汤洗；或捣敷；或研末调敷；或磨醋擦。

鼠李科 Rhamnaceae 鼠李属 Rhamnus

贵州鼠李
Rhamnus esquirolii Lévl.

| 药 材 名 | 贵州鼠李（药用部位：根、叶、果实。别名：铁滚子、紫棍柴、无刺鼠李）。

| 形态特征 | 灌木，稀小乔木，高 3 ~ 5 m。小枝无刺，褐色，具不明显瘤状皮孔，被短柔毛。叶纸质，大小异形，在同侧交替互生，小叶矩圆形或披针状椭圆形，长 1.5 ~ 4 cm，宽 0.5 ~ 2.5 cm；大叶长椭圆形，倒披针状椭圆形或狭矩圆形，长 5 ~ 19 cm，宽 1.7 ~ 6 cm，先端渐尖至长渐尖，或尾状渐尖，稀短急尖，基部圆形或楔形，边缘平或稍背卷，具细锯齿或不明显细齿，上面深绿色，无毛，下面浅绿色，被灰色短软柔毛，或沿脉被短柔毛；侧脉每边 6 ~ 8，在近边缘联结成环状，上面下陷，下面凸起，干时呈灰绿色；叶柄长 3 ~ 11 mm，

稀长 15 mm，被密或疏短柔毛；托叶钻状，宿存。花单性，雌雄异株，通常数个排成长 1 ~ 3 cm 的腋生聚伞总状花序，常有钻状小苞片，花序轴、花梗和花均被短柔毛；花 5 基数；萼片三角形，先端尖；花瓣小，早落；花梗长 1 ~ 2 mm；雄花有退化雌蕊；雌花有极小的退化雄蕊，子房球形，3 室，每室具 1 胚珠，花柱 3 浅裂或半裂。核果倒卵状球形，直径 4 ~ 5 mm，基部有宿存的萼筒，具 3 分核，紫红色，成熟时黑色；种子 2 ~ 3，倒卵状矩圆形。背面有与种子近等长的上窄下宽的纵沟。花期 5 ~ 7 月，果期 8 ~ 11 月。

| 生境分布 | 生于丘陵岗地、低山。分布于湘西北、湘西南等。

| 资源情况 | 野生资源较少。药材来源于野生。

| 采收加工 | 根，秋后采挖，鲜用或切片晒干。叶，夏季采收，晒干。果实，秋季果实成熟后采摘，晒干。

| 功能主治 | 活血消积，理气止痛。用于腹痛，食积，月经不调。

| 用法用量 | 内服煎汤，根、叶 10 ~ 30 g，果实 15 ~ 45 g。外用适量，捣敷。

鼠李科 Rhamnaceae 鼠李属 Rhamnus

圆叶鼠李
Rhamnus globosa Bunge

| 药 材 名 | 冻绿刺（药用部位：茎、叶、根皮。别名：鸭屎树、洞皮树、山绿柴）。

| 形态特征 | 灌木，稀小乔木，高 2 ～ 4 m。小枝对生或近对生，灰褐色，先端具针刺，幼枝和当年生枝被短柔毛。叶纸质或薄纸质，对生或近对生，稀兼互生，或在短枝上簇生，近圆形、倒卵圆形或卵圆形，稀圆状椭圆形，长 2 ～ 6 cm，宽 1.2 ～ 4 cm，先端突尖或短渐尖，稀圆钝，基部宽楔形或近圆形，边缘具圆齿状锯齿，上面绿色，初时被密柔毛，后毛渐脱落或仅沿脉及边缘被疏柔毛，下面淡绿色，全部或沿脉被柔毛，侧脉每边 3 ～ 4，上面下陷，下面凸起，网脉在下面明显；叶柄长 6 ～ 10 mm，被密柔毛；托叶线状披针形，宿存，有微毛。花单性，雌雄异株，通常数至 20 簇生于短枝端或长枝下部

叶腋，稀2～3生于当年生枝下部叶腋，4基数，有花瓣；花萼和花梗均被疏微毛；花柱2～3浅裂或半裂；花梗长4～8 mm。核果球形或倒卵状球形，长4～6 mm，直径4～5 mm，基部有宿存的萼筒，具2分核，稀具3分核，成熟时黑色；果柄长5～8 mm，被疏柔毛；种子黑褐色，有光泽，背面或背侧有长为种子3/5的纵沟。花期4～5月，果期6～10月。

| **生境分布** | 生于丘陵岗地、低山。分布于湖南株洲（茶陵）、郴州（临武）、永州（江永、新田）、张家界（慈利）、怀化（沅陵）等。

| **资源情况** | 野生资源较少。药材来源于野生。

| **功能主治** | 苦、涩，微寒。杀虫消食，下气祛痰。用于绦虫病，食积，瘰疬，哮喘。

| **用法用量** | 内服煎汤，9～15 g。

鼠李科 Rhamnaceae　鼠李属 Rhamnus

薄叶鼠李
Rhamnus leptophylla Schneid.

| 药 材 名 | 绛梨木（药用部位：根、果实。别名：叫梨子、乌槎子、绛耳木）。

| 形态特征 | 灌木，稀小乔木，高达 5 m。小枝对生或近对生，褐色或黄褐色，稀紫红色，平滑无毛，有光泽，芽小，鳞片数个，无毛。叶纸质，对生或近对生，或在短枝上簇生，倒卵形至倒卵状椭圆形，稀椭圆形或矩圆形，长 3 ~ 8 cm，宽 2 ~ 5 cm，先端短突尖或锐尖，稀近圆形，基部楔形，边缘具圆齿或钝锯齿，上面深绿色，无毛或沿中脉被疏毛，下面浅绿色，仅脉腋有簇毛，侧脉每边 3 ~ 5，具不明显的网脉，上面下陷，下面凸起；叶柄长 0.8 ~ 2 cm，上面有小沟，无毛或被疏短毛；托叶线形，早落。花单性，雌雄异株，4 基数，有花瓣；花梗长 4 ~ 5 mm，无毛；雄花 10 ~ 20 簇生于短枝端；雌

花数个至 10 余个簇生于短枝端或长枝下部叶腋，退化雄蕊极小，花柱 2 半裂。核果球形，直径 4 ~ 6 mm，长 5 ~ 6 mm，基部有宿存的萼筒，具 2 ~ 3 分核，成熟时黑色；果柄长 6 ~ 7 mm；种子宽倒卵圆形，背面有长为种子 2/3 ~ 3/4 的纵沟。花期 3 ~ 5 月，果期 5 ~ 10 月。

| **生境分布** | 生于海拔 1 500 m 以上的岗地、低山。湖南有广泛分布。

| **资源情况** | 野生资源较丰富。药材来源于野生。

| **采收加工** | 秋末冬初采挖根，秋季果实成熟后采摘果实，晒干。

| **功能主治** | 苦、辛，平。消食顺气，活血祛瘀。用于食积腹胀，食欲不振，胃痛，嗳气，跌打损伤，痛经。

| **用法用量** | 内服煎汤，根 15 ~ 30 g，果实 15 ~ 45 g。孕妇忌服。

鼠李科 Rhamnaceae 鼠李属 Rhamnus

尼泊尔鼠李

Rhamnus napalensis (Wall.) Laws.

药材名

大风药（药用部位：根、茎。别名：叶青、纤序鼠李、皂布叶）、大风药叶（药用部位：叶。别名：纤序鼠李叶）。

形态特征

直立或藤状灌木，稀乔木。枝无刺，幼枝被短柔毛，后毛脱落，小枝具多数明显的皮孔。叶厚纸质或近革质，大小异形，交替互生，小叶近圆形或卵圆形，长 2 ~ 5 cm，宽 1.5 ~ 2.5 cm；大叶宽椭圆形或椭圆状矩圆形，长 6 ~ 17（~ 20）cm，宽 3 ~ 8.5（~ 10）cm，先端圆形，短渐尖或渐尖，基部圆形，边缘具圆齿或钝锯齿，上面深绿色，无毛，下面仅脉腋被簇毛，侧脉每边 5 ~ 9，中脉在上面下陷，其余叶脉在两面均凸起；叶柄长 1.3 ~ 2 cm，无毛。花单性，雌雄异株，5 基数；腋生聚伞总状花序或下部有具短分枝的聚伞圆锥花序，花序长可达 12 cm，花序轴被短柔毛；萼片长三角形，长 1.5 mm，先端尖，外面被微毛；花瓣匙形，先端钝或微凹，基部具爪，与雄蕊等长或较雄蕊稍短；雌花花瓣早落，有退化雄蕊 5；子房球形，3 室，每室具 1 胚珠，花柱 3 浅裂至半裂。核果倒卵状球形，长约 6 mm，直径 5 ～ 6 mm，基部有宿存的萼筒，具 3 分核；种子 3，背面有与种子等长的上窄下宽的纵沟。花期 5 ～ 9 月，果期 8 ～ 11 月。

| 生境分布 | 生于丘陵岗地、低山。分布于湘北、湘南、湘西南、湘西北等。

| 资源情况 | 野生资源一般。药材来源于野生。

| 采收加工 | **大风药**：根，秋、冬季采挖，洗净，切片，晒干。茎，春、夏季采收，切段，晒干。
大风药叶：春、夏季采收，鲜用或晒干。

| 功能主治 | **大风药**：涩、微甘，平。祛风除湿，利水消胀。用于风湿关节痛，慢性肝炎，肝硬化腹水。
大风药叶：苦，寒。清热解毒，祛风除湿。用于毒蛇咬伤，烫火伤，跌打损伤，风湿性关节炎，类风湿性关节炎，湿疹，癣。

| 用法用量 | **大风药**：内服煎汤，10 ～ 30 g。
大风药叶：外用适量，捣敷；或取汁搽。

鼠李科 Rhamnaceae 鼠李属 *Rhamnus*

小冻绿树
Rhamnus rosthornii Pritz.

| 药 材 名 | 鼠李皮（药用部位：树皮、根皮）、冻绿叶（药用部位：叶。别名：黑午茶）、鼠李（药用部位：果实）。

| 形态特征 | 灌木或小乔木，高达3 m。小枝互生和近对生，不呈帚状，先端具钝刺，幼枝绿色，被短柔毛，老枝灰褐色或黑褐色，无毛，树皮粗糙，有纵裂纹。叶革质或薄革质，互生，或在短枝上簇生，匙形、菱状椭圆形或倒卵状椭圆形，稀倒卵圆形，长1 ~ 2.5 cm，宽0.5 ~ 1.2 cm，先端截形或圆形，稀锐尖，基部楔形，稀近圆形，边缘具圆齿或钝锯齿，干时常背卷，上面暗绿色，无毛或沿中脉被短柔毛，下面淡绿色，仅脉腋有簇毛，稀沿脉被疏柔毛，侧脉每边2 ~ 4，上面不明显，下面凸起；叶柄长2 ~ 4 mm，被短柔毛；托叶线状披

针形,有微毛,与叶柄近等长或稍长于叶柄,宿存。花单性,雌雄异株,4 基数,有花瓣;雌花数个簇生于短枝端或当年生枝下部叶腋,退化雄蕊极小,花柱 2 浅裂或半裂;花梗长 2 ~ 3 mm。核果球形,直径 3 ~ 4 mm,长 4 ~ 5 mm,成熟时黑色,具 2 分核,基部有宿存的萼筒;果柄长 2 ~ 4 mm;种子倒卵圆形,红褐色,有光泽,背面有长为种子 4/5 的或与种子近等长的下部宽中部窄的纵沟。花期 4 ~ 5 月,果期 6 ~ 9 月。

| **生境分布** | 生于岗地、低山、中山。湖南有广泛分布。

| **资源情况** | 野生资源较丰富。药材来源于野生。

| **采收加工** | **鼠李皮**:树皮,春、夏季采剥,鲜用或切片晒干。根皮,秋、冬季采剥。
冻绿叶:夏末采收,鲜用或晒干。
鼠李:8 ~ 9 月果实成熟时采收,除去果柄,鲜用或微火烘干。

| **功能主治** | **鼠李皮**:苦,寒。清热解毒,凉血,杀虫。用于风热瘙痒,疥疮,湿疹,腹痛,跌打损伤,肾囊风。

冻绿叶:苦,凉。止痛,消食。用于跌打损伤,消化不良。
鼠李:苦、甘,凉。清热利湿,消积通便。用于水肿腹胀,疝瘕,瘰疬,疮疡,便秘。

| **用法用量** | **鼠李皮**:内服煎汤,10 ~ 30 g。外用适量,鲜品捣敷;或研末调敷。
冻绿叶:内服,捣烂冲酒,15 ~ 30 g;或泡茶。
鼠李:内服煎汤,6 ~ 12 g;或研末;或熬膏。外用适量,研末,以油调敷。

鼠李科 Rhamnaceae 鼠李属 Rhamnus

皱叶鼠李

Rhamnus rugulosa Hemsl.

| 药 材 名 | 皱叶鼠李（药用部位：果实）。

| 形态特征 | 灌木，高 1 m 以上。当年生枝灰绿色，后变红紫色，被细短柔毛，老枝深红色或紫黑色，平滑无毛，有光泽，互生，枝端有针刺；腋芽小，卵形，鳞片数个，被疏毛。叶厚纸质，通常互生，或 2 ~ 5 在短枝端簇生，倒卵状椭圆形、倒卵形或卵状椭圆形，稀卵形或宽椭圆形，长 3 ~ 10 cm，宽 2 ~ 6 cm；叶柄长 5 ~ 16 mm，被白色短柔毛；托叶长线形，有毛，早落。花单性，雌雄异株，黄绿色，被疏短柔毛，4 基数，有花瓣；花梗长约 5 mm，有疏毛；雄花数至 20，雌花 1 ~ 10 簇生于当年生枝下部或短枝先端；雌花有退化雄蕊，子房球形，3 室，稀 2 室，每室具 1 胚珠，花柱长而扁，3 浅裂或近

半裂，稀 2 半裂。核果倒卵状球形或圆球形，长 6 ～ 8 mm，直径 4 ～ 7 mm，成熟时紫黑色或黑色，具 2 或 3 分核，基部有宿存的萼筒；果柄长 5 ～ 10 mm，被疏毛；种子矩圆状倒卵圆形，褐色，有光泽，长达 7 mm，背面有与种子近等长的纵沟。花期 4 ～ 5 月，果期 6 ～ 9 月。

| 生境分布 | 生于丘陵岗地。分布于湘中、湘东、湘南等。

| 资源情况 | 野生资源较少。药材来源于野生。

| 采收加工 | 果实成熟后采收，鲜用或晒干。

| 功能主治 | 苦，凉。清热解毒。用于肿毒，疮疡。

| 用法用量 | 外用适量，捣敷。

鼠李科 Rhamnaceae 鼠李属 Rhamnus

冻绿
Rhamnus utilis Decne.

| 药 材 名 | 鼠李皮（药用部位：树皮、根皮）、冻绿叶（药用部位：叶。别名：黑午茶）、鼠李（药用部位：果实）。

| 形态特征 | 灌木或小乔木，高达 4 m。幼枝无毛，小枝褐色或紫红色，稍平滑，对生或近对生，枝端常具针刺；腋芽小，长 2 ~ 3 mm，有数个鳞片，鳞片边缘有白色缘毛。叶纸质，对生或近对生，或在短枝上簇生，椭圆形、矩圆形或倒卵状椭圆形，长 4 ~ 15 cm，宽 2 ~ 6.5 cm，先端突尖或锐尖，基部楔形，稀圆形，边缘具细锯齿或圆齿状锯齿，上面无毛或仅中脉被疏柔毛，下面干后常变黄色，沿脉或脉腋被金黄色柔毛，侧脉每边通常 5 ~ 6，在两面均凸起，具明显的网脉；叶柄长 0.5 ~ 1.5 cm，上面具小沟，被疏微毛或无毛；托叶披针形，

常具疏毛，宿存。花单性，雌雄异株，4基数，有花瓣；花梗长 5 ~ 7 mm，无毛；雄花数个簇生于叶腋，或 10 ~ 30 或更多聚生于小枝下部，有退化雌蕊；雌花 2 ~ 6 簇生于叶腋或小枝下部，退化雄蕊小，花柱较长，2 浅裂或半裂。核果圆球形或近球形，成熟时黑色，具 2 分核，基部有宿存的萼筒；果柄长 5 ~ 12 mm，无毛；种子背侧基部有短沟。花期 4 ~ 6 月，果期 5 ~ 8 月。

| 生境分布 | 生于丘陵岗地、低山。分布于湘西北、湘西南等。

| 资源情况 | 野生资源较少。药材来源于野生。

| 采收加工 | **鼠李皮**：树皮，春、夏季采剥，鲜用或切片晒干。根皮，秋、冬季采剥。

冻绿叶：夏末采收，鲜用或晒干。

鼠李：8 ~ 9 月果实成熟时采收，除去果柄，鲜用或微火烘干。

| 功能主治 | **鼠李皮**：苦，寒。清热解毒，凉血，杀虫。用于风热瘙痒，疔疮，湿疹，腹痛，跌打损伤，肾囊风。

冻绿叶：苦，凉。止痛，消食。用于跌打损伤，消化不良。

鼠李：苦、甘，凉。清热利湿，消积通便。用于水肿腹胀，疝瘕，瘰疬，疮疡，便秘。

| 用法用量 | **鼠李皮**：内服煎汤，10 ~ 30 g。外用适量，鲜品捣敷；或研末调敷。

冻绿叶：内服，捣烂冲酒，15 ~ 30 g；或泡茶。

鼠李：内服煎汤，6 ~ 12 g；或研末；或熬膏。外用适量，研末，以油调敷。

鼠李科 Rhamnaceae 鼠李属 Rhamnus

山鼠李
Rhamnus wilsonii Schneid.

| **药 材 名** | 山鼠李（药用部位：果实）。

| **形态特征** | 灌木，高 1 ~ 3 m。小枝互生或兼近对生，银灰色或灰褐色，无光泽，枝端有时具钝针刺；顶芽卵形，有数个鳞片，鳞片浅绿色，有缘毛。叶纸质或薄纸质，互生，稀兼近对生，在当年生枝基部或短枝先端簇生，椭圆形或宽椭圆形，稀倒卵状披针形或倒卵状椭圆形，长 5 ~ 15 cm，宽 2 ~ 6 cm，先端渐尖或长渐尖，尖头直或弯，基部楔形，边缘具钩状圆锯齿，两面无毛，侧脉每边 5 ~ 7，上面稍下陷，下面凸起，有较明显的网脉；叶柄长 2 ~ 4 mm，无毛。花单性，雌雄异株，黄绿色，数个至 20 余个簇生于当年生枝基部或 1 至数个腋生，4 基数；花梗长 6 ~ 10 mm；雄花有花瓣；雌花有退化雄蕊，

子房球形，3 室，每室具 1 胚珠，花柱长于子房，2 ~ 3 浅裂或近半裂。核果倒卵状球形，长约 9 mm，直径 6 ~ 7 mm，成熟时紫黑色或黑色，具 2 ~ 3 分核，基部有宿存的萼筒；果柄长 6 ~ 15 mm，无毛；种子倒卵状矩圆形，暗褐色，长约 6.5 mm，背面基部至中部有长为种子 1/2 的短沟，无沟缝。花期 4 ~ 5 月，果期 6 ~ 10 月。

| **生境分布** | 生于低山、丘陵岗地。分布于湘西北、湘中、湘东等。

| **资源情况** | 野生资源较丰富。药材来源于野生。

| **采收加工** | 果实成熟后采收，晒干。

| **功能主治** | 微苦，温。杀虫驱蛔。用于小儿蛔虫。

| **用法用量** | 内服煎汤，10 ~ 30 g。

鼠李科 Rhamnaceae 雀梅藤属 Sageretia

钩刺雀梅藤 *Sageretia hamosa* (Wall.) Brongn.

| 药 材 名 |

钩刺雀梅藤（药用部位：根。别名：猴栗、岩猴藤、大胖药）。

| 形态特征 |

常绿藤状灌木。小枝常具钩状下弯的粗刺，灰褐色或暗褐色，无毛或仅基部被短柔毛。叶革质，互生或近对生，矩圆形或长椭圆形，稀卵状椭圆形，长 9 ~ 15（~ 20）cm，宽 4 ~ 6（~ 7）cm，先端尾状渐尖、渐尖或短渐尖，基部圆形或近圆形，边缘具细锯齿，上面有光泽，无毛，下面仅脉腋具髯毛，或初时被疏柔毛，后脱落，侧脉每边 7 ~ 10，上面下陷，下面凸起；叶柄长 8 ~ 15（~ 17）mm，无毛。花无梗，无毛，通常 2 ~ 3 簇生，疏散排列成顶生或腋生穗状花序或穗状圆锥花序；花序轴长可达 15 cm，被棕色或灰白色绒毛或密短柔毛；苞片小，卵形，被疏短柔毛；子房 2 室，每室具 1 胚珠，花柱短，柱头头状。核果近球形，近无梗，长 7 ~ 10 mm，直径 5 ~ 7 mm，成熟时深红色或紫黑色，具 2 分核，常被白粉；种子 2，扁平，棕色，两端凹入，不对称，长约 6 mm。花期 7 ~ 8 月，果期 8 ~ 10 月。

| **生境分布** | 生于丘陵岗地。分布于湘西北等。

| **资源情况** | 野生资源稀少。药材来源于野生。

| **采收加工** | 秋、冬季采挖，洗净，晒干。

| **功能主治** | 祛风湿，活血祛瘀。用于疮疡。

| **用法用量** | 内服煎汤，9 ~ 15 g。

鼠李科 Rhamnaceae 雀梅藤属 Sageretia

梗花雀梅藤 *Sageretia henryi* Drumm. et Sprague

| 药 材 名 | 梗花雀梅藤（药用部位：果实。别名：红藤、皱锦藤、柄花雀梅藤）。

| 形态特征 | 藤状灌木，稀小乔木，高达 2.5 m。枝无刺或具刺；小枝红褐色，无毛，老枝灰黑色。叶纸质，互生或近对生，矩圆形、长椭圆形或卵状椭圆形，长 5 ~ 12 cm，宽 2.5 ~ 5 cm，先端尾状渐尖，稀锐尖或钝圆，基部圆形或宽楔形，边缘具细锯齿，两面无毛，上面干时栗色，稍下陷，下面凸起，侧脉每边 5 ~ 6（~ 7）；叶柄长 5 ~ 13 mm，无毛或被微柔毛；托叶钻形，长 1 ~ 1.5 mm。花白色或黄白色，单生或数个簇生，排成疏散的总状花序，稀排成圆锥花序，腋生或顶生；花序轴无毛，长 3 ~ 17 cm；花梗长 1 ~ 3 mm，无毛；萼片卵状三角形，先端尖；花瓣白色，匙形，先端微凹，稍短于雄蕊；子房 3 室，

每室具 1 胚珠。核果椭圆形或倒卵状球形，长 5 ～ 6 mm，直径 4 ～ 5 mm，成熟时紫红色，具 2 ～ 3 分核；果柄长 1 ～ 4 mm；种子 2，扁平，两端凹入。花期 7 ～ 11 月，果期翌年 3 ～ 6 月。

| **生境分布** | 生于丘陵岗地。分布于湖南永州（新田）等。

| **资源情况** | 野生资源稀少。药材来源于野生。

| **采收加工** | 果实成熟后采收，晒干。

| **功能主治** | 苦，寒。清热，降火。用于胃热口苦，牙龈肿痛，口舌生疮。

| **用法用量** | 内服煎汤，10 ～ 15 g。

鼠李科 Rhamnaceae 雀梅藤属 Sageretia

亮叶雀梅藤 *Sageretia lucida* Merr.

| **药 材 名** | 亮叶雀梅藤（药用部位：叶、果实。别名：倒勾茶）。

| **形态特征** | 藤状灌木。枝无刺或具刺；小枝无毛。叶薄革质，互生或近对生，卵状矩圆形或卵状椭圆形，长 6 ~ 12 cm，宽 2.5 ~ 4 cm，花枝上的叶较小，长 3.5 ~ 5 cm，宽 1.8 ~ 2.5 cm，先端钝，渐尖或短渐尖，稀锐尖，基部圆形，常不对称，边缘具圆齿状浅锯齿，上面无毛，有光泽，下面仅脉腋具髯毛，侧脉每边 5 ~ 6（~ 7），上面平，下面凸起；叶柄长 8 ~ 12 mm，无毛。花无梗或近无梗，绿色，无毛，通常排成腋生短穗状花序，稀下部分枝排成穗状圆锥花序；花序轴无毛，长 2 ~ 3 cm，常具褐色、卵状三角形小苞片；萼片三角状卵形，长 1.3 ~ 1.5 mm，先端尖，内面中肋凸起；花瓣兜状，短于萼

片；雄蕊与花瓣等长。核果较大，椭圆状卵形，长 10 ~ 12 mm，直径 5 ~ 7 mm，先端钝或小突尖，成熟时红色。花期 4 ~ 7 月，果期 9 ~ 12 月。

| 生境分布 | 生于丘陵岗地。分布于湘西南等。

| 资源情况 | 野生资源稀少。药材来源于野生。

| 采收加工 | 全年均可采收叶，果实成熟后采收果实，晒干。

| 功能主治 | 叶，用于泄泻。果实，健胃。

| 用法用量 | 内服煎汤，叶 9 ~ 15 g，果实 10 ~ 15 g。

鼠李科 Rhamnaceae 雀梅藤属 Sageretia

刺藤子
Sageretia melliana Hand.-Mazz.

| 药 材 名 | 刺藤子（药用部位：根）。

| 形态特征 | 常绿藤状灌木。枝具枝刺；小枝圆柱状，褐色，被黄色短柔毛。叶革质，通常近对生，卵状椭圆形或矩圆形，稀卵形，长 5 ~ 10 cm，宽 2 ~ 3.5 cm，先端渐尖，稀锐尖，基部近圆形，稍不对称，边缘具细锯齿，上面绿色，有光泽，干时变栗褐色，两面无毛，侧脉每边 5 ~ 7（~ 8），上升，近边缘弧状弯，上面明显下陷，下面凸起；叶柄长 4 ~ 8 mm，上面有深沟，被短柔毛或无毛。花无梗，白色，无毛，单生或数个簇生，排成顶生或腋生的穗状或圆锥状穗状花序；花序轴被黄色或黄白色贴生的密短柔毛或绒毛，长 4 ~ 17 cm；苞片披针形或丝状，长 2 ~ 4 mm；萼片三角形，先端尖；花瓣狭倒卵形，

短于萼片之半；花药先端尖。核果浅红色。花期 9 ~ 11 月，果期翌年 4 ~ 5 月。

| 生境分布 | 生于丘陵岗地、低山。分布于湘南、湘西南、湘西北等。

| 资源情况 | 野生资源较少。药材来源于野生。

| 采收加工 | 秋、冬季采收，洗净，晒干。

| 功能主治 | 用于跌打损伤，风湿痹痛。

| 用法用量 | 内服煎汤，9 ~ 15 g。

皱叶雀梅藤 *Sageretia rugosa* Hance

|药材名|

皱叶雀梅藤（药用部位：根。别名：九把伞、绣毛雀梅藤）。

|形态特征|

藤状或直立灌木，高达 4 m。幼枝和小枝被锈色绒毛或密短柔毛，侧枝有时缩短成钩状。叶纸质或厚纸质，互生或近对生，卵状矩圆形或卵形，稀倒卵状矩圆形，长 3 ~ 8（~ 11）cm，宽 2 ~ 5 cm，先端锐尖或短渐尖，稀圆形，基部近圆形，稀近心形，边缘具细锯齿，幼叶上面常被白色绒毛，后毛渐脱落，下面被锈色或灰白色不脱落的绒毛，稀毛渐脱落，侧脉每边 6 ~ 8，有明显的网脉，侧脉和网脉在上面明显下陷，干时常折皱，在下面凸起；叶柄长 3 ~ 8 mm，上面具沟，被密短柔毛。花无梗，芳香，具披针形小苞片 2，通常排成顶生或腋生的穗状花序或穗状圆锥花序；花序轴被密短柔毛或绒毛；花萼外面被柔毛，萼片三角形，先端尖，内面中肋先端具小喙；花瓣匙形，先端 2 浅裂，内卷，短于萼片；雄蕊与花瓣等长或较花瓣稍长；子房藏于花盘内，2 室，每室具 1 胚珠，花柱短，柱头头状，不分裂。核果圆球形，成熟时红色或紫红色，具 2 分核；种子

2，扁平，两端凹入，稍不对称。花期 7 ~ 12 月，果期翌年 3 ~ 4 月。

| **生境分布** | 生于丘陵岗地、低山。分布于湘南、湘西南、湘西北等。

| **资源情况** | 野生资源较少。药材来源于野生。

| **采收加工** | 秋、冬季采收，洗净，晒干。

| **功能主治** | 舒筋活络。用于风湿痹痛。

| **用法用量** | 内服煎汤，9 ~ 15 g。

鼠李科 Rhamnaceae 雀梅藤属 Sageretia

尾叶雀梅藤 *Sageretia subcaudata* Schneid.

| 药 材 名 | 同 "刺藤子"。

| 形态特征 | 藤状或直立灌木，高达 1.5 m。小枝黑褐色，无毛或被疏短柔毛。叶纸质或薄革质，近对生或互生，卵形、卵状椭圆形、矩圆形，长 4 ~ 10（~ 13）cm，宽 2 ~ 4.5 cm，先端尾状渐尖或长渐尖，稀锐尖，基部心形或近圆形，边缘具浅锯齿，上面绿色，无毛，下面初时被柔毛，后毛渐脱落，或仅沿脉被疏柔毛，侧脉每边（6 ~ ）7 ~ 10，上面明显下陷，下面凸起，具明显的网脉；叶柄长 5 ~ 11 mm，上面具沟，被密或疏柔毛；托叶丝状，长达 6 mm。花无梗，黄白色或白色，通常单生或 2 ~ 3 簇生，排成顶生或腋生的疏散穗状花序或穗状圆锥花序；花序轴长 3 ~ 6 cm，被黄色绒毛；苞片三角状钻形，

长约 1 mm，无毛；花萼外面被疏短柔毛，萼片三角形，先端尖；花瓣倒卵形，短于萼片，先端微凹；雄蕊与花瓣近等长。核果球形，具 2 分核，成熟时黑色；种子宽倒卵形，黄色，扁平。花期 7 ～ 11 月，果期翌年 4 ～ 5 月。

| **生境分布** | 生于丘陵岗地、低山。分布于湖南邵阳（绥宁）、常德（澧县）、郴州（桂阳、永兴、临武）、永州（东安、道县）、怀化（辰溪）、湘西州（泸溪、花垣、吉首）等。

| **资源情况** | 野生资源一般。药材来源于野生。

| **采收加工** | 同"刺藤子"。

| **功能主治** | 同"刺藤子"。

| **用法用量** | 同"刺藤子"。

鼠李科 Rhamnaceae 雀梅藤属 *Sageretia*

雀梅藤 *Sageretia thea* (Osbeck) Johnst.

| 药 材 名 | 酸梅簕（药用部位：根、叶。别名：对节刺、抗癌藤）。

| 形态特征 | 藤状或直立灌木。小枝具刺，互生或近对生，褐色，被短柔毛。叶纸质，近对生或互生，椭圆形、矩圆形或卵状椭圆形，稀卵形或近圆形，长 1 ~ 4.5 cm，宽 0.7 ~ 2.5 cm，先端锐尖、钝或圆形，基部圆形或近心形，边缘具细锯齿，上面绿色，无毛，下面浅绿色，无毛或沿脉被柔毛，侧脉每边 3 ~ 4（~ 5），上面不明显，下面明显凸起；叶柄长 2 ~ 7 mm，被短柔毛。花无梗，黄色，有芳香，通常 2 至数个簇生，排成顶生或腋生的疏散穗状花序或圆锥状穗状花序；花序轴长 2 ~ 5 cm，被绒毛或密短柔毛；花萼外面被疏柔毛，萼片三角形或三角状卵形，长约 1 mm；花瓣匙形，先端 2 浅裂，常

内卷，短于萼片；花柱极短，柱头 3 浅裂，子房 3 室，每室具 1 胚珠。核果近圆球形，直径约 5 mm，成熟时黑色或紫黑色，具 1 ~ 3 分核，味酸；种子扁平，两端微凹。花期 7 ~ 11 月，果期翌年 3 ~ 5 月。

| **生境分布** | 生于丘陵岗地、低山。分布于湖南株洲（攸县、醴陵）、衡阳（衡南）、张家界（武陵源）、郴州（桂阳、永兴）、永州（道县、江永、蓝山）等。

| **资源情况** | 野生资源一般。药材来源于野生。

| **采收加工** | 全年均可采收，晒干。

| **功能主治** | 根，甘、淡，平。行气化痰。用于咳嗽气喘，胃痛。叶，酸，凉。解毒消肿，止痛。外用于疮疡肿毒，烫火伤。

| **用法用量** | 根，内服煎汤，9 ~ 15 g。叶，外用适量，研末调油涂。

鼠李科 Rhamnaceae 雀梅藤属 Sageretia

毛叶雀梅藤 *Sageretia thea* (Osbeck) Johnst. var. *tomentosa* (Schneid.) Y. L. Chen et P. K. Chou

| 药 材 名 | 同 "雀梅藤"。

| 形态特征 | 本种与雀梅藤的区别在于本种叶通常卵形、矩圆形或卵状椭圆形，下面被绒毛，后毛逐渐脱落。

| 生境分布 | 生于低山。分布于湘西北等。

| 资源情况 | 野生资源稀少。药材来源于野生。

| 采收加工 | 同 "雀梅藤"。

| 功能主治 | 同 "雀梅藤"。

| 用法用量 |　　同"雀梅藤"。

鼠李科 Rhamnaceae 枣属 *Ziziphus*

枣

Ziziphus jujuba Mill.

| 药 材 名 | 大枣（药用部位：果实。别名：壶、木蜜、干枣）。

| 形态特征 | 落叶小乔木，稀灌木，高超过 10 m。树皮褐色或灰褐色；有长枝，短枝和无芽小枝（即新枝）比长枝光滑，紫红色或灰褐色，呈"之"字形曲折，具 2 托叶刺，长刺长可达 3 cm，粗直，短刺下弯，长4 ~ 6 mm；短枝短粗，矩状，自老枝发出；当年生小枝绿色，下垂，单生或 2 ~ 7 簇生于短枝上。叶纸质，卵形、卵状椭圆形或卵状矩圆形，长 3 ~ 7 cm，宽 1.5 ~ 4 cm，先端钝或圆形，稀锐尖，具小尖头，基部稍不对称，近圆形，边缘具圆齿状锯齿，上面深绿色，无毛，下面浅绿色，无毛或仅沿脉多少被疏微毛，基出脉 3；叶柄长 1 ~ 6 mm，在长枝上的叶柄可达 1 cm，无毛或被疏微毛；托叶

刺纤细，后常脱落。花黄绿色，两性，5 基数，无毛，具短总花梗，单生或 2 ~ 8 密集成腋生聚伞花序；花梗长 2 ~ 3 mm；萼片卵状三角形；花瓣倒卵圆形，基部有爪，与雄蕊等长；花盘厚，肉质，圆形，5 裂；子房下部藏于花盘内，与花盘合生，2 室，每室具 1 胚珠，花柱 2 半裂。核果矩圆形或长卵圆形，长 2 ~ 3.5 cm，直径 1.5 ~ 2 cm，成熟时红色，后变红紫色，中果皮肉质，厚，味甜，果核先端锐尖，基部锐尖或钝，2 室，具 1 或 2 种子，果柄长 2 ~ 5 mm；种子扁椭圆形，长约 1 cm，宽 8 mm。花期 5 ~ 7 月，果期 8 ~ 9 月。

| **生境分布** | 生于岗地、低山、中山。湖南有广泛分布。

| **资源情况** | 野生资源丰富。栽培资源一般。药材来源于野生和栽培。

| **采收加工** | 秋季果实成熟时采收，一般随采随晒。

| **药材性状** | 本品呈椭圆形或球形，长 2 ~ 3.5 cm，直径 1.5 ~ 2 cm。表面暗红色，略带光泽，有不规则皱纹，基部凹陷，有短果柄。外果皮薄，中果皮棕黄色或淡褐色，肉质，柔软，富糖性而油润。果核纺锤形，两端锐尖，质坚硬。气微香，味甜。

| **功能主治** | 甘，温。补脾胃，益气血，安心神，调营卫，和药性。用于脾胃虚弱，气血不足，食少便溏，倦怠乏力，心悸失眠，妇人脏躁，营卫不和。

| **用法用量** | 内服煎汤，9 ~ 15 g。